Baenitz, Carl

Lehrbuch der Zoologie in populärer Darstellung: nach methodischen Grundsätzen für gehobene Lehranstalten, sowie zum Selbstunterrichte

Baenitz, Carl

Lehrbuch der Zoologie in populärer Darstellung: nach methodischen Grundsätzen für gehobene Lehranstalten, sowie zum Selbstunterrichte

Inktank publishing, 2018

www.inktank-publishing.com

ISBN/EAN: 9783750139213

Lehrbuch der Zoologie

in populärer Darstellung.

Nach methodischen Grundsätzen

für

gehobene Lehranstalten, sowie zum Selbstunterrichte

bearbeitet

von

Dr. C. Baenitz.

Mit 382 in den Text gedruckten Holzschnitten.

Preis: 2 Mark.

Berlin.
Verlag von Adolph Stubenrauch.
1876.

Vorrede.

Sollen die Schüler und Schülerinnen gehobener Lehranstalten befähigt werden, „die Erscheinungen der körperlichen Dinge in ihrem allgemeinen Zusammenhange aufzufassen," so ist eine abgesonderte systematische Behandlung der Zoologie von der Botanik hierfür die erste Grundbedingung. Nur dadurch, daß mit dem einzelnen Naturkörper noch andere gleichartige, zur Durchnahme gelangen, werden dieselben ihrem Wesen nach am besten erkannt, und der Schüler findet trotz der Verschiedenheit der einzelnen Objecte die Einheit derselben wieder. — Gründlicher Unterricht wird, um das Wesen eines Thieres oder einer Pflanze recht zur Anschauung zu bringen, auch auf di Umgebung achten. Selbstverständlich aber muß das Schlaglicht auf den zu genaueren Durchnahme bestimmten Naturkörper fallen, und nur so viel darf au den anderen Naturreichen herbeigezogen werden, als zum Verständniß der Organ und des Lebens nothwendig ist. Der Verfasser betrachtet sogar dieses Uebergreife in ein anderes Gebiet der Naturreiche und der Naturwissenschaften als eine entschiedenen Vorzug eines guten Unterrichts, da nur hierdurch bei den Schüler die Naturanschauung zu begründen ist. „Bei Betrachtung der Lebensweis charakteristischer Thierformen bietet sich stets eine geeignete Ueberleitung z kosmischen Betrachtungen dar, in welchen der zoologische Unterricht nach sein ethischen Seite gipfelt; diese müssen aber mit Zurückhaltung und Mäßigur behandelt werden, sollen sie nicht über die Köpfe der Schüler hinweg gehe statt in ihr Herz zu dringen." (Schlapp.)

Für die Auswahl und Vertheilung des naturgeschichtlichen Unterrichtsstoff in Bezug auf die einzelnen Klassen sind nach des Verfassers Erfahrung folgen Punkte von Wichtigkeit:

1) Die Auswahl der Naturkörper ist so zu treffen, daß diese a jeder Stufe in ihren wichtigsten Eigenschaften, d. h. unter Berüc sichtigung der für diese Stufe maßgebenden Gesichtspunkte a gefaßt werden können.
2) Das für jede Stufe scharf begrenzte Material ist auf der folgen unter Erweiterung der Gesichtspunkte noch ein mal mit dem hinzutretenden Stoffe einheitlich zu verarbeiten.
3) Derjenige Unterrichtsstoff, welcher auch jüngere Schüler in herv ragender Weise anzuregen und zu fesseln vermag, ist den Mit

klassen und der, welcher schwierigere Verstandesoperationen und die gleichzeitige Behandlung anderer Unterrichtsfächer erfordert, den oberen Klassen zuzuweisen.

Hieraus folgt, daß die Morphologie der Thiere und Pflanzen und die allgemeinen Grundzüge der Systematik des Thier- und Pflanzenreichs, d. h. die Betrachtung der einzelnen Art und verwandter Arten in den beiden ersten Cursen, die specielle Systematik, d. h. die Betrachtung der natürlichen Familien, Ordnungen, Klassen und Kreise im dritten Cursus zur Behandlung gelangen, und daß erst im vierten Cursus die Lehre von dem inneren Bau und dem Leben der organischen Naturkörper mit Erfolg zum Vortrage kommen darf, wenn die Kenntniß der unorganischen Natur und der Naturkräfte, durch unorganische Chemie, Mineralogie und Physik erlangt, die unbedingt nothwendige Grundlage bildet.

Wenn durch alle Zweige des naturwissenschaftlichen Unterrichts, — abgesehen von dem allgemeinen Bildungsziele, der Naturanschauung, — Schärfung und Uebung der Sinne, logisches Denken, korrekte Sprache und Bildung des Gemütes gefördert werden soll, so wird doch bei dem einen Gegenstande das eine Ziel mehr und das andere weniger in den Vordergrund treten. Schärfung der Sinne wird durch die Behandlung der Terminologie der Pflanzen erreicht werden, während dasselbe Ziel, durch die Terminologie der wirbellosen Thiere angestrebt, als ein entschiedener Mißgriff zu bezeichnen wäre. Für die Zoologie treten die Systematik und das Thierleben als Bildungsmoment hauptsächlich hervor, weil das zoologische System nicht nur gründlicher ausgebildet, sondern auch verständlicher, also von dem Schüler leichter zu erfassen ist, und weil das Thierleben in so hohem Grade zum kindlichen Gemüte spricht und dasselbe fesselt.

Für den **ersten Cursus** wählte der Verfasser fünfundzwanzig Vertreter aus den ersten fünf Thierklassen und entschied sich nicht nur für einheimische, sondern auch für ausländische Thiere, mit welchen das jugendliche Gemüt längst schon in Mährchen und Erzählungen Bekanntschaft gemacht hat (Löwe, Strauß etc.). Der Maulwurf, der Igel, die Hausmaus etc. fehlen hier nicht, denn sie werden, wenn nicht in ausgestopften Exemplaren vorhanden, leicht lebend oder todt zur Anschauung gebracht werden können und so den Unterricht erleichtern helfen. Pferd, Rind, Haushahn, Hecht, Maikäfer, Ameise und Seidenspinner greifen so tief in den Haushalt des Menschen ein, daß sie im ersten Cursus nicht fehlen dürfen.

Dieselben Gesichtspunkte leiteten den Verfasser bei der Auswahl der für den **zweiten Cursus** bestimmten Thiere; außerdem kam es ihm hier besonders darauf an, den Schülern Gelegenheit zu geben, 1) die unterscheidenden Merkmale zweier Arten einer Gattung scharf und bestimmt durch eigene Anschauung finden und aussprechen und 2) aus den übereinstimmenden Kennzeichen verwandter Arten den Charakter der Gattung ableiten zu lassen.

Auf möglichst große Beschränkung des Stoffes in den beiden ersten Cursen nahm der Verfasser besondere Rücksicht; denn nach seiner Erfahrung kann es hier nie auf das „Wieviel“ ankommen. Die Gründlichkeit der Behandlung, der Anschauung und der Einprägung leidet unter der zu großen Stoffmasse.

Wird dieser Gesichtspunkt in gehöriger Weise berücksichtigt, so beherrschen die Schüler im dritten Cursus den umfangreichen systematischen Stoff mit um so größerer Sicherheit.

Der **dritte Cursus** umfaßt die Systematik, die Klippe des naturgeschichtlichen Unterrichts. Durch das Vorüberführen einer übergroßen Zahl von natürlichen Thier- und Pflanzenfamilien wird oft der kindliche Geist von der Masse des Stoffes ermüdet, abgestumpft und zurückgeschreckt. Theilnahmlosigkeit gegen den naturgeschichtlichen Unterricht ist die nächste Folge dieses Verfahrens. Haben die ersten Curse Interesse am Gegenstande, intellectuelle und formale Bildung hervorgerufen, so vernichtet die Systemkunde das Gewonnene. Sollen die früher erzielten Erfolge nicht fruchtlos sein, so muß hier eine Aenderung und Umgestaltung eintreten; die Systematik muß dem Organismus des naturwissenschaftlichen Unterrichts in einer Weise eingefügt werden, welche weiterbauend und nicht niederreißend wirkt. Um dieses Ziel zu erreichen, empfiehlt der Verfasser:

1) Beschränkung des Stoffes mit Rücksicht auf die Auffassungskraft und das Gedächtniß des Schülers und mit Rücksicht auf die zugemessene Zeit;
2) den systematischen Stoff in lebendige Wechselwirkung zum Leben zu setzen, d. h. solche Thiere und Pflanzen zu wählen, welche fördernd oder schadenbringend in den Haushalt des Menschen eingreifen und
3) außergewöhnliche und interessante Thiere und solche Thiertypen in den Kreis der Betrachtung zu ziehen, welche den Charakter gewisser Zonen, Länder und Meere bestimmen oder als Kosmopoliten überall zu finden sind.

In Bezug auf die methodische Behandlung des Stoffes wird darauf zu sehen sein, daß stets die Glieder einer ganzen Familie dem Schüler vor Augen geführt, daß deren Gattungen scharf unterschieden werden, daß die gemeinsamen Merkmale letzterer als Charakter der Familie, also der Begriff der natürlichen Verwandtschaft zur Anschauung gelange, und daß die Familien sich zu Ordnungen und Unterklassen gruppiren, bis endlich die Einheit der Thierklasse erkannt ist. Kürzere schriftliche Arbeiten nach bestimmten Gesichtspunkten und mündliche Wiederholungen bleiben unerläßlich.

Diese Gesichtspunkte galten dem Verfasser bei Bearbeitung des dritten Cursus als maßgebend; wenn dessenungeachtet letzterem ein verhältnißmäßig größerer Raum als den beiden ersten Cursen zugemessen wurde, so berücksichtigte der Verfasser die mehr oder minder beschränkte Zeit für den naturgeschichtlichen Unterricht in unseren Lehranstalten, die geographische Verbreitung gewisser Thiere und besonders das reichlichere oder dürftigere Anschauungsmaterial für den zoologischen Unterricht in den verschiedenen Schulen; von letzterem hängt ja sehr wesentlich die schnellere oder langsamere Beherrschung des Stoffes ab. Der Einsicht des Lehrers bleibt die Auswahl überlassen.

Der Verfasser hat die neuere Systematik dem dritten Cursus nicht zu Grunde gelegt, weil er die Zersplitterung des Ganzen verhüten, die Uebersichtlichkeit ermöglichen und das „Zuviel“ vermeiden wollte. Die neuen Thierkreise und Thierklassen des niederen Thierreiches haben für den Forscher, nicht aber für den Schüler Interesse. Die Gruppirung erfolgte nach drei Thierkreisen und zwölf Klassen.

Im **vierten Cursus,** welcher die Lehre von dem inneren Bau und Leben der Thiere umfaßt, hat der Verfasser die Anatomie nicht von der Physiologie abgesondert dargestellt, sondern überall die Lebensverrichtungen da erwähnt, wo die Organe des Lebens behandelt wurden. Durch die vergleichende Anatomie, welcher die des menschlichen Körpers zu Grunde liegt, gelangte gleichzeitig die Systematik in ihren Grundzügen zur Wiederholung. „Der Schüler soll einen Einblick erhalten in das organisatorische Gesetz, welches von Stufe zu Stufe in ler Entwickelung fortschreitet, als deren Endglied und Krone schließlich der Mensch dasteht. Die Anatomie der Thiertypen zeigt ihm, welche Vorstadien ein speziellcs Organ durchlaufen mußte, ehe es den Grad menschlicher Ausbildung erreichte. Insofern spiegelt sich im Bau der Thiere die Geschichte des menschichen Baues.“ (Dr. Guckeisen, Aufgabe und Organisation des naturwissenschaftichen Unterrichts.)

Sollte es dem Verfasser bei der Bearbeitung des vorliegenden Lehrbuches elungen sein, diese aus jahrelangen Erfahrungen hervorgegangenen Gesichtspunkte ir das Schulleben praktisch gestaltet zu haben, so verdankt er diesen Erfolg esentlich den meisterhaft ausgeführten Holzschnitten, durch welche der Herr erleger dem Lehrbuche eine besondere Zierde verlieh. Durch diese Ausstattung aren Verleger und Verfasser bemüht, in schöner Form, soweit dies die renzen eines Schulbuches gestatteten, nicht nur das Thier, **sondern auch e Umgebung, welche einen wichtigen Theil des Thierlebens darstellt,** n Schülern vorzuführen. Indem der Verfasser diesen wesentlich neuen Chakter seines Schulbuches der freundlichen Beachtung der Collegen empfiehlt, üpft er daran die Bemerkung, daß sein Lehrbuch der Botanik, nach denlben Grundsätzen bearbeitet, noch vor Ostern 1877 erscheinen wird.

Königsberg i. Pr., den 4. August 1876.

C. Baenitz.

Cursus I.

Betrachtung der einzelnen Art.

I. Klasse. Säugethiere. (Mammalia.)

(§. 1.) Maulwurf. (Talpa.)

Der **gemeine Maulwurf** (*T. europaea*), 10—12 Zm. lang, hat einen walzenrunden Körper, eine lange rüsselförmige Schnauze und sammetweiche, schwarze Haare, unter welchen die sehr kleinen Augen und Ohren versteckt liegen. Er besitzt an den Vorder- und Hinterfüßen je fünf Zehen. Die nacktsohligen Vorderfüße sind mit breiten Grabnägeln versehen und handförmig gestaltet; man nennt sie Grabfüße. Er bringt lebendige Junge zur Welt.

Fig. 1. Gemeiner Maulwurf. (*Talpa europaea.*) 10—12 Zm. lan

Der Maulwurf gehört zur Klasse der Säugethiere, denn er hat rothes, warmes Blut, einen mit Haaren bedeckten Körper, vier Beine, athmet durch Lungen und bringt lebendige Junge zur Welt.

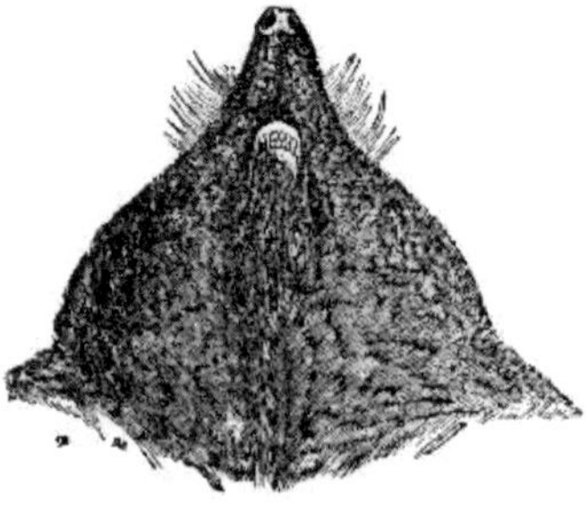

Fig. 2. Kopf des Maulwurfs, von unten gesehen. Natürliche Größe.

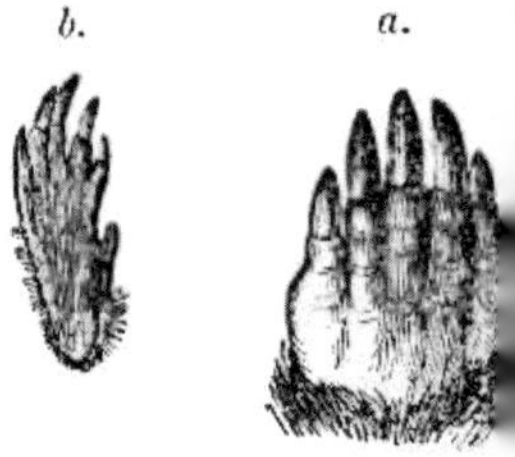

Fig. 3.
a. Vorderfuß und *b.* Hinter des Maulwurfs.

Der Maulwurf

gehört zu den Nagel- oder Zehensäugethieren, denn er besitzt an den Füßen freie Zehen, auf welchen sich Nägel befinden.

Der Maulwurf ist ein geschickter Baumeister; kunstreich und sorgsam wird seine eigentliche Wohnung in Wäldern und auf Feldern eingerichtet, welche sich an der Oberfläche durch einen gewölbten Erdhaufen auszeichnet.

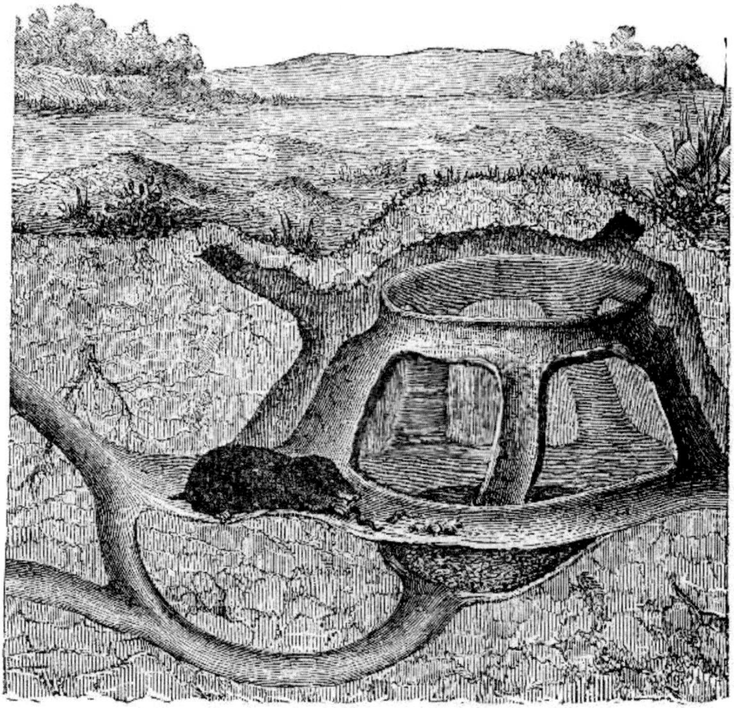

Fig. 4. Wohnung des Maulwurfs.

Sie besteht aus einer rundlichen Kammer, seinem Lagerplatze, und aus zwei Rundgängen; der untere Gang umschließt die mit Heu ausgepolsterte Kammer oder Kessel und der obere liegt darüber. Die Kammer ist mit dem oberen Rundgange verbunden; ebenso findet eine Verbindung zwischen dem oberen und unteren Rundgange statt. Von dem unteren Rundgange gehen die Laufröhren ab, welche auch mit der Kammer verbunden sind. Die Laufröhren haben oft eine Länge von 50 M. und sind glattwandig, so daß der Maulwurf schnell und bequem darin laufen kann; die Verzweigungen der Laufröhren sind die eigentlichen Jagdröhren, über welchen sich die Maulwurfshügel befinden. — Er ist ungemein gefräßig und nicht gesellig; jedem Eindringling tritt er muthig entgegen. Seine Nahrung bilden Insekten, Würmer, Schnecken, Eidechsen und Mäuse. Schädlich wird er dem Pflanzenreiche durch das Aufwühlen der Erde in den Gärten. Mit Rücksicht darauf, daß er täglich soviel Nahrung gebraucht, als sein Körpergewicht beträgt, müßte er in

Wäldern und auf Wiesen geschont werden. Außer dem Menschen wird er von Raubvögeln, dem Storche, Wiesel etc. verfolgt. — Sein Pelz findet Verwendung.

(§. 2.) Igel. (Erináceus.)

Der **gemeine Igel** (*E. europaeus*), 25 Zm. lang, trägt auf dem Rücken Stacheln, auf der Bauchseite, am Vorderhalse, am Kopfe, an den Beinen und auf dem kurzen Schwanze weiches und borstiges Haar. Mittelst starker Muskeln kann er sich einkugeln, so dass er sich gegen alle Angriffe schützt. Der Kopf ist klein, verschmälert sich nach vorn und bildet eine kurze, spitze Schnauze; die Ohren sind mäßig lang. An den kurzen, fünfzehigen Beinen befinden sich starke Krallen. Jeder Stachel ist der Länge nach gefurcht.

Fig. 5. Gemeiner Igel. (*Erináceus europaeus.*) 25 Zm. lang.

Der Igel bewohnt Wälder, Felder und Gärten und findet sich hier allein oder mit seinem Weibchen unter Reisighaufen und in Hecken. Sein Lager polstert er sich mit Blättern, Stroh und Heu aus und legt dasselbe in selbstgegrabenen, etwa 40 Zm. tiefen Höhlen an. Er schläft am Tage und geht in der Nacht auf Raub aus. Insekten, Würmer, Kreuzottern, Mäuse und selbst Vogeleier und junge Vögel bilden seine Nahrung. Der Biß der giftigen Kreuzotter schadet ihm nichts. Mit Eintritt des Frostes vergräbt sich der Igel und hält einen Winterschlaf, welcher bis zum März dauert. In der

Fig. 6. Haushund. (*Canis familiáris*)
a. Heidehund; *b. c.* Hühnerhund; *d.* Schäferhund (oben links); *e.* Isländischer Hund; *f.* Fuchshund; *g. h.* Jagdhund.

Gefangenschaft wird er leicht zahm und gewöhnt sich an die verschiedenste Nahrung. In Haus, Hof und Scheunen ist er ein vorzüglicher Mäusejäger. Der Uhu und Fuchs sind seine Feinde; letzterer überwindet ihn in der Weise, daß er die Stachelkugel ins Wasser wälzt. In dem Augenblicke, in welchem sich der Igel aufrollt, wird er vom Fuchse an der Schnauze gepackt und getödtet.

(§. 3.) **Hund.** (Canis.)

Der **Haushund** (*C. familiáris*) ist in Grösse und Farbe äußerst verschieden; dies gilt auch von der Behaarung, welche kurz anliegend bei dem Jagdhunde (Fig. 6, *g* und *h*) und langzottig bei dem isländischen Hunde (*e*) ist. Den Schwanz trägt er meist aufrecht und nach links gekrümmt. An den Vorderfüßen hat er fünf und an den Hinterfüßen vier Zehen; die Krallen kann er nicht zurückziehen. — Wenn er heiß geworden ist, so läßt er die Zunge aus dem Munde hängen; er trinkt leckend, schwitzt wenig, hört im Schlafe und träumt. Der Hund ist treu über alles, gelehrig und unentbehrlich auf der Jagd; er schmeichelt dem kommenden Herrn, bringt dem Jäger das Erlegte, ohne zu naschen, bettelt bei Tische und zieht den Schwanz ein, wenn er gestohlen hat. Seine Wunden heilt er durch Lecken. Der Hund frißt alles, was genießbar ist; einzelne Hunde gewöhnen sich auch an Pflanzenkost, andere fressen nur Fleisch. Er wird von vielen Krankheiten heimgesucht; die Hundswuth ist die gefährlichste; außerdem leiden die Hunde an Räude, Husten und Bandwürmern. — Der Hund wird in keinem Lande der Erde mehr wild angetroffen. In Amerika und Asien findet er sich verwildert. Dem Menschen folgt er in den kältesten Norden, nach dem heißen Süden und auf die höchsten Gebirge als Freund und Wächter, Leiter und Retter in den Schneefeldern der Gebirge, als Zugthier und als Reise- und Jagdgenosse.

(§. 4.) **Löwe.** (Felis.)

Der **Löwe** (*F. leo*), gegen 2 M. lang und über 1 M. hoch, ist braungelb gefärbt; sein Körper ist kräftig gebaut und der Bauch eingezogen. Der dicke, fast viereckige Kopf zeigt eine breite Schnauze, abgerundete Ohren und mittelgroße, aber feurige und lebendige Augen. Die Mähne, welche nur das Männchen ziert, verleiht ihm das stolze, königliche Ansehen. An der Spitze des Schwanzes befindet sich ein horniger Nagel, welcher von der Quaste bedeckt wird. Den jungen Löwen fehlt Mähne und Schwanzquaste; auf ihrem Rücken befinden sich schwarze Querstreifen, welche nach einem Jahre verschwinden.

Der Löwe bewohnt jetzt nur noch Nordafrika (Algier, Marocko und Tunis) und Westasien, während er zu den Römerzeiten über ganz Afrika, Macedonien und Griechenland verbreitet war. Er geht nur in der Nacht auf Raub aus und kündet sein Nahen durch donnerartiges Gebrüll an, welches von keiner Stimme eines andern lebenden Wesens übertroffen wird. Am liebsten richtet er seine Streifzüge nach den Dörfern und holt sich die Rinder selbst aus 3 M. hohen Umzäunungen. Wilde Thiere (wie Giraffen, Zebra und Antilopen) überfällt er an der Quelle. Mißlingt der erste Sprung, so verfolgt er seinen

Fig. 7. Löwe. (*Felis leo.*) Gegen 2 M. lang.

Raub nicht. Durch das Wedeln seines Schwanzes zeigt er seine Raublust. Löwen, welche den Schwanz nicht rühren, werden durch das Gerassel eines Wagens verjagt. Seine Stärke ist sehr bedeutend. Die Beute verzehrt er im Verstecke. Der Löwe lebt nur mit dem Weibchen und den Jungen bis zu einem gewissen Alter gesellig; letztere vertheidigt er.

Fig. 8. Löwin mit ihren Jungen.

(§. 5.) **Hase.** (Lepus.)

Der **Hase** (*L. timidus*), 60 Zm. lang, hat einen gestreckten Körper, vierzehige Hinterbeine, welche sehr lang sind, und fünfzehige, kürzere Vorderbeine. Auf dem vorn zugespitzten Kopfe stehen sehr lange Ohren, welche Löffel genannt werden; sie zeigen eine schwarze Spitze und sind länger als der Kopf. Die Schnauze ist vorn abgerundet, die Nasenlöcher sind breit und die Augen groß. Sein weicher Pelz besteht aus längeren und kürzeren Haaren; diese zeigen auf dem Rücken eine echte Erdfarbe; die Bauchseite ist weißlich gefärbt. Das Weibchen hat eine mehr röthliche Farbe. Der Hase schläft mit offenen Augen, weil die Augenlider zu kurz sind, um den Augapfel zu bedecken. Der kurze, nach oben gerichtete Schwanz ist auf der oberen Seite schwarz und auf der unteren weiß gefärbt.

Fig. 9. Hase. (*Lepus tímidus.*) 60 Zm. lang.

Der Hase bewohnt Wiesen und Felder Mitteleuropas; den Tag über ruht er meist in einem versteckten und flach ausgetieften Lager und verläßt dasselbe gegen Abend, um Nahrung zu suchen; diese besteht aus Gras, junger Saat und saftigen Kräutern. Im Winter muß er auch mit Baumrinde vorlieb nehmen. Für seine Sicherheit sorgt sein sehr feines Gehör. Raubvögel und Füchse stellen ihm nach. Sein Fleisch ist sehr schmackhaft; die Haare seines Pelzes werden zu Filzhüten verarbeitet.

(§. 6.) **Maus.** (Mus.)

Die **Hausmaus** (*M. músculus*), 9 Zm. lang, gleicht in ihrer Gestalt der Wanderratte, nur ist sie zarter gebaut; die Oberseite ihres Körpers zeigt eine

Fig. 10. Hausmaus. (*Mus músculus.*) 1/3 der natürlichen Größe.

dunkelgraue und die Unterseite eine hellere Färbung. Der Schwanz erreicht die Körperlänge und ist fast nackt; er hat 180 Schuppenringe, zwischen welchen braune Härchen zerstreut stehen. Die Zehen und die zierlichen Füßchen sind gelblichgrau gefärbt. Der Kopf ist spitz eirund und verlängert sich zu der zugespitzten Schnauze.

Die Hausmaus ist ein munteres, flinkes und sehr furchtsames Thierchen, welches sich überall in bewohnten Räumen findet. Sie klettert sehr gut, springt ziemlich weit und frißt und zernagt alles, was ihr genießbar erscheint. — Die **weiße Maus** mit rothen Augensternen ist eine Abart der Hausmaus.

(§. 7.) **Pferd.** (Equus.)

Das **Pferd** (*E. cabállus*) hat einen schön gerundeten Rumpf, eine breite und gewölbte Brust und kräftige, schön geformte Beine. Rücken und Bauch zeigen eine schwache Senkung nach unten. Die Stirn ist flach und klein, und die Backen sind mager. Die wachsamen Ohren, welche die halbe Kopflänge nicht erreichen, spielen in beständiger Aufmerksamkeit. Die grossen Augen sind das Bild der Treue und Lebhaftigkeit. An jedem Fuße wird nur die Mittelzehe von einem Hufe eingeschlossen. Den Hals schmückt eine lange Mähne. Der Schwanz, welcher vom Grunde ab langhaarig ist, wird Schweif genannt. — Das Pferd zeigt wie alle Hausthiere eine verschiedene Färbung.

Das Pferd gehört zu den Hufsäugethieren, denn es hat Zehen, welche von einem Hufe eingeschlossen werden.

Fig. 11. Pferd. (*Equus cabállus.*) 2,5 M. lang.

Durch Geschwindigkeit, Körperkraft und Ausdauer hat sich das Pferd dem Menschen unentbehrlich gemacht; Verwendung findet es im Kriege und auf der Jagd, beim Ackerbau und zu den verschiedensten Dienstleistungen. Es bedarf sorgsamer Pflege und Fütterung, damit es nicht frühzeitig unbrauchbar werde und erreicht ein Alter von 30 — 40 Jahren. Durch Ausschlagen mit den Hinterhufen und Beißen vertheidigt sich das Pferd gegen seine Feinde, z. B. gegen die Wölfe. Es findet sich mit Ausnahme der kalten Zone auf der ganzen Erde als Hausthier.

(§. 8.) **Rind.** (Bos.)

Das **gemeine Rind** (*B. taurus*) hat einen plumpen Körper, welcher mit kurzen, anliegenden Haaren bedeckt ist. Die Haare haben eine verschiedene Farbe. Ueber der breiten, flachen Stirn stehen runde, kegelförmige, nach außen gerichtete Hörner. Die Augen sind groß und die Ohren und der Schwanz in steter Bewegung. Der lange Schwanz zeigt eine Quaste. Dem Halse fehlt die Mähne; an der Unterseite desselben hängt die Haut als Wamme herab. An den kurzen und kräftigen Beinen befinden sich je zwei Zehen, welche von Hufen eingeschlossen werden. Das weibliche Thier heißt Kuh und das männliche Stier oder Bulle.

Fig. 12. Rind. (*Bos taurus.*) Ueber 2 M. lang.

Das Rind gehört zu den nützlichsten Hausthieren; es wird daher überall auf der Erde als solches gehalten. Es liefert uns Fleisch, Milch zu Butter und Käse, Haut zu Leder, und Hörner und Knochen; aus letzteren werden Knöpfe und Kämme gearbeitet.

II. Klasse. Vögel. (Aves.)

(§. 9.) **Uhu.** (Strix.)

Der **Uhu** (*S. bubo*) trägt ein rothgelbes, lockeres Gefieder, auf dem sich schwarze Flecken befinden; die Kehle ist fast weiß. Die beiden Beine sind dicht befiedert, so daß nur die scharf gebogenen Krallen unbedeckt bleiben. Mit den beiden Flügeln klaftert er fast 2 M. weit. Auf dem Kopfe trägt er empor stehende Federbüschel, welche man Ohrbüschel nennt; der Uhu gehört deshalb zu den Ohreulen. Die Augen sind groß und nach vorn gerichtet. Der starke Schnabel ist von der Wurzel an gekrümmt. Sein Nest befindet sich in Felsspalten, in altem Gemäuer oder in Bäumen. Das Weibchen legt zwei bis vier weiße Eier. Der Uhu fliegt geschickt und fast geräuschlos; er bewohnt felsige Waldungen.

Fig. 13. Uhu. (*Strix bubo.*)
70 Zm. lang; fast 2 M. Flügelspannung.

Der Uhu gehört zur Klasse der Vögel, denn er hat rothes, warmes Blut, einen mit Federn bedeckten Körper, zwei Beine, zwei Flügel, athmet durch Lungen und legt hartschalige Eier, aus welchen er die Jungen brütet.

Der Uhu gehört zu den Luftvögeln, denn er hüpft, fliegt geschickt, schwimmt nie und hält sich meist auf Bäumen auf.

Den Tag verlebt der Uhu an geschützten Stellen; während der Nacht jagt er geräuschlosen Fluges durch die Wälder; kleinere Säugethiere, wie Hasen und Mäuse, Vögel und Reptilien werden seine Beute. Von andern Vögeln wird er geneckt und verfolgt. Seinem Rufe: hú, huhú, huhuhuhú verdankt er den Namen.

(§. 10.) **Kukuk.** (Cúculus.)

Fig. 14.
Gemeiner Kukuk. (*Cúculus canóres.*) 30 Zm. lang.

Der **gemeine Kukuk** (*C. canóres*), 30 Zm. lang, trägt ein graues Gefieder; der lange Schwanz ist weiß gefleckt, die Unterseite weiß gefärbt und mit dunkeln Wellenlinien durchzogen. Der Schnabel zeigt eine schwache Wölbung. Von den vier Zehen seiner Füße sind zwei nach vorn und zwei nach hinten gerichtet. Der Kukuk gehört zu den Zugvögeln, denn er wohnt bei uns nur vom April bis zum August in Wäldern und in Gehölzen. Im Winter hält er sich in Nordafrika auf. Den Namen hat er von seinem Rufe erhalten.

Der Kukuk nährt sich von Insekten, namentlich von behaarten Raupen; er macht sich hierdurch in den Wäldern sehr nützlich. Er ist der einzige Vogel, welcher die sehr verschieden gefärbten und sehr kleinen Eier nicht selbst ausbrütet, sondern sie in die Nester der Bachstelzen, Rothkehlchen, Zaunkönige und Grasmücken legt. Das Weibchen beobachtet die Nester, in welche es die Eier gelegt hat, kehrt öfter zu denselben zurück und wirft Eier und Junge, nie aber das eigene heraus. Die Stiefeltern pflegen den jungen Kukuk wie die eigenen Jungen und ernten von demselben wenig Dank.

Fig. 15. Ein junger Kukuk im Grasmückenneste.

Er ist ungemein gefräßig, schnappt den Stiefgeschwistern die Nahrung weg (Fig. 15) und wirft sie, wenn dies nicht von seiner Mutter gethan wurde, aus dem Nest. — Nur das Männchen läßt den bekannten Ruf erschallen; es neigt sich hierbei tief und wippt mit dem Schwanze. (Fig. 14.) — Der Kukuk ist ein lebhafter, unruhiger, scheuer Vogel, welcher sehr schnell fliegt und sich meist in den Kronen der Bäume versteckt hält.

(§. 11.) **Nachtigall.** (Sýlvia.)

Die **Nachtigall** (*S. luscínia*), 16 Zm. lang, ist die Königin unter den Sängern mit äußerst schmucklosem Gefieder. Die Oberseite zeigt eine rostgraue und die Unterseite eine hellgraue Farbe; die Füße und der dünne Schnabel sind röthlichbraun gefärbt. Sie gehört zu den Zugvögeln und bewohnt unsere Gärten, Parkanlagen und Laubwälder, in welchen sich Bäche befinden, nur vom April bis zum August.

Im Betragen der Nachtigall zeigt sich ein bedächtiges und ernstes Wesen, und gegen andere Vögel ist sie friedfertig. Ihr Nest baut sie in der Nähe der Erde und wählt niedriges Gebüsch für dasselbe. Nur das Männchen läßt den ausgezeichneten und eigenthümlichen Schlag hören; anmuthig wechseln flötende Strophen mit schmetternden, klagende mit fröhlichen, schmelzende mit wirbelnden. Der beste Nachtigallenschlag muß 20—24 Strophen enthalten. Die jungen Männchen schlagen weniger gut, als die älteren. Einige Nachtigallen lassen ihren Schlag nur des Nachts, andere nur am Tage hören. Mit Beginn des Brutgeschäftes stellen die Männchen den Gesang allmählich ein; sie lösen das Weibchen beim Brüten ab. Die Eier sind grünlich graubraun gefärbt. — Würmer, Raupen und verschiedene Beeren bilden die Nahrung für die Nachtigallen.

Fig. 16. Nachtigall. (*Sýlvia luscínia.*) 16 Zm. lang.

(§. 12.) **Staar.** (Sturnus.)

Der **Staar** (*S. vulgaris*), 20 Zm. lang, trägt ein nach der Jahreszeit verschiedenes Gefieder; dasselbe ist im Frühjahre, wenn er aus Nordafrika oder Südeuropa zurückkehrt, schwarz mit grünem Schimmer; nur einzelne Federn auf dem Rücken zeigen graue Spitzenflecken. Im Herbste, gleich nach der Mauser, endigen die dunklen Federn der Oberseite mit weißlichen Spitzen. Der fast 3 Zm. lange Schnabel ist gelb gefärbt.

Der Staar liebt die Geselligkeit, denn man erblickt ihn oft in großen Gesellschaften. Zum Brüteplatz wählt er Baumhöhlen oder Brutkästen; durch letztere kann man den Staar leicht heimisch machen. Insekten, Würmer und Beeren bilden seine Nahrung. Durch den flötenten Gesang, durch die Munterkeit und Gelehrigkeit machen sich die Staare sehr beliebt. Im Käfige lernen sie einige Worte nachsprechen und Melodieen nachpfeifen.

Fig. 17. Staar. (*Sturnus vulgaris.*) 20 Zm. lang; 40 Zm. Flügelspannung.

(§. 13.) **Hahn.** (Gallus.)

Der **Haushahn** (*G. domésticus*) hat lange Halsfedern und einen senkrechten Schwanz, aus welchem zwei sichelförmig gebogene Federn besonders hervorragen. Den Kopf krönt ein gezackter, nackter Kamm; am Unterschnabel hat er zwei nackte Hautlappen und an den kräftigen Füßen befindet sich hinten ein starker Sporn. Der kleineren Henne fehlen die längeren Hals- und Schwanzfedern; auch trägt sie den Schwanz mehr gerade. Die Flügel sind kurz und wenig zum Fliegen geeignet, und das Gefieder ist verschiedenfarbig.

Fig. 18. Haushahn und Henne. (*Gallus domésticus.*) 40 Zm. lang.

Die Haushühner gehören zu den Erdvögeln, welche niemals hüpfen, sondern gehen; sie fliegen schlecht und halten sich meist auf der Erde auf.

Der Hahn zeigt ein stolzes, gebieterisches und streitsüchtiges Wesen und die größte, uneigennützigste Fürsorge für die Hennen; letztere sind unter sich zänkisch und futterneidisch, dem Hahne gegenüber jedoch schüchtern. Während des Krähens schließt der Hahn die Augen, öffnet sie nach demselben und sieht sich stolz um, ob auch jeder seinen Ruf vernommen. Durch Gackern verkündet die Henne, daß sie ein Ei gelegt habe; sorgfältig beschützt sie die Küchlein und leitet sie an, Futter zu suchen. Mit der größten Sorgfalt brütet sie drei Wochen lang auf 15—20 Eiern und verläßt selten das Nest, um Nahrung zu sich zu nehmen. Die Hühner nähren sich von Pflanzentheilen, Insekten und Würmern und gehören mit zu den nützlichsten Hausthieren. Bei gutem Futter kann eine Henne jährlich bis 150 Eier legen.

(§. 14.) **Strauss.** (Strúthio.)

Der **afrikanische Strauß** (*S. camélus*) wird bis 2,4 M. hoch. Der Körper ist kräftig, der lange, hochrothe Hals fast nackt, der Kopf klein, die langen

Fig. 19. Afrikanischer Strauß. (*Strúthio camélus.*) 2,4 M. hoch.

Beine nackt und die Füße zweizehig. Die Männchen tragen ein schwarzes, gekräuseltes Gefieder und blendendweiße, schlaffe, weiche Schwanz- und Flügelfedern; letztere sind nicht steif und daher zum Fliegen gänzlich untauglich. Die kleineren Weibchen sind braungrau gefärbt.

Der Strauß bewohnt in kleinen Familien die Steppen und Wüsten Afrikas. Jede Familie besteht aus einem Männchen und zwei bis vier Weibchen; letztere legen gemeinsam in ein Nest. Das Brutgeschäft besorgt meist das Männchen. Die Jungen werden von ihm mit Sorgfalt gepflegt; sie sind nicht mit Federn, sondern mit steifen Horngebilden bedeckt. Erst nach zwei Monaten erhalten sie ein Federkleid, welches dem des Weibchens ähnlich ist. Die Nahrung besteht aus Pflanzentheilen; oft verschlingt der Strauß auch ganz unverdauliche Stoffe, wie Steine und Holz. Die Größe der Eier ist verschieden; im Durchschnitt haben sie ein Gewicht von 1400 Gramm oder von vierundzwanzig Hühnereiern. Das Fleisch ist wenig schmackhaft. Man jagt den Strauß seiner Federn wegen; seine Geschwindigkeit kommt der eines Rennpferdes gleich.

(§. 15.) **Schwan.** (Cygnus.)

Der **stumme, zahme oder Höckerschwan** (*C. olor*) trägt ein rein weißes Gefieder; er wird 1,5 M. lang. Der schlanke Hals ist ungemein lang gestreckt und der gelbrothe, fast gleich breite Schnabel erreicht die Kopflänge, ist vorn abgerundet und an der Wurzel höher als breit; auf demselben hat er einen schwarzen Höcker. Seine Schwimmfüße zeigen eine bräunliche oder schwarze Farbe; zwischen den drei Zehen befindet sich eine Schwimmhaut. Die jungen Schwäne tragen in der ersten Jugend ein graues Federkleid.

Stolz und majestätisch schwimmt er auf unsern Teichen und Seen und zeigt, daß er auf dem Wasser zu Hause ist. Ungern geht er auf das Land und entschließt sich zum Fliegen. Schwerfällig und wankend ist sein Gang auf dem Lande, weil die Beine weit nach hinten eingelenkt sind. Das Auffliegen ist besonders schwierig; er läuft hierbei, indem er die kräftigen Flügel weit ausbreitet, eine Strecke auf dem Wasser und fliegt später, wenn er eine gewisse Höhe erreicht hat, sehr schnell.

Der Schwan gehört zu den Wasservögeln; er geht wankend, fliegt und schwimmt geschickt und lebt meist auf dem Wasser.

Fig. 20. Höckerschwan. (*Cygnus olor.*) Ueber 1 M. lang.

Der stumme Schwan

läßt selten seinen Ruf erschallen, ist klug und verständig und unfreundlich gegen andere Vögel. Das Weibchen brütet gern auf Inseln und behandelt die Jungen mit großer Zärtlichkeit. Die Nahrung besteht aus Pflanzenstoffen, Insekten, Würmern, Reptilien und Fischen. — Der Höckerschwan wird gern auf Teichen und Seen gehalten und findet sich auch wild an den deutschen Ostseeküsten.

III. Klasse. Reptilien. (Reptilia.)

(§. 16.) Schildkröte. (Emys.)

Die **europäische Sumpfschildkröte** (*E. europaea*) erreicht eine Länge von 25—30 Zm. Ihr kurzer und breiter Körper wird von einem etwas gewölbten Rückenpanzer und einem platten Brustpanzer eingeschlossen. Die Verbindung dieser beiden Panzer wird durch eine Knorpelmasse hergestellt, so daß nur vorn und hinten Oeffnungen frei bleiben, durch welche der Kopf, die vier Füße und der Schwanz hervorgestreckt werden können. Der Rückenpanzer wird von dreizehn größeren Schildern bedeckt, welche in der Mitte liegen und von kleinen Randschildern eingeschlossen werden; die Schilder sind schwarz gefärbt und mit strahlenförmig gestellten gelben Punkten bedeckt. Der Brustpanzer zeigt zwölf gelbe Schilder. Die Schilder liefern das Schildpatt. — Sie pflanzt sich durch Eier fort, aus welchen die Jungen mit harten Panzern hervorkriechen.

Fig. 21. Europäische Sumpfschildkröte. (*Emys europaea.*) 1/3 der natürlichen Größe.

Die Sumpfschildkröte gehört zu der Klasse der Reptilien, denn sie hat rothes, kaltes Blut, einen mit Schildern und Panzern bedeckten Körper, vier Beine, athmet durch Lungen und legt Eier, aus welchen die Jungen hervorkriechen.

Sie gehört zu den sogenannten Schuppenreptilien, denn ihr Körper ist mit Schildern und Panzern bedeckt.

Sie bewohnt Seen und Teiche in Südeuropa und die masurischen Seen in der Provinz Preußen; ihre Nahrung sind Würmer, Insekten und Fische. Während der Nacht hält sie sich auf dem Lande auf; im Winter vergräbt sie sich und hält sich im Schlamme verborgen. — Durch einen eigenthümlich pfeifenden Ton verräth sie ihren Aufenthalt.

(§. 17.) **Krokodil.** (Crocodilus.)

Das **Nilkrokodil** (*C. vulgaris*) hat einen lang gestreckten, gegen 6 M. langen Körper, welcher mit viereckigen Knochenschildern bedeckt ist. Die Oberseite zeigt eine braungrüne Färbung mit schwarzen Flecken und die Unterseite eine schmutziggelbe Farbe. Der Kopf verlängert sich zu einer rüsselförmigen Schnauze. Im Maule befinden sich eingekeilte Zähne und eine angewachsene Zunge. Die vier Zehen der Hinterfüße sind durch eine ganze Schwimmhaut verbunden. Die Eier erreichen die Größe von Gänseeiern.

Fig. 22. Nilkrokodil. (*Crocodilus vulgaris*) 4—6 M. lang.

Früher bewohnte das Krokodil Aegypten; es wurde hier durch die Feuerwaffen verdrängt und findet sich jetzt nur in den Seen, Flüssen und Sümpfen Innerafrikas. Es wählt sich einen solchen Wohnort, an welchem es eine Sandbank zum Sonnen findet; hier liegt es am Nachmittage und geht gegen Abend ins Wasser zurück. Es bewegt sich im Wasser pfeilschnell und lauert an den Stellen, welche Schafe, Pferde, Rinder und andere Thiere zum Trinken ausgewählt haben, um diese zu erfassen und in die Tiefe zu ziehen. Auf dem Lande verfolgt es die genannten Thiere niemals. Badenden kann es sehr gefährlich werden. Die alten Aegypter bestatteten die Krokodile mit großen Ehren. Noch heute findet man in Aegypten ganze Berge von Krokodilmumien. (Höhle von Maabde bei Monfalut.)

(§. 18.) **Kreuzotter.** (Pélias.)

Die **Kreuzotter oder Giftviper** (*P. berus*) besitzt einen walzenrunden, nicht über 60 Zm. langen Körper, welcher oben mit Schuppen und unten mit Schildern bedeckt ist. Ihr fehlen die Gliedmaßen. Sie ist die einzige Giftschlange Deutschlands. Ihre Färbung ist ungemein verschieden. Sicher erkennt man sie an dem schwarzen Zickzackbande, welches den ganzen Rücken ziert; neben demselben befinden sich zwei Reihen schwarzer Flecken; außerdem bilden auf dem Kopfe zwei schwarze Linien ein unvollständiges Kreuz (Fig. 23). Nur im Oberkiefer stehen die durchbohrten Giftzähne; beißt die Kreuzotter, so fließt durch den Zahn ein Gifttropfen in die Wunde. Die Zunge ist zweispaltig.

Auch die Kreuzotter, welche einen mit Schuppen und Schildern bedeckten Körper und keine Beine hat, gehört zur Klasse der Reptilien.

Fig. 23. Kreuzotter. (*Pélias berus.*) 60 Zm. lang.

Die Kreuzottern legen Eier, aus welchen sofort die Jungen hervorschlüpfen; diese häuten sich wenige Stunden später und können schon nach einigen Tagen durch ihr Gift Mäuse tödten. — Die Kreuzotter ist fast in ganz Europa zu Hause und wählt trockene Wälder zum Aufenthalt. Mäuse, welche sie durch ihr Gift zuerst tödtet, bilden ihre Hauptnahrung. Den Dachsen, Igeln und Raubvögeln fällt sie zur Beute. In der Gefangenschaft hungert sie acht Monate lang und nimmt keine Nahrung zu sich. — Wunden, welche sie beißt, müssen sofort ausgesogen, ausgeschnitten oder ausgebrannt werden. Das sicherste Mittel gegen die Wirkung ihres Giftes bleibt der Genuß von Arak, Rum oder Branntwein in starken Gaben. (Trunkenheit tritt bei Menschen, welche von der Kreuzotter gebissen wurden, nie ein.) Uebrigens ist der Biß nach Jahreszeit und der Menge des in die Wunde gekommenen Giftes mehr oder weniger gefährlich.

(§. 19.) **Laubfrosch.** (Hyla.)

Der **Laubfrosch** (*H. arbórea*) hat einen kurzen, 3—4 Zm. langen Körper, welchem der Schwanz fehlt. Die nackte, klebrig feuchte Haut ist schuppenlos, oben lebhaft grün, unten gelblich gefärbt und an den Seiten schwarz gesäumt. Seine Hinterbeine übertreffen an Länge die Vorderbeine; er kann daher vorzüglich springen. Unter den Spitzen der Zehen befinden sich Saugballen, mit welchen er sich förmlich festklebt. Während die vier Zehen der Vorderfüße frei sind, zeigen die fünf Zehen der Hinterfüße halbe Schwimmhäute. Das Männchen unterscheidet sich vom Weibchen durch den schwärzlichen Kehlsack, welchen es beim Schreien (krach, krach) zu einer großen Blasenkugel aufbläst.

Der Laubfrosch gehört, weil seine Körperhaut nackt ist, zu den nackthäutigen Reptilien oder zu den Nackthäutern.

Fig. 24. Laubfrosch. (*Hyla arbórea.*) Natürliche Größe.

Er findet sich in ganz Europa, nur nicht im Norden. Den Winter über verlebt er im Schlamme der Sümpfe und setzt auch die klumpenweis zusammengeballten Eier im Wasser ab. Im Sommer lebt er auf Sträuchern und Bäumen, wo er auf Insekten, besonders Fliegen, Schmetterlinge und glatte Raupen Jagd macht. In der Gefangenschaft ist er sehr anspruchslos und kann gegen zehn Jahre lang durch Fliegen und Mehlwürmer in Gläsern erhalten werden.

IV. Klasse. Fische. (Pisces.)

(§. 20.) Stichling. (Gasteróstеus.)

Der **gemeine Stichling** (*G. aculeátus*) besitzt einen zusammengedrückten, spindelförmigen, gegen 8 Zm. langen Körper, welcher mit sehr kleinen, kaum wahrnehmbaren Schuppen bedeckt ist. Die Schnauze ist zugespitzt. Statt der Gliedmaßen hat er Flossen. An den beiden Seiten des Körpers stehen die Brustflossen, unten am Bauche die Bauchflossen, welche durch Stacheln vertreten werden und auf dem hinteren Rücken die Rückenflosse; diese besteht aus einfachen, nicht gegliederten, steifen Stachelstrahlen. Die Afterflosse befindet sich auf der unteren Seite, der Rückenflosse gegenüber. Am Hinterkopfe liegen zwei Kiemendeckel, welche die Kiemen verschließen. Die Kiemen bestehen aus feinen Blättchen und dienen den Fischen zum Athmen. In der Farbe ist er sehr veränderlich; in der Regel zeigt der Rücken eine braune, die Seiten und der Bauch eine weißliche und die Kehle

2*

eine rosenrothe Färbung. — Die Männchen bauen selbst in der Gefangenschaft aus Wurzeln, Grashalmen und Holzstücken ein Nest mit zwei Eingängen und locken die Weibchen herbei; folgen sie nicht gutwillig, so werden sie bei einer Flosse gefaßt und mit Gewalt ins Nest gejagt. Hier hält das Männchen das Weibchen so lange gefangen, bis es den Laich oder die Eier abgelegt hat. Ist dies geschehen, so wird das Weibchen aus dem Neste getrieben. Mit der größten Sorgfalt und Zärtlichkeit hält nun das Männchen vor dem Neste Wache. Jeder andere Fisch, welcher sich dem Neste nähert, wird mit Muth angefallen und in die Flucht geschlagen. Sind die Jungen aus den Eiern geschlüpft, so trägt er ihnen Futter zu und vertheidigt sie gegen Angriffe so lange, bis sie sich gehörig im Schwimmen geübt haben.

Fig. 25. Gemeiner Stichling (*Gasteróstеus aculeátus*) und sein Nest. 1/2 der natürlichen Größe.

Der Stichling gehört zur Klasse der Fische, denn er hat rothes, kaltes Blut, einen mit Schuppen bedeckten Körper, Flossen zum Schwimmen, athmet durch Kiemen und legt Eier, aus welchen die Jungen hervorkriechen.

Die Stacheln dienen dem Stichling als Waffe gegen größere Raubfische; mit denselben greift er auch den Gegner an, indem er dieselben dem Feinde in den Leib stößt. Er nährt sich von Insekten, Würmern und Fischlaich. Sein wenig schmackhaftes Fleich benutzt man zum Schweinefutter, zum Thrankochen oder zum Düngen der Aecker. Er findet sich in Deutschland in süßen Gewässern.

(§. 21.) **Hecht.** (Esox.)

Der **gemeine Hecht** (*E. lúcius*) ist der gefräßigste Räuber in unsern süßen Gewässern, welcher 1—2 M. lang und sechs, selten fünfzehn Kilogramm schwer wird. Er hat einen lang gestreckten, schmalen Körper, welcher mit harten Schuppen bedeckt ist. Seine flachgedrückte Schnauze ist stumpf; nach Alter und Aufenthalt ändert er seine Farbe. Der Rücken zeigt eine schwärzliche und der Bauch eine weißliche Farbe; die Seiten sind grau und mit gelben Flecken versehen und Rücken-, After- und Schwanzflosse schwärzlich punktirt. In seinem großen Maule stehen gegen 600 Zähne.

Fig. 26. Gemeiner Hecht. (*Esox lúcius.*) 1—2 M. lang.

Schnelligkeit und Gewandtheit im Schwimmen und ungeheure Gefräßig keit sind seine wichtigsten Eigenschaften. Pfeilschnell schießt er vorwär und verschlingt alles, was ihm in den Weg kommt: andere Hechte ur Fische, Frösche, kleine Vögel und Säugethiere und greift selbst Schwäne ur Menschen an. Nur den Stichling fürchtet er, weil sich die Stacheln de selben in seine Gaumen bohren und ihn dem Hungertode überliefern. Se Fleisch ist äusserst schmackhaft.

(§. 22.) **Haifisch.** (Squalus.)

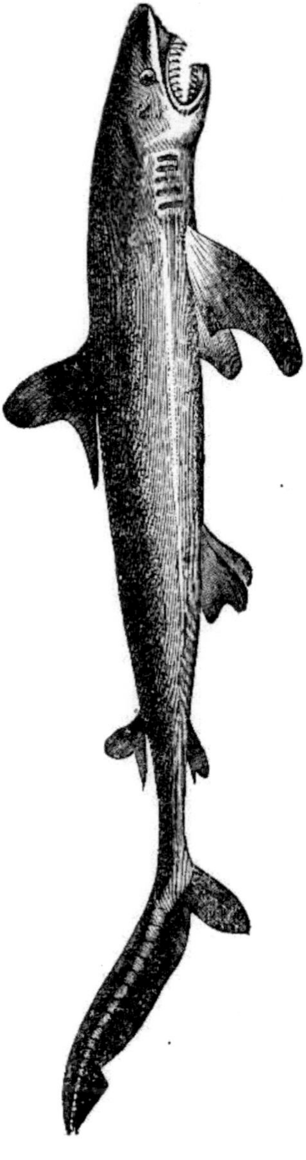

Fig. 27. Gemeiner Haifisch. (*Squalus carchárias.*) 3—9 M. lang.

Der **gemeine Haifisch oder Menschenfresser** (*S. carchárias*) hat einen lang gestreckten, spindelförmigen Körper, welcher 3—9 M. lang wird. Seine Haut ist dick und wird durch zahlreiche Knochenkörner höckerig. Der Kopf verlängert sich zu einer Schnauze, unter welcher das quer gepaltene Maul liegt; in diesem stehen oben sechs und unten vier Reihen spitzer, beweglicher und dreieckiger Zähne. Das Wasser, welches er durch das große Maul aufnimmt, fließt durch fünf schmale Kiemenspalten ab, welchen der Deckel fehlt und in welchen am Außenrande festgewachsene Kiemen stehen.

Der gemeine Haifisch bewohnt den atlantischen Ocean und ist der Schrecken aller Seeleute. Unersättlicher Heißhunger und die größte Freßgier zeichnen ihn aus; er verschlingt die verschiedenartigsten Dinge. Menschenfleisch scheint er besonders zu lieben, denn er folgt den Schiffen, um die über Bord gefallenen Matrosen oder die ins Wasser gelassenen Leichen zu verschlingen. — Sein Fleisch wird selten gegessen. Die Haut dient zum Poliren und wird auch statt des Leders zu Schuhen verwandt. Aus der Leber und dem Fett gewinnt man Thran.

Die bisher betrachteten Thiere haben **in** ihrem Körper ein Knochengerüst oder Skelet, welchem der Schädel und die **Wirbelsäule** nie fehlen; sie werden daher **Wirbelthiere** genannt. — Das innere Knochengerüst und das rothe Blut sind die Hauptmerkmale der Wirbelthiere.

V. Klasse. Insekten oder Sechsfüssler. (Insecta.)

(§. 23.) Maikäfer. (Melolóntha.)

Der **Maikäfer** (*M. vulgaris*) wird 3 Zm. lang. Sein Körper besteht aus dem Kopfe (Fig. 28, *a*), dem Bruststücke (*b*, *c* und *d*) und dem Hinterleibe (*f*). Am Kopfe befinden sich zwei unbewegliche Augen und zwei Fühler (*i*). Das Bruststück besteht aus der Vorder- (*b*), Mittel- (*c*) und Hinterbrust (*d*); jede Brust (oder Ring) trägt ein gegliedertes Beinpaar und der zweite und dritte Ring je ein Flügelpaar. Die Vorderflügel (*h*) oder Flügeldecken sind hornig und braunroth gefärbt, die Hinterflügel (*e* und *g*) häutig und in der Ruhe längs- und quergefaltet. Sein Körper ist gewöhnlich schwarz gefärbt und mit grauen Haaren besetzt. Der aus Ringen zusammengesetzte Hinterleib verlängert sich zu einem Griffel, welcher sich etwas zuspitzt.

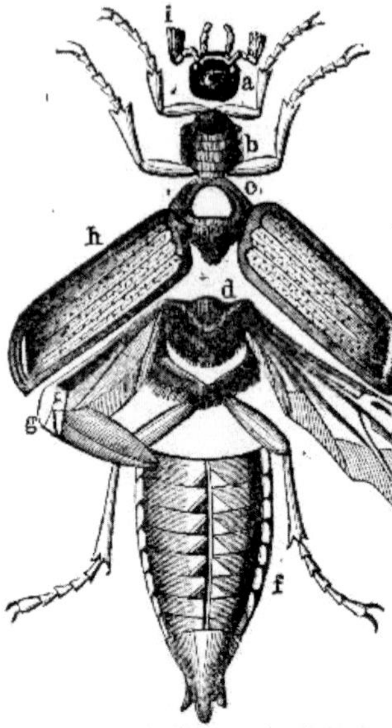

Fig. 28. Maikäfer. (*Melolóntha vulgaris.*) *a.* Kopf; *b.* Vorderbrust; *c.* Mittelbrust; *d.* Hinterbrust; *e.* Hinterflügel; *f.* Hinterleib; *g.* gefaltete Hinterflügel in der Ruhe; *h.* Vorderflügel; *i.* Fühler.

Der Maikäfer beginnt seinen Flug im April oder Mai; treten kalte Regen oder Nachtfröste ein, so findet man lebende Thiere noch im Juni und Juli. Das Weibchen legt etwa achtzig Eier in trockenen Boden; bald darauf stirbt es. Nach vier bis sechs Wochen kriechen aus den Eiern die Larven (Fig. 29, *a*—*d*), welche sich in jedem Jahre häuten und erst im dritten Sommer ausgewachsen sind (*d*). Sie nähren sich von Pflanzenwurzeln und werden hierdurch sehr schädlich. Im vierten Sommer verpuppen sich die Larven (*e*) und erst im fünften Sommer kriecht der Maikäfer (*f*) aus der Erde hervor. Der

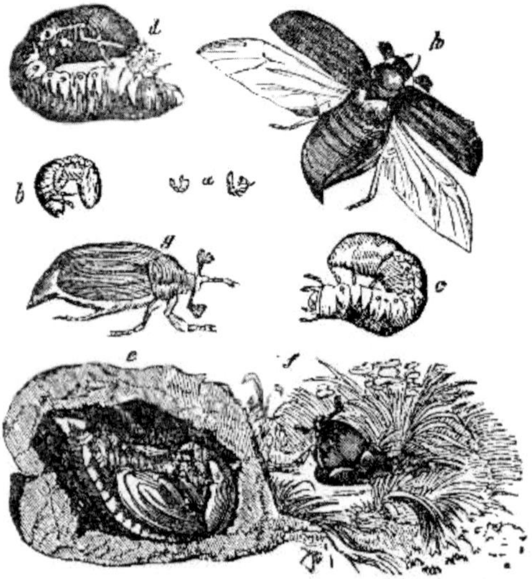

Fig. 29. Maikäfer und seine Entwickelungsstufen. Natürliche Größe. *a.* — *d.* die Engerlinge auf verschiedenen Entwickelungsstufen; *e.* eine Puppe; *f.* ein aus der Erde kriechender Maikäfer; *g.* ein kriechender und *h.* ein fliegender Maikäfer.

Maikäfer macht also eine Verwandlung (oder Metamorphose) durch, bei welcher vier Entwickelungszustände (Ei, Larve, Puppe und Käfer) unterschieden werden.

Der Maikäfer gehört zur Klasse der Insekten oder Sechsfüßler, denn er hat weißes Blut, sechs gegliederte Beine, drei Hauptkörperabschnitte (Kopf, Bruststück und Hinterleib) und erleidet eine Verwandlung.

Der Maikäfer fliegt in der Abenddämmerung mit knarrendem Geräusch umher; dieses entsteht durch Reibung der Vorder- an der Mittelbrust. Den Tag über sitzt er fest schlafend auf den Bäumen. Auch der Käfer wird äußerst schädlich, da er sich von den Blättern der Bäume nährt und diese oft vollständig entblättert. Zu seinen Feinden gehören Fledermäuse, Enten, Hühner und Krähen. Der Maulwurf und die Spitzmäuse verzehren die Larven.

(§. 24.) **Ameise.** (Forímca.)

Die Ameisen leben in großen Gesellschaften, welche aus geflügelten Weibchen (Fig. 30) und Männchen und aus ungeflügelten Arbeitern bestehen. — Am großen Kopfe stehen zwei gekniete Fühler und an dem Bruststück vier Flügel; diese sind häutig und von wenigen Adern durchzogen. Die Vorderflügel sind stets größer als die Hinterflügel. Der Hinterleib wird durch einen Stiel mit dem Bruststück verbunden.

Die Männchen und Weibchen fliegen im Juli und August aus und werden dann meist eine Beute der Vögel; ihre Flügel verlieren sie sehr leicht. Die Weibchen werden von den Arbeitern nach dem Baue getragen, wo sie sehr kleine, weiße Eier legen; aus diesen entstehen die beinlosen Larven, welche von den Arbeitern sorgfältige Pflege genießen. Die Larven verpuppen sich, indem sie eine seidenartige Hülle oder Cocon spinnen. Diese Ameisenpuppen nennt man fälschlicher Weise Ameiseneier und verwendet sie als Nachtigallenfutter. Zu ihrer Vertheidigung gebrauchen sie die starken Kiefern und eine Flüssigkeit, die Ameisensäure, welche sich in einer Drüse befindet und durch den Hinterleib ausgespritzt wird. —

Die **braune Waldameise** (*F. rufa*) ist bräunlich gefärbt und 1—1,5 Zm. lang. Sie errichtet in unsern Wäldern aus Nadeln, Holzstückchen und Erde oft gegen 1 M. hohe Baue, von welchen nach allen Seiten Haupt- und Nebenstraßen ausgehen; geschäftig und schwer beladen eilen die fleißigen Arbeiter auf diesen Straßen dahin, um Nahrungsmittel und Baumaterial herbeizuschaffen. Ihre Nahrung besteht aus Raupen, Würmern und besonders aus süßen Pflanzen- und Thierstoffen. Sie besuchen deshalb nicht nur die Blattläuse, wie dies aus Fig. 31 ersichtlich ist, sondern tragen sie in ihre Baue, pflegen sie und brauchen sie, wie der Landwirth die Milchkühe. Die Blattläuse sondern aus ihren Honigröhren am Hinterleibe eine süße Flüssigkeit ab, welche die Ameisen auch durch Streicheln mit den Fühlern hervor zu locken

Fig. 30. Braune Waldameise, Weibchen. (*Formica rufa.*) Doppelte Größe.

verstehen. (Fig. 31, unten.) Für den Winter tragen sie keine Nahrung ein, weil sie in der Tiefe ihres Baues erstarrt liegen.

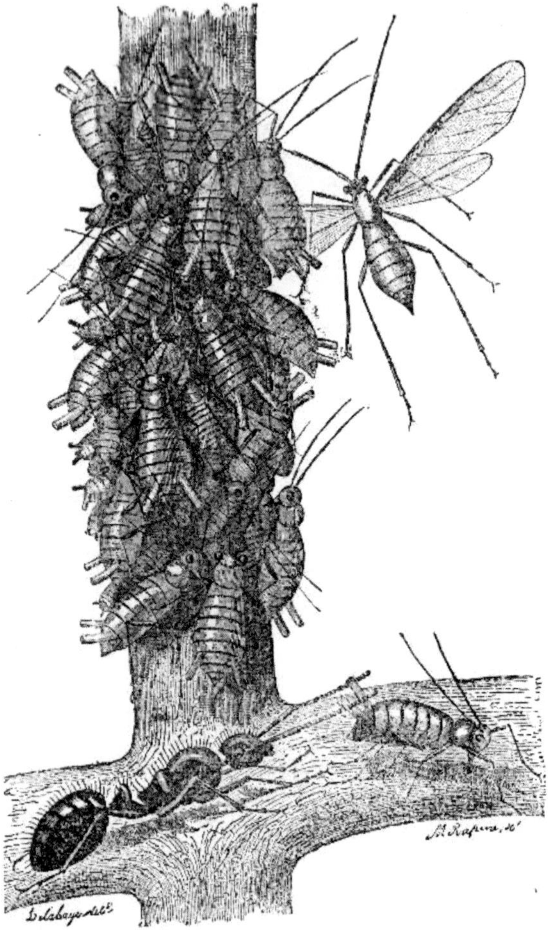

Fig. 31. Blattläuse und Ameise. Vergrößert.

Die Ameisen werden durch das Aufwühlen der Erde in den Gärten schädlich und dringen auch in die Wohnungen, um Zucker zu naschen; nützlich machen sich dieselben durch Vertilgung von Raupen und Käfern. — Aus der Ameisensäure wird der Ameisenspiritus hergestellt.

(§. 25.) **Seidenspinner.** (Bombyx.)

Der **Seidenspinner** (*B. mori*) ist ein Schmetterling, welcher vier Flügel besitzt; diese erhalten ihre Farbe von den gelblich weißen Staubschuppen. Von den vier Flügeln sind die vorderen größer als die hinteren; in der Ruhe

Fig. 32. Seidenspinner. (*Bombyx mori.*) Natürliche Größe.
(Rechts oben: Weibchen; links oben: Männchen; in der Mitte: zwei Raupen und ein Cocon; links unten: eine Puppe.)

sind sie abwärts gerichtet. Der Hinterleib ist dicht behaart. Im Herbste legt das Weibchen 3—500 mohnkorngroße Eier auf Papier oder Leinwand (in der Zucht) oder an Baumstämme (im Freien). Die kleinen Raupen schlüpfen im Frühlinge aus den Eiern und fressen n u r die Blätter vom weißfrüchtigen Maulbeerbaum. Die Raupen häuten sich viermal, wachsen sehr schnell und m ü s s e n s e h r s o r g f ä l t i g g e p f l e g t w e r d e n. Jede Raupe verzehrt bis zur Verpuppung das Sechszigtausendfache ihres ursprünglichen Gewichtes. Nach dreißig Tagen fängt sie an, sich einzuspinnen und bildet ein Gehäuse oder einen Cocon, aus welchem die Seide bereitet wird. Das Spinnen geschieht mit zwei Fäden, welche die Raupe aus den auf der Unterlippe liegenden Oeffnungen der Spinndrüsen zieht und durch die Vorderfüße verbindet. Der Faden hat etwa eine Länge von 800 M. — 400 Cocons liefern ein Kilogramm Rohseide und 4000 ein Kilogramm gesponnener Seide.

Die Insekten (§. 23, 24 und 25) haben einen aus Ringen oder **Gliedern** zusammengesetzten Körper, ein äußeres oder Hautskelet und weißes Blut; sie werden daher **Gliederthiere** genannt.

(§. 26.) Rückblick auf den ersten Cursus.

Erster Kreis. Wirbelthiere.

I. Klasse. Säugethiere.

A. Nagel- oder Zehensäugethiere.

1) Maulwurf, 2) Igel, 3) Haushund, 4) Löwe, 5) Hase und 6) Maus.

B. Hufsäugethiere.

7) Pferd und 8) Rind.

II. Klasse. Vögel.

A. Luftvögel.

9) Uhu, 10) Kukuk, 11) Nachtigall und 12) Staar.

B. Erdvögel.

13) Haushahn und 14) Strauß.

C. Wasservögel.

15) Schwan.

III. Klasse. Reptilien.

A. Schuppenreptilien.

16) Schildkröte, 17) Krokodil und 18) Kreuzotter.

B. Nackthäuter.

19) Laubfrosch.

IV. Klasse. Fische.

20) Stichling, 21) Hecht und 22) Haifisch.

Zweiter Kreis. Gliederthiere.

V. Klasse. Insekten.

23) Maikäfer, 24) Ameise und 25) Seidenspinner.

Cursus II.

Betrachtung mehrerer Arten, welche zu einer Gattung gehören.

Erster Kreis. Wirbelthiere.

I. Klasse. Säugethiere. (Mammalia.)

A. Nagel- oder Zehensäugethiere.

Ordnung der Handflügler oder Fledermäuse.

(§. 27.) **Fledermaus.** (Vespertilio.)

Die Fledermäuse haben zwischen den Vorder- (Fig. 33, *i*, *n* und *o*) und den Hintergliedmaßen (*d*, *e* und *h*) eine zarte Flughaut (*b*), welche auch den Schwanz (*c*.) mit den letzteren verbindet. Sie besitzen Vorder-, Eck- und Schneidezähne.

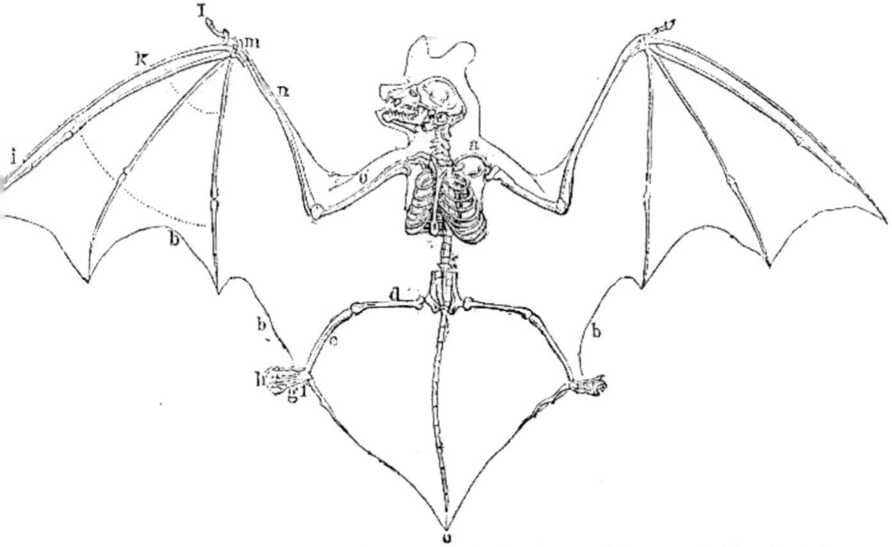

Fig. 33. Skelet der Fledermaus. *a*. Schlüsselbein; *b*. Flughaut; *c*. Schwanz; *d*. Oberschenkel; *e*. Unterschenkel; *h*. Zehen; *i*. Finger; *l*. Daumen; *n*. Unterarm; *o*. Oberarm.

Fig. 34. Gemeine Fledermaus (*Vespertilio murinus*), kriechend. Natürliche Größe.

1. Die **gemeine Fledermaus** (*V. murinus*), 6—7 Zm. lang, hat eine Flugweite von 35 Zm. Ihr Körper ist oben rothbraun und unten weißlich gefärbt und ihre nicht verwachsenen Ohren erreichen die Länge des Kopfes; in denselben befinden sich neun Querfalten und ein Ohrdeckel; dieser reicht bis zur Mitte des Ohres. Sie findet sich überall in Deutschland, jagt in Straßen des Nachts und in der Dämmerung und ruht in Gebäuden.

Fig. 35. Langohrige Fledermaus (*Vespertilio auritus*), hängend. Natürliche Größe.

2. Die **langohrige Fledermaus** (*V. auritus*), 4 Zm. lang, hat eine Flugweite von 25 Zm.; sie unterscheidet sich von der vorigen durch ihre oben graubraune und unten blassere Färbung und durch die auf dem Scheitel verwachsenen Ohren, welche fast zweimal so lang sind als der Kopf und 22—24 Querfalten zeigen. Sie ruht im Winter gewöhnlich in Gebäuden und im Sommer in hohlen Bäumen. Ihre Heimat ist Europa. — Sie wird leicht zahm.

Die Fledermäuse schlafen am Tage und schwärmen in der Nacht. Ihr Flug wird durch Bewegung der Arme hervorgebracht und ist ein fortwährendes Schlagen auf die Luft; er ist kein dauernder, sondern nur ein zeitweiliger. Der Vogel kann schweben, die Fledermaus nur flattern. Um bequem aufflattern zu können, befestigen sie sich mit den Zehen der Hintergliedmaßen an irgend einen Gegenstand (Fig. 35) und lassen ihren Kopf abwärts hängen. Vom Boden erheben sie sich schwerfällig durch Aufspringen. Ihr Gang ist ein Dahinhumpeln. Die Flughaut erhalten sie dadurch geschmeidig, daß sie dieselbe mit einer öligen Flüssigkeit einreiben, welche aus Gesichtsdrüsen abgesondert wird. Sie sind sehr gefräßig und verzehren eine große Menge von Schmetterlingen, Käfern, Fliegen und Mücken. Im Winter hängen sie schlafend oft in langen Reihen in Kellern, unter Dächern oder in Gewölben.

Die Fledermäuse gehören zur Ordnung der Handflügler, denn ihre Gliedmaßen werden durch eine Flughaut verbunden.

Ordnung der Raubthiere.

(§. 28.) Katze. (Felis.)

Die Katzen haben an den Vorderfüßen fünf und an den Hinterfüßen vier Zehen mit gekrümmten, zurückziehbaren Krallen. In jeder Kinnlade stehen oben jederseits vier, unten drei Backenzähne, oben und unten jederseits ein langer, spitzer Eckzahn und oben und unten sechs kleinere Vorder- oder Schneidezähne. (Fig. 36.) — Die Zahnformel heißt:

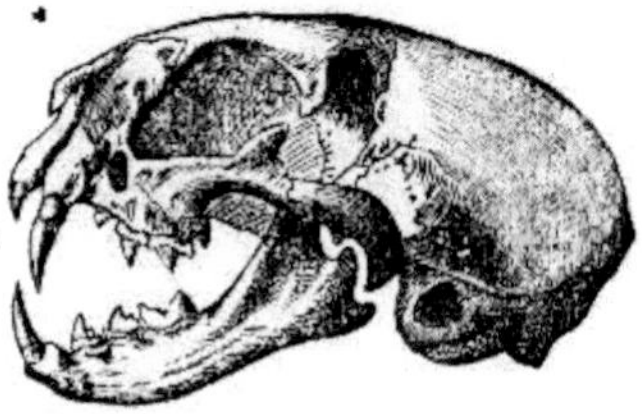

Fig. 36. Schädel der Katze.

$$\frac{4 . 1 . 6 . 1 . 4}{3 . 1 . 6 . 1 . 3}.$$

1. Der **Tiger** (*F. tigris*), bis 2,8 M. lang, gehört zu den Katzen, welche ein gestreiftes Fell besitzen. Der Kopf ist rund, der Schwanz ohne Quaste und die Haare sind kurz; nur die Wangen werden durch einen Backenbart geziert. Sein rostgelbes Fell und der fast 1 M. lange Schwanz zeigen schwarze Querstreifen. Er ist das gefürchtetste Raubthier Ostindiens, welches 12 Zm. tiefe Wunden schlägt, und dessen Stärke so bedeutend ist, daß er mit einem Menschen im Rachen über 3 M. hohe Umzäunungen springt und im schnellen Laufe dahin eilt. Menschenfleisch scheint er besonders zu lieben. Er ist die schönste Katze; seine Gestalt ist schlank, seine Bewegungen rasch, gewandt und ausdauernd; er macht große Sätze, klettert und schwimmt geschickt.

Fig. 37. Tiger. (*Felis tigris.*) 2,8 M. lang.

2. Die **Hauskatze** (*F. domestica*) ist in Färbung ungemein verschieden und gegen 50 Zm. lang. Sie hat einen rundlichen Kopf mit abgerundeter Schnauze und kleinem Maule; die Nase ist kahl und fast eckig; die Lippen sind mit Schnurrhaaren besetzt, die Augen groß und weit geöffnet und die

Fig. 38. Hauskatze. (*Felis domestica.*) 50 Zm. lang.

Ohren kurz und aufrecht. Den Schwanz, welcher die halbe Körperlänge übertrifft, trägt sie frei nach und schlägt ihn in der Ruhe nach vorn. Die Zunge zeigt einen deutlichen Stachelbesatz zum Lecken des Blutes und des frischen Fleisches. — Sie ergreift die Beute im Sprunge und erspäht sie mehr mit Auge und Ohr als mit dem stumpfen Geruche. Mit Ausnahme der kalten Gegenden findet sich die Katze als Hausthier überall. Gewandtheit, Muth dem stärkeren Gegner gegenüber, Unerschrockenheit, Reinlichkeit, vorzügliches Ortsgedächtniß und Scharfsinn im Fangen ihrer Beute sind ihre Haupteigenschaften. — Sie klettert äußerst geschickt, jedoch nie den Kopf nach unten gerichtet, fällt stets auf die weichen Ballen der Füße und schwimmt ungern. Für Milch hat sie eine besondere Vorliebe; kleine Vögel, Fische und Mäuse fängt sie gern.

3. Der **Löwe** (*F. leo*) besitzt ein einfarbig braungelbes Fell. — Vergleiche §. 4.

(§. 29.) **Hund.** (Canis.)

Die Hunde besitzen an den Vorderfüßen fünf und an den Hinterfüßen vier Zehen mit schwach gekrümmten, nicht zurückziehbaren Krallen. — Die Zahnformel heißt: $\frac{6 \,.\, 1 \,.\, 6 \,.\, 1 \,.\, 6}{7 \,.\, 1 \,.\, 6 \,.\, 1 \,.\, 7}$.

1. Der **Wolf** (*C. lupus*), über 1 M. lang und 80 Zm. hoch, hat einen gestreckten, hängenden und langhaarigen Schwanz, welcher eine Länge von 40 Zm. erreicht. Zwischen den kürzeren gelbgrauen Haaren stehen längere schwarze. Der Ohrenrand und der Streif auf den Vorderbeinen sind schwarz gefärbt. Außerdem wird er an dem mageren Körper, dem eingezogenen Bauche und den dünnen, schmal-

pfotigen Beinen leicht erkannt. — Er findet sich selten in Deutschland, häufiger in Rußland, Schweden und Norwegen. Seine Lieblingsnahrung sind Jagd- und Hausthiere; in der Noth verschmäht er auch Mäuse, Vögel, Frösche, Maikäfer und Baumknospen nicht. Unter den Schafheerden richtet er große Verwüstungen an. („Wolf im Schafstall.“) Geruch, Gehör und Gesicht sind scharf ausgebildet. Plagt ihn der Hunger nicht, so zeigt er sich behutsam und vorsichtig, tollkühn dagegen, wenn er hungrig ist. Die Wölfin pflegt und vertheidigt die Jungen mit Aufopferung.

Fig. 39. Wolf. (*Canis lupus.*) Ueber 1 M. lang und 80 Zm. hoch.

Von seiner Feigheit erzählt Goßner ein ergötzliches Beispiel: ein Jäger machte in einer Wolfsgrube einen dreifachen Fang, nämlich eine alte Frau, einen Fuchs und einen Wolf, von denen jedes aus Furcht vor den anderen die ganze Nacht sich nicht gerührt hatte. — Sein Fell liefert gutes Pelzwerk und seine Därme gute Saiten.

2. Der **Fuchs** (*C. vulpes*), 85—90 Zm. lang und 40 Zm. hoch, hat einen gestreckten, buschigen Schwanz, welcher eine Länge von 30 Zm. erreicht und eine weiße Spitze zeigt. Sein Fell ist fuchsroth, unten weiß und die Rückenseiten der Ohren schwarz gefärbt. Die ganze Färbung wechselt jedoch erheblich nach der Jahreszeit. Der Schädel ist lang gestreckt, die Stirn platt und die Schnauze zugespitzt. — Er bewohnt unsere Wälder, in welchen er sich Höhlen (Fuchsbaue) gräbt oder den Dachs aus seinem Baue verdrängt. Seine Nahrung besteht aus Mäusen, Hasen, Kaninchen, Hühnern, Gänsen, wilden Vögeln, Insekten, Würmern und Obst. Er

Fig. 40. Fuchs. (*Canis vulpes.*) 85—90 Zm. lang.

ist feiner, vorsichtiger, berechnender und biegsamer als seine Verwandten, zeichnet sich durch Gedächtniß und Ortssinn, Geduld, Entschlossenheit, Muth und Gewandtheit im Springen, Schleichen, Kriechen und Schwimmen aus und vereinigt so in sich alle Eigenschaften eines vollendeten Spitzbuben. Er ist das Sinnbild der List, Verschlagenheit und Tücke. Für seine Jagd benutzt er die Nacht, denn der eigenen Sicherheit ordnet er seine Begierden unter. Fühlt er sich jedoch sicher, so erscheint er unverschämt frech und holt am hellen Tage in Gegenwart der Menschen Gänse und Hühner vom Hofe. Die Wölfe und Hunde gehören zu seinen ärgsten Feinden. Von den Krankheiten des Hundes wird auch er geplagt. (Tollwuth.) Sein Winterpelz wird geschätzt, und die Haare seines Sommerpelzes werden zu Filz verarbeitet.

3. Der **Haushund** (*C. familiaris*) hat einen an der Spitze zurückgekrümmten Schwanz. — Vergleiche §. 3.

(§. 30.) **Bär.** (Ursus.)

Die Bären treten mit der ganzen Sohle auf und heißen daher Sohlengänger; ihre Schnauze ist stumpf und ihr Schwanz kurz. Die Zahnformel heißt: $\frac{6 \,.\, 1 \,.\, 6 \,.\, 1 \,.\, 6}{7 \,.\, 1 \,.\, 6 \,.\, 1 \,.\, 7}$.

Fig. 41. Eisbärin mit ihren Jungen im Winterlager. (*Ursus maritimus.*) 2,5 M. lang.

1. Der **Eis- oder Polarbär** (*U. maritimus*), 2,5 M. lang und über 1 M. hoch, trägt einen Pelz, welcher aus langen, weichen und weißen Haaren besteht. Der Leib ist gestreckt, der Hals lang und die kräftigen Beine sind kurz. Er ist das gefürchtetste Raubthier des hohen Nordens; seine Nahrung besteht aus Fischen, Seehunden und Walfischen. Große Stärke, Ausdauer im Laufe und Gewandtheit im Schwimmen zeichnen ihn aus. Auch den Menschen, Renthieren und Vögeln wird er gefährlich. Ob er einen Winterschlaf hält, ist fraglich. Die Bärinnen lassen sich unter oder an einem Felsen einschneien und bringen hier die Jungen zur Welt. Durch das Athmen und die Körperwärme thaut der Schnee auf und die Höhle erweitert sich; sie zehrt den Winter über von ihrem Fette. Zärtlich werden die Jungen gepflegt und auch später, wenn sie im März das Winterlager verläßt, geschützt. — Vom Eisbären werden Fell, Fett und Fleisch benutzt; ersteres giebt warme Decken, Stiefeln und Handschuhe.

Der **braune Bär** (*U. arctos*), fast 2 M. lang und 1 M. hoch, trägt einen gelb- oder rothbraun gefärbten Pelz, welcher aus längeren und kürzeren, weichen Haaren besteht. Der Leib ist dick, die Stirn gewölbt und die Schnauze kegelförmig und vorn abgestumpft. Die starken Beine haben kurze Tatzen mit langen Krallen. — Früher bewohnte er Mitteleuropa; jetzt findet er sich nur noch in den Alpen, Pyrenäen, Karpathen, in Norwegen, Persien und Syrien. Er frißt in der Jugend Gras, Beeren, Pilze, Knospen und Honig; später lernt er den Werth des Fleisches schätzen und macht Jagd auf Schafe, Pferde, Rinder etc. Die List und Erfindungsgabe des Fuchses kennt er nicht; seinen Zweck sucht er durch seine Stärke zu erreichen. Gewandtheit im Klettern und das furchtbare Gebiß unterstützen ihn. Für den Winter bereitet

Fig. 42. Brauner Bär. (*Ursus arctos.*) Fast 2 M. lang.

er sich zwischen Felsen oder in Höhlen aus Moos und Gras eine Lagerstätte, welche er mit Eintritt der Kälte zum Winterschlaf bezieht; derselbe wird oft unterbrochen. — Den Menschen greift er nur dann an, wenn er von demselben gereizt wird. — Sein Fell liefert Pelzwerk und sein Fleisch wird gegessen.

Wiederhole: Maulwurf und Igel! (§. 1 und 2.)

Die Katzen, Hunde, Bären, der Maulwurf und Igel gehören zur Ordnung der Raubthiere, denn sie besitzen gleich gebildete Vorder- und Hintergliedmaßen und alle drei Arten Zähne; von letzteren sind die Eckzähne besonders lang und stark.

Ordnung der Beutelthiere.

(§. 31.) **Känguruh.** (Halmatúrus.)

Das **Känguruh** (*H. gigánteus*), 1,9 M. hoch, ist bräunlichgrau und unten weißlich gefärbt. Der fast 1 M. lange, sehr kräftige Schwanz zeigt eine schwarze Spitze und dient ihm als Stütze, da es meist auf den viel längeren und kräftigen Hinterbeinen wie auf einem Dreifuß ruht. Die Vorderbeine sind kurz und schwach und wenig zur Fortbewegung geeignet. Die Vorderbeine haben fünf und die Hinterbeine vier Zehen. Ihm fehlen die Eckzähne; die Zahnformel ist folgende: $\frac{5 \,.\, 0 \,.\, 6 \,.\, 0 \,.\, 5}{5 \,.\, 0 \,.\, 2 \,.\, 0 \,.\, 5}$. (Fig. 44.) — Am Bauche des Känguruhs befindet sich ein Hautbeutel, in welchen das Weibchen das etwa 3 Zm. lange, wenig ausgebildete Junge bringt. Nach etwa acht Monaten ist das-

Fig. 43. Känguruh. (*Halmatúrus gigánteus.*) 1,9 M. hoch.

selbe so weit entwickelt, daß es den Kopf aus dem Beutel streckt; später macht es den ersten Versuch, den Beutel zu verlassen. Sobald das Junge Gefahr fürchtet, stürzt es sich kopfüber in den Beutel, dreht sich um und sieht mit dem größten Sicherheitsbewußtsein aus dem Beutel hervor.

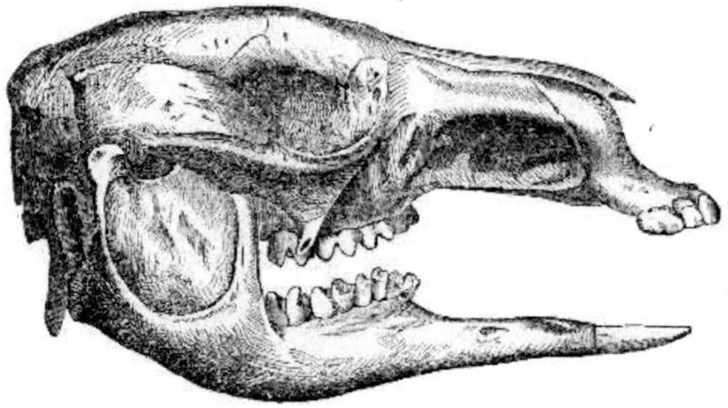

Fig. 44. Schädel des Känguruh.

Es bewohnt buschige, grasige Triften Neuhollands und nährt sich von Gras, Baumblättern und Früchten. Sein Gang ist ein schwerfälliges Forthumpeln; die Vorderbeine werden aufgestützt und die Hinterbeine nachgeschoben, wobei der Schwanz als Stütze gebraucht wird. Ergreift es die Flucht, so legt es die Vorderbeine an die Brust, streckt den Schwanz gerade aus und schnellt durch die Kraft der starken Schenkel hoch empor und schießt wie ein Pfeil durch die Luft. Ein Sprung mißt oft 6 — 10 M. — Geruch und Gesicht sind schwach, das Gehör vorzüglich. Es ist neugierig, furchtsam, vergeßlich und in der Gefangenschaft wenig anhänglich. — Sein Fleisch wird gern gegessen und sein Fell benutzt.

Das Känguruh gehört zur Ordnung der Beutelthiere, denn es besitzt am Bauche einen Hautbeutel.

Ordnung der Nagethiere.

(§. 32.) Eichhörnchen. (Sciúrus.)

Die Eichhörnchen besitzen in jedem Kiefer zwei meißelartig geschärfte und gebogene Vorder- oder Nagezähne und keine Eckzähne; ihre Zahnformel ist: $\frac{5\,.\,0\,.\,2\,.\,0\,.\,5}{4\,.\,0\,.\,2\,.\,0\,.\,4}$. Die Ohren, der Schwanz und die Pfoten sind dicht behaart und die Augen groß.

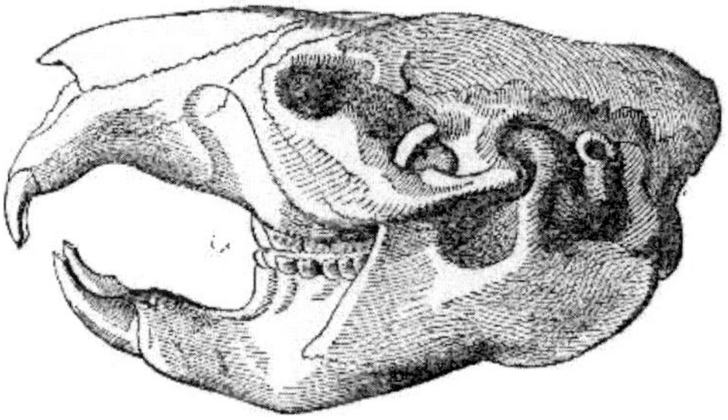

Fig. 45. Nagethierschädel.

Fig. 46. Gemeines Eichhörnchen. (*Sciúrus vulgaris.*) 25 Zm. lang.

1. Das **gemeine Eichhörnchen** (*S. vulgaris*), 25 Zm. lang, ist im Sommer fuchsroth, im Winter rothbraun und die Unterseite stets weiß gefärbt. Die langen Ohren tragen Haarpinsel; der zweizeilig behaarte, buschige Schwanz erreicht die Körperlänge; an den Vorderfüßen befinden sich vier und an den Hinterfüßen fünf Zehen. — Das muntere Thierchen ist die Zierde unserer

Fig. 47. Fliegendes Eichhörnchen aus Florida. (*Pteromys volucella.*) 12 Zm. lang.

Wälder und verläßt selten die Bäume; mit der größten Geschicklichkeit läuft es auf dünnen Zweigen hin und her und springt äußerst gewandt. Es lebt überall in Europa und Asien, so weit der Baumwuchs reicht. Eicheln, Nüsse und die Samen der Nadelhölzer bilden seine Nahrung. Nur in der Noth frißt es

Baumrinde, Knospen und Pilze. Mit größter Zierlichkeit führt es die Nahrung mit den Vorderbeinen zum Munde, indem es sich auf die Hinterbeine setzt und den Schwanz §-förmig nach oben krümmt. Für den Winter speichert es seine Vorräthe in Höhlen und selbstgegrabenen Löchern auf. Im Gipfel der Bäume findet sich sein ausgepolstertes, Nest, in welches es sich zurückzieht, wenn schlechtes Wetter eintritt. Dann wird das Ausgangsloch an der Wetterseite sorgfältig verstopft. Alle Sinne sind scharf ausgebildet; Gesicht, Gehör und Geruch sind besonders fein. Sein grimmigster Feind ist der Edelmarder; außerdem wird es von Füchsen, Eulen und Habichten verfolgt. — Sein Fell wird geschätzt und von Kürschnern verarbeitet; die aus dem hohen Norden kommenden Felle werden besonders gesucht. (Grauwerk oder Veh.) Das Fleisch ist wohlschmeckend. — In der Gefangenschaft muß man ihm Holz in den Käfig legen, damit es die schnell wachsenden Vorderzähne abnutzen kann.

2. Der **Assapan oder fliegendes Eichhörnchen** (*Pterómys volucélla*), 12 Zm. lang, ist oben graurothbraun und unten weiß gefärbt. Der Schwanz erreicht eine Länge von 9 Zm. Er bewohnt Nordamerika und zeichnet sich nebst den andern fliegenden Eichhörnchen dadurch aus, daß er kurze Ohren und eine Flughaut zwischen den Gliedmaßen besitzt. Diese Flughaut dient als Fallschirm, so daß die fliegenden Eichhörnchen mit Leichtigkeit sehr bedeutende Sprünge von oben nach unten und umgekehrt machen können; sie ist zu beiden Seiten des Leibes befestigt und auf der Rückenseite dicht und unten spärlich behaart. Das Fell der in Nordasien heimischen Flugeichhörnchen findet als Pelzwerk Verwendung.

Wiederhole Hase und Maus! (§. 5 und 6.)

Die Eichhörnchen, Hasen und Mäuse gehören zur Ordnung der Nagethiere, denn sie besitzen nur zwei Vorder- oder Schneidezähne und keine Eckzähne.

B. Hufsäugethiere.

Ordnung der Vielhufer.

(§. 33.) **Elephant.** (Elephas.)

Die Elephanten haben an den Füßen fünf oder vier Zehen, welche von kleinen Hufen eingeschlossen werden. Ihre Nase verlängert sich zu einem 2—2,5 M. langen Rüssel; ihnen fehlen die Eckzähne und die unteren Vorderzähne. Die beiden Vorderzähne des Oberkiefers verlängern sich zu 1—2 M. langen Stoßzähnen; ihre Zahnformel ist: $\frac{1\,.\,0\,.\,2\,.\,0\,.\,1}{1\,.\,0\,.\,0\,.\,0\,.\,1}$.

1. Der **indische Elephant** (*E. indicus*), 3—5 M. lang und 2—3 M. hoch, hat eine flache Stirn, kleine, bewegliche Ohren und an den Vorderfüßen fünf und an den Hinterfüßen vier Zehen; er bewohnt Indien, Siam und Ceylon.

2. Der **afrikanische Elephant** (*E. africanus*), 3—6 M. lang und 2—3 M. hoch, hat eine gewölbte Stirn, große, unbewegliche Ohren und vier Zehen an allen Füßen; er findet sich in Mittelafrika.

Die Haut der Elephanten ist braun- oder schiefergrau und sparsam mit schwärzlichen Borsten bekleidet. Der Rüssel dient ihnen zum Riechen, Tasten und Greifen; es findet sich nämlich am vorderen Rande desselben eine kurze, fingerartige Verlängerung, mit welchen sie die kleinsten Geldstücke aufheben und Knoten lösen können; mit dem Rüssel brechen sie starke Bäume um und vertheidigen sich gegen jeden Feind. Außer dem Gesicht sind alle Sinne vorzüglich entwickelt; sie stehen in Bezug auf die geistigen Fähigkeiten dem Hunde und Pferde wenig nach. In der Gefangenschaft zeigen sie sich ungemein gelehrig. Da die indischen Elephanten in Umzäunungen gefangen werden, so finden sich meist diese in den Thiergärten. Die afrikanischen Elephanten werden meist durch das Feuergewehr erlegt. Die Stoßzähne liefern das Elfenbein. — Ihre Nahrung sind Gräser und Baumblätter, welche sie, wie auch das Wasser, mit dem Rüssel zum Maule führen. Die ausgerissenen Gräser werden erst von der an den Wurzeln haftenden Erde befreit. In Indien wird der Elephant als Hausthier gehalten und zum Wassertragen und zum Herbeischaffen von Bausteinen und Bauhölzern verwandt.

Fig. 48. Indischer Elephant; rechts. (*Elephas indicus.*) 3—5 M. lang und 2—3 M. hoch. — Afrikanischer Elephant; links. (*E. africanus.*) 3—6 M. lang und 2—3 M. hoch.

Die Elephanten gehören zur Ordnung der Vielhufer, denn die fünf oder vier Zehen ihrer Füße werden von Hufen eingeschlossen.

Ordnung der Einhufer.

(§. 34.) **Pferd.** (Equus.)

Nur die Mittelzehe eines jeden Fußes wird bei den Pferden von einem Hufe eingeschlossen und der Nacken durch eine Mähne geziert; ihre Zahnformel ist: $\frac{6 \,.\, 1 \,.\, 6 \,.\, 1 \,.\, 6}{6 \,.\, 1 \,.\, 6 \,.\, 1 \,.\, 6}$. Den Weibchen fehlen meist die Eckzähne.

1. Das **Pferd** (*E. caballus*). Wiederhole §. 7.

2. Der **Esel** (*E. ásinus*) unterscheidet sich vom Pferde durch die stets graue Farbe, den größeren Kopf, den dicken Hals, die kurze, aufgerichtete Mähne, die herabhängenden Lippen und die längeren Ohren, welche halbe Kopflänge erreichen. Sein Schwanz hat eine lange Wurzel und nur am Ende lange Haare. — Als Hausthier findet sich der Esel überall verbreitet und ist ungemein genügsam. Heu, Disteln und Kräuter bilden seine Nahrung; jedoch rührt er kein trübes Wasser an. Der zahme nordische Esel ist störrisch und träge, der südliche dagegen ein fleißiges, lebendiges und ausdauerndes Thier. Seine Behandlung ist im Süden auch eine viel sorgfältigere. Die arabischen Esel sind die schönsten.

Fig. 49. Esel. (*Equus ásinus.*) Fast 2 M. lang.

Die Pferde gehören zur Ordnung der Einhufer, denn nur die Mittelzehe ihrer Füße wird von einem Hufe eingeschlossen.

Ordnung der Zweihufer.

(§. 35.) Kameel. (Camélus.)

Die Kameele haben an jedem Fuße vorn zwei kleine Zehen, welche von Hufen eingeschlossen werden; ihnen fehlen die Hörner. Die Zahnformel ist: $\frac{6 \,.\, 1 \,.\, 2 \,.\, 1 \,.\, 6}{5 \,.\, 0 \,.\, 6 \,.\, 0 \,.\, 5}$. Sie besitzen entweder zwei oder einen Fetthöcker.

1. Das **Dromedar oder das gemeine Kameel** (*C. dromedárius*), 2—3 M. lang und 1,5—2,2 M. hoch, ist ein hochbeiniges Wüstenthier von verschiedener Farbe; es giebt sandfarbene, graue, braune und ganz schwarze Kameele. Der nie aufrechte Hals ist lang, der kleine Kopf ist häßlich und der

Schwanz hat Aehnlichkeit mit dem der Kuh. Bei gut genährten Thieren hat der Höcker die Gestalt einer Pyramide; wird das Futter schlecht, so verschwindet der Höcker allmählich und wächst erstaunlich schnell, wenn die Nahrung besser wird. — Es ist seit den ältesten Zeiten Hausthier gewesen und wird in der Bibel als Gamal erwähnt. — Jetzt findet es sich in Nordostafrika, Arabien, Syrien und Persien. Leichtigkeit und Schnelligkeit des Ganges, Ausdauer und Enthaltsamkeit sind wichtige Eigenschaften, welche es auszeichnen. Es nimmt mit jedem Futter vorlieb; selbst ein alter Korb, dornige Mimosenzweige und eine Matte werden von ihm verzehrt. Bei saftigem Futter kann es das Wasser wochenlang entbehren. Daß die erste Magenabtheilung

Fig. 50. Dromedar. (*Camélus dromedárius.*) 2—3 M. lang und 1,5—2,2 M. hoch.

ein Wasserbehälter sei, ist eine Fabel; der ekelhafte Mageninhalt geschlachteter Dromedare wird nie von einem Menschen berührt werden. — Ein gutes Reitthier legt in einem Tage zwanzig deutsche Meilen zurück; die Lastthiere werden mit 200—250 Kilogramm beladen. Für den Verkehr durch die Wüsten ist es ganz unentbehrlich, wozu es durch die genannten guten Eigenschaften vorzüglich befähigt wird. Unliebenswürdiges, boshaftes und störrisches Wesen, Gleichgiltigkeit gegen den Pfleger, unangenehmer Geruch und Dummheit sind die schlechten Eigenschaften. — Den Reitsattel zeigt die Fig. 50; bei den Lastthieren verwendet man ein Holzgestell, welches durch die an beiden Seiten hängenden Frachtstücke im Gleichgewicht erhalten wird.

Fig. 51. Trampelthier. (*Camelus bactrianus*) 3,1 M. lang und 1,9 M. hoch.

2. Das **Trampelthier** (*C. bactrianus*) ist größer als das Dromedar, von welchem es sich noch durch die beiden Fetthöcker, die kürzeren Beine, die längere, dunklere Behaarung und den ungemein plumpen Körper unterscheidet. Der Gang ist schwerfällig, weshalb es mehr zum Lasttragen, als zum Reiten Verwendung findet. — Es vermittelt den Waarenaustausch zwischen China und Rußland, wie überhaupt zwischen Europa und Asien. Durch die dichte und lange Behaarung wird es befähigt, auch in kälteren Gegenden zu leben. — Haare, Milch, Fleisch und Fell werden gebraucht; der Mist des Dromedars dient zur Feuerung.

Fig. 52. Edelhirsch. (*Cervus elaphus.*) 2 M. lang und 1,5 M. hoch.

(§. 36.) **Hirsch.** (Cervus.)

Die Hirsche werden an den Geweihen, welche jedoch meist nur von den Männchen getragen werden, leicht erkannt. Edelhirsch und Reh tragen Geweihe mit drehrunden Aesten. Die Geweihe werden alljährlich abgeworfen und wieder erzeugt.

1. Der **Edelhirsch** (*C. élaphus*), 2 M. lang und 1,5 M. hoch, hat einen schön gebauten, kräftigen Körper, eine edle und schöne Haltung, eine flache Stirn und einen zusammengedrückten Hals. Das Geweih ist vielsprossig und aufrecht; der Schwanz erreicht halbe Ohrlänge. Die Farbe ändert sich nach Alter und Jahreszeit; die jüngeren Thiere zeigen weiße Flecken auf rothbraunem Grunde, die älteren sind dagegen im Sommer graubraun und im Winter rothbraun gefärbt. — Er bewohnt ganz Europa, den Norden ausgenommen, und ist eine Zierde unserer Wälder. Geruch, Gehör und Gesicht sind vorzüglich; er ist im Walde scheu und furchtsam, in Thiergärten sehr zutraulich. Seine Nahrung besteht aus Kräutern, Gras, Baumknospen und Getreide. Zu seinen Feinden gehören außer dem Menschen der Wolf, Luchs, Vielfraß und Bär. Fleisch, Fell und Geweih finden Verwendung. Leider ist der Schaden, welchen er den Saaten zufügt, ein sehr großer.

Fig. 53. Reh. (*Cervus capréolus.*) Ueber 1 M. lang und 60 Zm. hoch.

2. Das **Reh** (*C. capréolus*), über 1 M. lang und 60 Zm. hoch, ist zierlicher und schlanker als der Hirsch; das Geweih zeigt nur drei Sprossen, der Kopf ist kurz und abgestumpft, und der Schwanz ragt kaum aus dem Felle hervor. Im Sommer trägt es ein rostrothes und im Winter ein braungraues Fell; die jungen Thiere erscheinen weiß gefleckt. Die Unterseite und die Innenseite

der Beine sind weiß gefärbt. — Es bewohnt die Wälder des mittleren Europas und sucht solche, in denen es Unterholz findet, und welche von Wiesen und Feldern unterbrochen werden. Unter Führung des Rehbockes tritt die Rehfamilie des Abends aus dem Walde ins Freie zur Aezung. Auf der Flucht führt die Rehkuh den Zug und der Bock beschließt ihn. Im Winter fügen die Rehe durch Abnagen der Rinde und der Knospen den Wäldern erheblichen Schaden zu. Junge Thiere werden leicht zahm. — Benutzung finden Geweih, Fell und Fleisch.

Wiederhole das Rind! (§. 8.)

Kameele, Hirsche und Rinder gehören zur Ordnung der Zweihufer, denn sie haben an jedem Fuße vorn zwei Zehen, welche von Hufen eingeschlossen werden.

C. Flossensäugethiere.

Ordnung der Ruderfüßer oder Robben.

(§. 37.) Walroß. (Tríchechus.)

Das **Walroß** (*T. rosmárus*), 6 M. lang, wird etwa 700—1500 Kilogramm schwer und hat einen lang gestreckten Körper, welcher gelbbraun gefärbt und dünn und kurz behaart ist. Die Gliedmaßen erscheinen wie große Lappen und haben je fünf Zehen mit kurzen, stumpfen Krallen. Die Zehen sind durch Schwimmhäute verbunden, so daß die Füße zu Ruderfüßen hierdurch umgebildet werden. Der Schwanz bildet einen unbedeutenden Hautlappen. Der Kopf ist klein und rund, die Schnauze kurz und stumpf; zu beiden Seiten der letzteren stehen 11—12 Querreihen von Schnurrborsten, welche stärker als ein Gänsekiel werden. Im Oberkiefer befinden sich zwei starke, etwa 70—80 Zm. lange Eckzähne, welche weit aus dem Maule hervorragen. — Es bewohnt das nördliche Eismeer zwischen Spitzbergen und Grönland und benutzt flache Küsten und Eisschollen zum Ausruhen; hier trifft man Horden aus je 200 Stück; die Thiere bewegen sich auf dem Lande oder Eise ungemein schwerfällig und gebrauchen hier zum Fortbewegen die Hauer, indem sie diese ins Eis schlagen und den schweren Körper nachziehen. Ihr Schnarchen vernimmt man aus weiter Entfernung. Im Wasser schwimmt das Walroß schnell und leicht. Nur kleine Seethiere, wie Krabben (Krebse) und Weichthiere bilden seine Nahrung. — Die Hauer werden wie Elfenbein verwandt und zu künstlichen Zähnen verarbeitet; das Fleisch

Fig. 54. Walroß. (*Tríchechus rosmárus.*) 6 M. lang.

wird von den Polarvölkern gegessen; aus dem Speck wird Thran gewonnen und die Haut zu Kleidungen und Wohnungen benutzt.

Das Walroß gehört zu den Flossensäugethieren und zur Ordnung der Ruderfüßer, weil seine Zehen durch Flossen verbunden sind.

Ordnung der Wale oder Fischsäugethiere.

(§. 38.) Walfisch. (Balaena.)

Der **grönländische Walfisch** (*B. mysticētus*), 20 M. lang, hat 10—13 M. Umfang, ein 5—6 M. langes und 3—4 M. breites Maul und ein Gewicht von 150,000 Kilogramm. Dem fischartigen Körper von oben grauschwarzer und unten weißer Farbe fehlen die Hintergliedmaßen; die Vordergliedmaßen werden durch zwei Armflossen ersetzt; der wagerecht liegende Schwanz dient zum Schwimmen. Die Spritzlöcher liegen 3 M. hinter dem Schnauzenende und bilden 50 Zm. lange S-förmige Spalten. Die Augen erreichen die Größe eines Ochsenauges. Die Ohrmuschel fehlt und der enge Gehörgang ist verschließbar. Statt der Zähne hat er im Oberkiefer Fischbeinplatten oder Barten. Unter der dünnen Haut liegt eine 50 Zm. dicke Specklage und unter dieser das schwarze, faserige Fleisch. — Er bewohnt nur das nördliche Eismeer und wird hauptsächlich da gefangen, wo der Golfstrom eine reiche Thierwelt hervorbringt. Nur kleine Weichthiere und Krebse bilden seine Nahrung. Große Thiere kann er seines engen Schlundes wegen nicht verschlingen. Das Junge, welches zur Welt gebracht wird, erhält vom Weibchen die zärtlichste Pflege. — Der Walfisch kommt alle 3—10 Minuten an die Oberfläche, um Luft zu athmen und das mit der Nahrung aufgenommene Wasser in einem selten bis 13 M. hohen Wasser- und Wasserdampfstrahle empor zu schleudern. — Die nordischen Völker essen sein Fleisch, die Europäer benutzen nur sein Fett zu Thran und die Barten als Elfenbein.

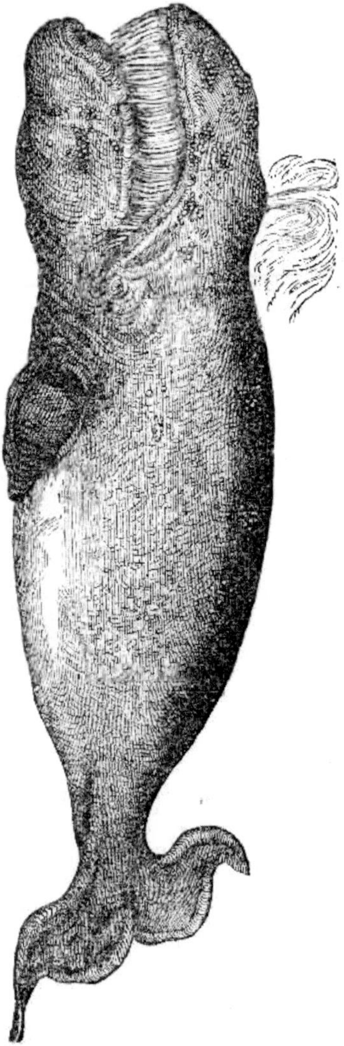

Fig. 55. Grönländischer Walfisch. (*Balaena mysticētus.*) 20 M. lang.

Der Walfisch gehört zu den Flossen- und Fischsäugethieren, denn er besitzt einen fischähnlichen Körper, welchem die Gliedmaßen fehlen; letztere werden durch zwei Armflossen vertreten.

II. Klasse. Vögel. (Aves.)

A. Luftvögel.

Ordnung der Raubvögel.

(§. 39.) Adler. (Aquila.)

Die Adler sind große, starke Vögel; sie besitzen einen starken, an der Wurzel geraden und an der Spitze gekrümmten Oberschnabel. Der Schnabel wird am Grunde von einer Wachshaut überzogen. Ihre Krallen sind stark, scharf und abwärts gebogen. Der lange Schwanz ist gerade abgeschnitten oder zugerundet. Die Augen sind groß und feurig.

1. Der **Steinadler** (*A. fulva*), bis 1 M. lang und mit 2—2,2 M. Flügelbreite, ist der größte und stärkste Adler. Das Gefieder zeigt bis auf den rostbraungelben Kopf und Hals eine dunkelbraune Farbe. Der Schwanz ist kürzer als die Flügel, an der Wurzel weiß, dann schwarz gebändert und an der Spitze schwarz.

Fig. 56. Steinadler. (*Aquila fulva.*) 1 M. lang; Flügelbreite 2—2,2 M.

2. Der **Goldadler** (*A. chrysaëtos*) ist bedeutend kleiner und schlanker als der vorige; sein Gefieder ist hellrostroth mit weißen Flecken auf der Achsel; sein Schwanz ist kürzer als die Flügel und zeigt schwarze Querbinden auf bräunlichgrauem Grunde. Beide Adler bewohnen die hohen und waldreichen Gebirge Europas.

3. Der **Königsadler** (*A. imperiālis*), 80—85 Zm. lang und mit 2 M. Flügelbreite, ist der kleinste; sein Gefieder ist dunkelbraun, Kopf und Nacken sind braungelb und die Schultern weiß gefärbt; der Schwanz erreicht die Länge der Flügel und erscheint auf aschgrauem Grunde schwarz gebändert. Er findet sich im südöstlichen Europa und auch in Indien.

In einsamen Gegenden auf Felsen oder hohen Bäumen (Königsadler) legen die Adler ihre Nester oder Horste an, welche große, flache Mulden darstellen und aus dicken Reisern gebaut werden. Die Paare bleiben meist für das ganze Leben vereint. Ihr Gesicht ist besonders scharf; aus bedeutender Höhe erspähen sie ihre Beute, welche aus Vögeln und Säugethieren besteht; selbst Kinder werden von ihnen angegriffen. In ihren Horsten wohnen Sperlinge scheinbar unbehelligt. Verschluckte Haare und Federn speien sie als Klumpen (Gewölle) wieder aus; sie dienen ihnen wohl zur Reinigung ihres Magens. Die verhältnißmäßig kleinen Eier (zwei bis drei) werden im März und April ausgebrütet. Junge Adler werden leicht zahm. — Der Adler ist das Sinnbild der Macht und Herrschaft; er findet sich als Wappenbild vieler Monarchen. Die Griechen und Römer weihten ihn dem Jupiter; er galt als der einzige Vogel, welcher von Jupiters Blitzen verschont blieb.

Fig. 57. Goldadler. (*Aquila chrysäëtos.*) Kaum 1 M. lang; 2 M. Flügelspannung.

Wiederhole den Uhu! (§. 9.)

Die Adler und Eulen gehören zur Ordnung der Raubvögel, denn sie besitzen einen gekrümmten Oberschnabel und hakig gebogene, meist scharfe Krallen; der Schnabel wird am Grunde von einer Wachshaut überzogen.

Ordnung der Klettervögel.

(§. 40.) Specht. (Picus.)

Die Spechte besitzen einen langen, geraden, vierkantigen Schnabel, welcher am Grunde nicht von einer Wachshaut überzogen ist, einen kurzen Schwanz und Kletterfüße; letztere zeigen zwei nach vorn und zwei nach hinten gerichtete Zehen (Fig. 58), welche mit langen, halbmondförmigen Nägeln versehen sind. Ihre Zunge ist wurmförmig, mit Widerhäkchen besetzt und kann weit hervorgestreckt werden.

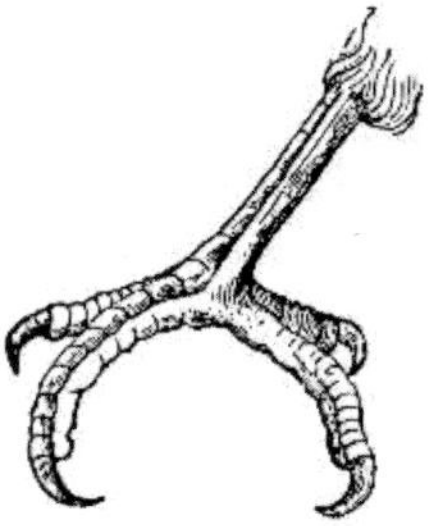

Fig. 58. Kletterfuß.

1. Der **Schwarzspecht** (*P. martius*), 45 Zm. lang, ist der größte Specht unserer Wälder, welcher ein rabenschwarzes Gefieder mit rothem Scheitel trägt. Er liebt besonders Nadelwälder und zeichnet sich durch Munterkeit und Gewandtheit aus. Auf dem Boden hüpft er ungeschickt, ist jedoch im Klettern Meister, wobei er stets beide Beine gleichzeitig vorwärts bewegt. Ameisen und im Holz lebende Larven bilden seine Nahrung; um zu lezteren zu gelangen, hackt er mit seinem Schnabel große Stücke aus dem Baume. Selbstverständlich greift er nur kranke Bäume an, welche er von den Insekten befreit. Seine Nesthöhlen legt er stets in kernfaulen Buchen

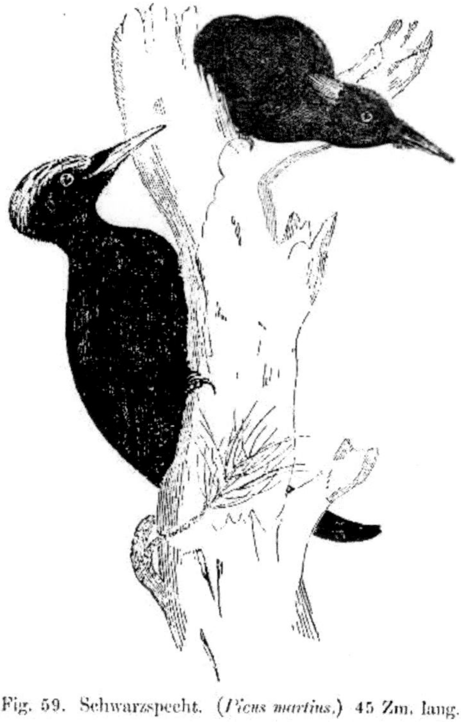

Fig. 59. Schwarzspecht. (*Picus martius.*) 45 Zm. lang.

Fig. 60.

Mittlerer Buntspecht. (*Picus medius.*) 20 Zm. lang.

oder Kiefern an und gebraucht hierzu etwa vierzehn Tage. Bei der Arbeit zimmert er 15 Zm. lange Späne aus; weithin tönen dann seine Schnabelschläge.

2. Der **mittlere Buntspecht** (*P. medius*), 20 Zm. lang, trägt ein schwarzweißes Gefieder; der Scheitel und Hinterkopf (beim Männchen) oder nur der Scheitel (beim Weibchen) sind roth gefärbt und die Flügel sind schwarz- und weiß gebändert.

Alle Spechte sind für die Wälder, da sie schädliche Insekten in Menge verzehren und ihre Nesthöhlen, welche sie nicht mehr gebrauchen, andern nützlichen Höhlenbrütern des Waldes überlassen, von besonderem Werthe.

Wiederhole den Kukuk! (§. 10.)

Spechte und Kukuke gehören zur Ordnung der Klettervögel, denn sie besitzen Kletterfüße und einen Schnabel, welcher am Grunde nicht von einer Wachshaut überzogen wird.

Ordnung der Singvögel.

(§. 41.) Drossel. (Turdus.)

Die Drosseln besitzen einen fast pfriemenförmigen Schnabel, welcher meist die Kopflänge erreicht, vorn seitlich zusammengedrückt erscheint und sanft gebogen ist; ihre Füße heißen Gang- oder Wandelfüße, denn die beiden äußeren Zehen sind nur am Grunde verwachsen; am unteren Kehlkopfe befinden sich Singmuskeln.

1. Die **Schwarzdrossel oder Schwarzamsel** (*T. mérula*), 25 Zm. lang, trägt ein mattschwarzes (Männchen) oder bräunlichschwarzes Gefieder (Weibchen) mit lichter Kehle; die Flügel sind kurz und stumpf.

Fig. 61. Schwarzamsel. (*Turdus mérula.*) *a.* Männchen; *b.* Weibchen. 25 Zm. lang.

Fig. 62. Krammetsvogel. (*Turdus piláris.*) 1/3 der natürlichen Größe.

2. Die **Wachholderdrossel oder der Krammetsvogel** (*T. piláris*), 25 Zm. lang, hat einen aschgrauen Kopf und Hinterhals, einen kastanien-

braunen Oberrücken und Schultern, schwarze Schwung- und Schwanzfedern, eine braune Brust mit weißlich gerandeten Federn und eine weiße Unterseite. Sie bewohnt die Birkenwälder des Nordens, kommt im Herbste nach Mitteleuropa und frißt besonders gern Wachholder- und Krammetsbeeren.

Alle Drosseln haben ein vorzügliches Gehör und Gesicht; ihr Geschmack ist fein. Sie sind klug, listig, vorsichtig und mißtrauisch. Sie warnen durch ihren Ruf und werden hierdurch andern Vögeln und Säugethieren zu Rathgebern. Ihr Gesang ist vorzüglich. — Im Sommer nähren sie sich von Insekten, Schnecken und Würmern, und im Herbste und Winter auch von Holunder-, Preißel-, Wachholder-, Wein-, Eberesch-, Johannisbeeren und Kirschen.

(§. 42.) **Lerche.** (Alauda.)

Der Schnabel der Lerchen ist kurz und kegelförmig und der Nagel an der Hinterzehe sehr lang.

1. Die **Hauben-, Koth- oder Hauslerche** (*A. cristáta*), 17 Zm. lang, trägt eine aufrechte Federhaube auf dem Kopfe, ein fahlgraues Gefieder mit heller Kehle und Unterseite; eine jede Feder hat in der Mitte einen dunkeln Strich. Sie bewohnt das mittlere Europa und findet sich im Sommer auf den Feldern; im Herbste und Winter zieht sie in Dörfer und Städte. Ihr Gesang zeichnet sich durch Abwechslung aus; gewöhnlich folgt einem leisen „hoid, hoid“ ein helleres „quid, quid.“ — Ihr Nest legt sie auf Wiesen, Feldern und in Gärten an.

2. Der **Feldlerche** (*A. arvénsis*) fehlt die Federhaube; sie erreicht die Größe der vorigen. Ihr Gefieder ist oben dunkel graubraun mit helleren Federrändern und unten gelblich weiß; der Kopf hat braune Flecken. — Sie bewohnt Europa und den größten Theil Asiens. Mit Eintritt des Herbstes zieht sie nach dem Süden und kehrt oft schon im Februar als erster Frühlingsbote zu uns zurück. — Der Flug der Lerche erregt Bewunderung; in engster Schraubenlinie schwingt sie sich gerade auf, schwebt mit zitternden Flügeln an derselben Stelle oder langsam weiter, singt ihre jubelnden, entzückenden Lieder und schießt pfeilschnell gerade nieder. Im Sommer nährt sie sich von Insekten, im Herbst und Winter von Körnern und anderen Sämereien; unter ihres Gleichen ist die Lerche sehr zänkisch und kämpft raufend und zausend mit andern. Ihr Nest baut sie am Boden unter einer Erdscholle und scharrt dazu eine kleine Höhle aus; es ist äußerst kunstlos. — Ihr Fleisch wird leider gern gegessen; während des Herbstzuges werden die Lerchen in großer Zahl gefangen. Außer dem Menschen stellen ihnen auch Raubvögel, Wiesel, Marder und Füchse nach. — Des schönen Gesanges und der leichten Zähmbarkeit wegen werden sie gern in Stuben gehalten.

Fig. 63. Haubenlerche. (*Alauda cristáta.*) 17 Zm. lang.

Wiederhole die Nachtigall und den Staar! (§. 11 und 12.)

Die Drosseln, Lerchen, die Nachtigall und der Staar gehören zur Ordnung der Singvögel, denn sie besitzen einen Schnabel ohne Wachshaut, Singmuskeln und Gangfüße.

B. Erdvögel.

Ordnung der Hühnervögel.

(§. 43.) Feldhuhn. (Perdix.)

Die Feldhühner haben kurze, meist abgerundete Flügel mit steifen Schwingen oder Schwungfedern und einen kleinen Kopf. Ihr Flug ist schwerfällig und nie lang andauernd; sie laufen vorzüglich.

1. Das **Rebhuhn** (*P. cinérea*), 30 Zm. lang, ist auf Brust und Rücken hellaschgrau gefärbt und mit schwarzen Wellenlinien versehen; die Seiten zeigen rostrothe Querbinden. Die Männchen zeichnet ein hufeisenförmiger Fleck von kastanienbrauner Farbe aus. — Mitteleuropa ist seine Heimat, wo es sich gern in angebauten Gegenden aufhält und in Ketten oder Völkern familienweise umherstreift. Es nährt sich in der Jugend von Insekten und später fast ausschließlich von Pflanzenstoffen. Zu seinen Feinden gehören die Raubvögel und der Mensch; letzerer jagt es des wohlschmeckenden Fleisches wegen mit Hühnerhunden.

Fig. 64. Rebhuhn. (*Perdix cinérea.*) 30 Zm. lang.

2. Die **Wachtel** (*P. cotúrnix*), 20 Zm. lang, hat eine braune Oberseite mit rostgelben Quer- und Längsstreifen und einen rostrothen Bauch und Brustseiten mit hellgelben Längsstreifen. Der Schwanz ist kürzer als beim Rebhuhn. — Sie bewohnt Europa und Mittelasien und liebt vorzüglich Getreidefelder. Im September zieht sie in großen Schaaren meist in der Nacht bei Mondschein nach dem Süden; viele überwintern in Italien. Todtmüde kommen andere an die afrikanische Küste und stürzen wie betäubt auf die Erde; bald erheben sich die Thiere und suchen sich laufend Versteckplätze und Nahrung. Tausende finden im Mittelmeere ihr Grab. — Ihren schönen Schlag läßt sie Abends hören; während des Tages verhält sie sich ruhig und versteckt und nimmt nur in der heißen Mittagssonne ein Sandbad. — Ihre Nahrung sind Blattspitzen, Knospen, Sämereien und Insekten. Ihr Fleisch wird gern gegessen.

Fig. 65. Wachtel. (*Perdix cotúrnix.*) 20 Zm. lang.

Wiederhole den Hahn! (§. 13.)

Die Feld- und Haushühner gehören zur Ordnung der Hühnervögel, denn sie haben kurze, abgerundete Flügel mit steifen Schwingen; sie laufen geschickt und fliegen schwerfällig (Erdvögel).

Wiederhole den Strauß! (§. 14.)

Der Strauß gehört zur Ordnung der Laufvögel, denn er hat Flügel, welchen die steifen Schwingen fehlen.

C. Wasservögel.

Ordnung der Wat- oder Sumpfvögel.

(§. 44.) **Storch.** (Cicónia.)

Die Störche haben lange, in der Mitte des Körpers eingelenkte Beine und zwischen den Zehen halbe Schwimmhäute; ihr langer, gerader Schnabel ist vorn verschmälert.

1. Der **weiße Storch** (*C. alba*), 1 M. lang und mit fast 3 M. Flügelbreite, hat ein weißes Gefieder; nur Schwanz und Schwingen sind schwarz. Der 20 Zm. lange Schnabel und die langen Beine zeigen eine rothe Farbe.

Fig. 66.
Weißer Storch. (*Cicónia alba.*) 1 M. lang.

Der kahle Fleck um die Augen ist grauschwarz. — Er bewohnt Europa, Mittelasien und Nordafrika und sucht wasserreiche Stellen. Langsam und würdevoll ist sein Gang; zum Fluge erhebt er sich mit einem Sprunge und fliegt mit ruhigem Flügelschlage, die Beine rückwärts und Hals und Schnabel nach vorn gestreckt. Er sucht sich da einen Brüteplatz, wo er gern gesehen wird, d. h. wo ihm ein Wagenrad auf dem Hause oder Baume als Einladung hingelegt wurde. Nur in seinem Neste ist er zutraulich, fern von demselben scheu und vorsichtig, besonders auf der Reise. — Seine Nahrung bilden Maulwürfe, Mäuse, Frösche, Schlangen, Fische, junge Vögel und Insekten. Kröten tödtet er stets, frißt sie jedoch nie. — Er kehrt stets zu demselben Nest, welches er aus Reisern erbaut, zurück. Die Jungen werden von den Alten sorgfältig gepflegt und im Fliegen unterrichtet. Durch Klappern verständigen sich die Störche untereinander, was man bei den Versammlungen vor dem Wegzuge, welcher Ende August erfolgt, beobachten kann. Beim Storchgericht vor der Reise, die bis nach Innerafrika geht, werden die Untüchtigen abgesondert und auch getödtet. — Die Gefangenschaft erträgt er leicht.

2. Der **schwarze Storch** (*C. nigra*) unterscheidet sich von dem vorigen durch ein braunschwarzes Gefieder mit metallischem Glanze; nur Brust, Bauch und Beine sind weiß gefärbt. Er nistet auf Bäumen in waldreichen Gegenden, an Flüssen und Seen und kommt in Deutschland selten vor; der Fischbrut und dem jungen Jagdgeflügel ist er schädlich.

Die Störche gehören zur Ordnung der Sumpf- oder Watvögel, denn sie besitzen lange Beine, welche in der Mitte des Körpers eingelenkt sind.

Ordnung der Schwimmvögel.

(§. 45.) Ente. (Anas.)

Die Enten erkennt man an den kurzen Beinen, welche mehr nach hinten eingelenkt sind; die drei Vorderzehen ihrer Schwimmfüße sind durch eine Schwimmhaut verbunden. Der Schnabel ist an der Wurzel breiter als hoch.

1. Die **wilde Ente** (*A. boschas*), 50 Zm. lang, hat einen dunkel gefärbten Rücken, graue Flügel, welche einen blauen, weiß gesäumten Spiegel zeigen, einen grünen Kopf und Oberhals und ein weißes Halsband. Der Schnabel ist grüngelb und die Füße blaßroth. — Sie bewohnt die Seen, Teiche und Brüche in ganz Europa und zieht im Winter nach dem Süden; im Februar und März tritt sie den Rückweg an. (Märzente.) Sie gehört zu den gefräßigsten Thieren; Gräser, Sumpfpflanzen, Getreidekörner, Insekten, Würmer und Fische bilden ihre Nahrung. — Sie ist die Stammmutter unserer Hausente und stimmt mit dieser im Wesen und Gewohnheiten überein. — Ihr Fleisch ist wohlschmeckend, weshalb die Jagd auf wilde Enten eifrig betrieben wird.

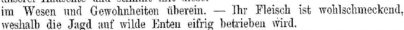

Fig. 67. Wilde Ente. (*Anas boschas.*) 50 Zm. lang.

2. Die **Eiderente** (*A. mollissima*), so groß wie die vorige, hat ein schwarzes Gefieder mit weißem Halse und Rücken (Männchen); die Weibchen sind bräunlich gefärbt und dunkler gefleckt; Schnabel und Beine erscheinen graugrün und der Spiegel tiefsammetschwarz. — Ihre Heimat ist der Norden der ganzen Erde; im Winter geht sie bis in die Ost- und Nordsee und kehrt im April in ungeheuren Schaaren zurück. Zur Brütezeit wird der sonst so scheue Vogel ungemein zahm; Männchen und Weibchen watscheln aufs Land und suchen sich geschützte Stellen; letzteres legt die Eier oft in Ställe und Backöfen. Die Nester werden aus Reisig gebaut und dicht mit Dunen ausgepolstert. Während des Brütens lassen die Weibchen den Menschen sehr nahe kommen, ehe sie sich erheben. In Norwegen nimmt man erst dann die Dunen aus dem Neste, wenn die Brütezeit vorüber ist. — Ihre Nahrung besteht aus Krebsen und Muscheln.

Fig. 68. Eiderente. (*Anas mollissima.*) 50—60 Zm. lang.

Wiederhole den Schwan! (§. 15.)

Schwäne und Enten gehören zur Ordnung der Schwimmvögel, denn die kurzen Beine sind mehr nach hinten eingelenkt und die Zehen durch Schwimmhäute verbunden.

III. Klasse. Reptilien. (Reptilia.)

A. Schuppenreptilien.

Ordnung der Schildkröten.

Wiederhole die europäische Schildkröte! (§. 16.)

Die europäische Schildkröte gehört zur Ordnung der Schildkröten, denn sie hat vier Beine und ihr kurzer und breiter Körper wird vom Rücken- und Brustpanzer eingeschlossen.

Ordnung der Krokodile.

Wiederhole das Nilkrokodil! (§. 17.)

Das Nilkrokodil gehört zur Ordnung der Krokodile, denn es hat vier Beine und einen lang gestreckten Körper, welcher mit Knochenschildern bedeckt ist.

Ordnung der Schlangen.

Wiederhole die Kreuzotter! (§. 18.)

Die Kreuzotter gehört zur Ordnung der Schlangen, denn ihrem lang gestreckten, walzenrunden Körper, welcher mit Schuppen und Schildern bedeckt ist, fehlen die Beine.

Ordnung der Eidechsen.

(§. 46.) **Eidechse.** (Lacérta.)

Die Eidechsen haben einen lang gestreckten Körper, welcher auf dem Rücken mit Schuppen und auf dem Bauche und Kopfe mit Schildern bedeckt ist; erstere sind kleiner und decken sich meist ziegeldachig; letztere haben einen größeren Umfang und sind ringsum angewachsen. Ihr Schwanz ist walzenrund und ihre vier Beine haben je fünf Zehen.

1. Die **grüne Eidechse** (*L. víridis*), bis 25 Zm. lang, ist auf dem Rücken lebhaft grün gefärbt und nur mit einigen braunen oder schwärzlichen Schuppen versehen; die gelbe Bauchseite zeigt in jeder Querreihe sechs Bauchschilder. — Sie bewohnt sonnige Hügel, Mauern und Steinhaufen in Mittel- und Südeuropa. Im Sonnenscheine lauert sie gern auf Insekten und hält sich bei trübem Wetter versteckt. Sie ist ungemein furchtsam und entflieht mit größter Schnelligkeit, wenn ein Mensch in ihre Nähe kommt.

2. Die **flinke Eidechse** (*L. ágilis*). 15 Zm. lang, zeigt auf dem Rücken ein lebhaftes Graugrün mit schwarzbrauner Binde und weißen Flecken; Bauch und Seiten sind weiß oder grünlich gefärbt. — Sie findet sich in Deutschland häufiger als die vorige.

3. Die **Perleidechse** (*L. ocelláta*), bis 60 Zm. lang, ist schön grün gefärbt und wird durch blaue, schwarz eingefaßte Seitenflecken ge-

ziert. Sie gehört zu den schönsten und stattlichsten Eidechsen. Ihre Heimat sind die drei südlichen Halbinseln Europas. — Die grüne und die Perleidechse werden leicht zahm, lernen ihre Pfleger kennen und halten in geheizten Zimmern keinen Winterschlaf.

Fig. 69. Grüne Eidechse; oben. (*Lacérta víridis.*) Bis 25 Zm. lang.
Perleidechse; unten. (*L. ocelláta.*) Bis 60 Zm. lang.

Die Eidechsen gehören zur Ordnung der Eidechsen, denn sie besitzen vier Beine und einen mit Schuppen und Schildern bedeckten Körper.

B. Nackthäuter.

Ordnung der Frösche.

(§. 47.) **Frosch.** (Rana.)

Der kurze, breite, schuppenlose Körper der Frösche ist schwanzlos und mit vier Beinen versehen; zwischen den Zehen der langen Hinterbeine befinden sich ganze Schwimmhäute; ihnen fehlen die Saugballen an den Zehen. Die Weibchen legen die zahlreichen, von einer Schleimhülle umgebenen Eier oder Laich in Klumpen ins Wasser (Fig. 70, 1 und 2). Die Jungen oder Froschlarven sind zuerst beinlos, fischähnlich und mit einem langen Ruderschwanze versehen (3—5); sie athmen in diesem Zustande nur durch Kiemen (4), welche an der Außenseite des Halses herabhängen und später verschwinden (7). Die Athmung erfolgt dann nur durch die Lungen (8 und 9). Nach der Entwickelung der Kiemen bilden sich zuerst die Hinterbeine (6), dann die Vorderbeine (7), der Schwanz verkürzt sich (8) und verschwindet endlich ganz (9).

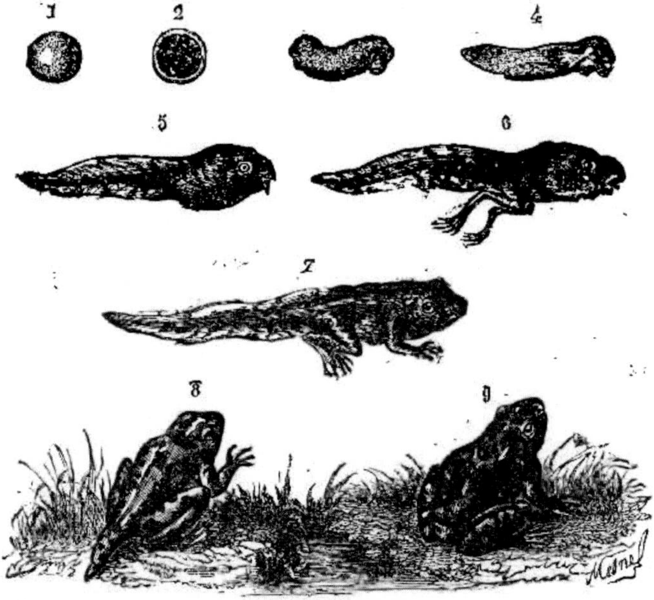

Fig. 70. Die verschiedenen Entwickelungsstufen bei der Verwandlung des Wasserfrosches. (*Rana esculénta.*)

1. und 2. Froschei; 3. Froschlarve in der ersten Entwickelung; 4. erstes Erscheinen der Kiemen; 5. weiter entwickelte Larve; 6. Auftreten der hinteren und 7. der vorderen Gliedmaßen; 8. Verkürzung des Schwanzes; 9. der Frosch nach seiner Vollendung.

1. Der **Wasserfrosch oder grüne Frosch** (*R. esculénta*), 8 Zm. lang, hat 10 Zm. lange Hinterbeine, ist oben grün gefärbt, schwarz gefleckt und mit drei gelben Längsstreifen versehen; die Unterseite zeigt eine weiße oder gelbe Farbe. — Er bewohnt die stehenden Gewässer in Europa. Die Wärme liebt er ganz besonders, denn er sitzt im warmen Sonnenschein auf Mummel- oder Seerosenblättern und am Ufer. Wird er gestört, so springt er mit einem 1—2 M. langen Satze ins Wasser zurück. Am Abend versammeln sich die Frösche im Schilfe, entfernt vom Ufer, um die bekannten Concerte zu beginnen, welche bis nach Mitternacht andauern. Spinnen, Insekten, Fischlaich, junge Fische und Schnecken bilden seine und des Grasfrosches Nahrung.

2. Der **braune oder Grasfrosch** (*R. temporária*) erreicht die Größe des vorigen und unterscheidet sich von demselben durch die gelbbraune Färbung mit schwarzen Flecken. Die Männchen haben eine weißliche und die Weibchen eine röthliche, braungelb marmorirte Brust und Bauch. Er bewohnt ganz Europa und findet sich noch 2000 M. hoch in den Alpen. Er ist ein schlechter Musikant. — Die Schenkel beider Frösche

werden gegessen. Zu ihren Feinden gehören außer dem Menschen die Raubvögel, Raben, Störche, Reiher, Wasserratten und Schlangen. Krebse lassen sich durch den Grasfrosch leichter ködern.

Wiederhole den Laubfrosch! (§. 19.)

Die Frösche gehören zur Ordnung der Frösche, denn sie besitzen einen kurzen, breiten, nackten und schwanzlosen Körper und vier Beine.

Ordnung der Molche.

(§. 48.) **Molch.** (Triton.)

Ein lang gestreckter, eidechsenartiger Körper mit langem, seitlich zusammengedrücktem Schwanze zeichnet die Molche aus. Auch sie erleiden wie die Frösche eine Verwandlung oder Metamorphose, bei welcher sich jedoch die Vorderbeine zuerst entwickeln. Die Männchen werden durch einen auf dem Rücken befindlichen Hautkamm kurze Zeit hindurch geziert.

1. Der **Teich- oder Wassermolch** (*T. cristátus*), 10—12 Zm. lang, ist schwarzbraun gefärbt und schwarz gefleckt; an den Seiten befinden sich weiße Punkte; der Schwanz ist orangegelb gesäumt und die Körperhaut körnig. Er bewohnt Teiche, Sümpfe, Gräben, Brunnen und Quellen des mittleren Europas.

Fig. 71. Wassermolch. (*Triton cristátus.*) 10—12 Zm. lang. (Männchen: oben; Weibchen: unten.)

2. Der **kleine Wassermolch** (*T. taeniátus*), 8 Zm. lang, hat eine olivengrüne Oberseite mit dunkleren Längsstreifen, einen gelben Bauch mit schwarzbraunen Flecken und eine glatte Haut. Den Wohnort hat er mit dem vorigen gemein.

Die Molche bewegen sich auf dem Lande schwerfällig, im Wasser jedoch mit Hülfe des Ruderschwanzes sehr schnell. Den Winter verleben sie in Uferlöchern und unter Baumwurzeln. — Die Weibchen kleben die Eier in ein zusammengebogenes Blatt. — Ihre Nahrung bilden Insekten, Schnecken, Regenwürmer, kleine Fische und Frösche. — Wunderbar ist ihre Wiedererzeugungskraft, indem selbst abgeschnittene Schwänze und Gliedmaßen nachwachsen.

Die Molche gehören zur Ordnung der Molche, denn sie besitzen einen lang gestreckten Körper, vier Beine und einen langen, zusammengedrückten Schwanz.

IV. Klasse. Fische. (Pisces.)

Ordnung der Stachelflosser.

Wiederhole den Stichling! (§. 20.)

Der Stichling gehört zur Ordnung der Stachelflosser, denn seine Rückenflosse besteht aus einfachen, nicht gegliederten, steifen Stachelstrahlen.

Ordnung der Weichflosser.

(§. 49.) Lachs. (Salmo.)

Die Lachse besitzen eine Rückenflosse, welche aus gegliederten, sich ästig theilenden, biegsamen Strahlen besteht; hinter derselben steht der Afterflosse gegenüber eine Fettflosse; ihr Gebiß ist stark. Zur Laichzeit färben sie sich dunkler; die Männchen bekommen dann an den Seiten rothe Flecken. — Die Lachse und die in §. 49—53 aufgeführten Fische gehören zu den Knochenfischen, weil ihr Skelet knochig ist.

Fig. 72. Lachse, an einem Wasserfalle emporsteigend.

1. Der **große Lachs oder Salm** (*S. salar*), über 1 M. lang, hat einen seitlich zusammengedrückten Körper mit blaugrauem Rücken, silberglänzenden Seiten und weißer Unterseite. Der Kopf ist klein und die Schnauze lang vorgezogen. — Seine Heimat ist das Eismeer, der atlantische Ocean, die Nord- und Ostsee, von wo aus er in die Flüsse steigt, um zu laichen. Auf dieser Wanderung zeigen die Lachse eine außergewöhnliche Kraft und Gewandtheit. Mit dem Schwanze schlagen sie kraftvoll auf das Wasser und schnellen sich 3—5 M. hoch empor und setzen so über Stromschnellen und Wehre (Fig. 72). Im Rheine und seinen Nebenflüssen steigen sie weit aufwärts bis in die Seen der Schweiz. Während des kurzen Aufenthaltes im Meere wachsen sie sehr schnell. — Sie besitzen das schmackhafteste Fleisch, etwas röthlich von Farbe, welches frisch, geräuchert und mari-

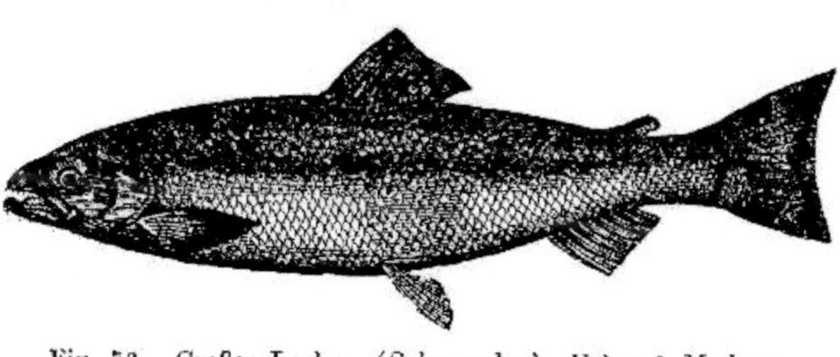

Fig. 73. Großer Lachs. (*Salmo salar.*) Ueber 1 M. lang.

nirt gern gegessen wird. — An der preußischen und pommerschen Küste werden sie mit Angeln gefangen.

2. Die **Bach-, Teich- oder Waldforelle** (*S. fário*), 40—60 Zm. lang, ist in Färbung ungemein verschieden; gewöhnlich zeigt der Rücken eine dunkele, die Seiten eine hellere und der Bauch eine lichte Farbe; die rothen und schwarzen Flecken auf den Seiten sind von einem blauen Rande umgeben. Die Schnauze ist kurz. — Sie findet sich in den klaren, schnell fließenden Gebirgsflüssen Europas (in den Alpen oft über 2000 M. hoch). Sie nährt sich von Insekten, Würmern, Schnecken, Fischlaich und kleinen Fischen; die ersteren fängt sie sehr geschickt im Sprunge. — Ihr weißes Fleisch wird sehr geschätzt.

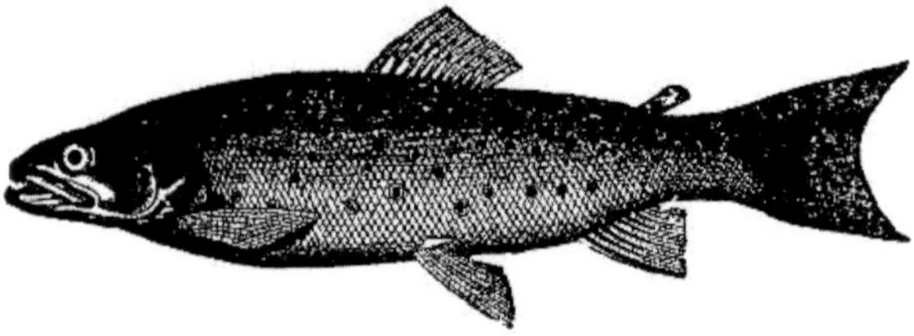

Fig. 74. Bachforelle. (*Salmo fário.*) 40—60 Zm. lang.

(§. 50.) **Karpfen.** (Cyprinus.)

Die Karpfen haben einen länglich runden Körper, welcher mit runden Schuppen bedeckt ist, und ein kleines Maul; ihre Rückenflosse ist länger als die Afterflosse. Sie nähren sich von Insektenlarven, Würmern und besonders von Pflanzenstoffen.

1. Der **gemeine Karpfen** (*C. carpio*), bis über 1 M. lang und 15—20 Kilogramm schwer, ist in Färbung sehr verschieden; gewöhnlich zeigt sein Rücken eine bläulich olivengrüne und an den Seiten eine gelbliche Farbe; die Schuppen tragen oft in der Mitte einen dunkeln Fleck und die Flossen haben einen röthlichen Anflug. An seinem Oberkiefer stehen vier Bartfäden. — Er war schon den Griechen und Römern bekannt und wird jetzt überall im

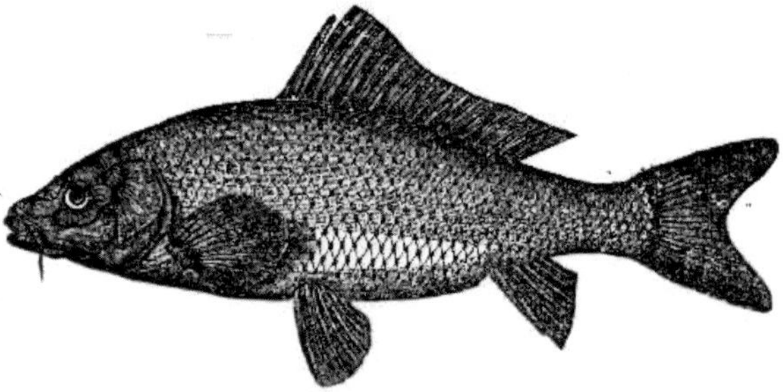

Fig. 75. Karpfen. (*Cyprinus carpio.*) Bis über 1 M. lang.

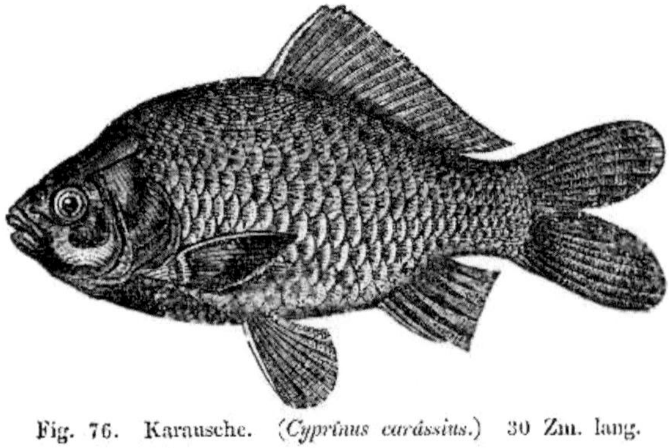

Fig. 76. Karausche. (*Cyprinus carássius.*) 30 Zm. lang.

mittleren Europa in Seen, Teichen und Flüssen gehalten. Er liebt schlammige, reich mit Wasserpflanzen bestandene Gewässer. — Wenn in Karpfenteiche Schafdünger geworfen wird, so geschieht dies deshalb, weil durch denselben Würmer und Insekten herbeigelockt werden. — Er vermehrt sich sehr stark; sein Rogen enthält gegen 700,000 Eier. — Außer seinem wohlschmeckenden Fleische wird die Galle zum Grünfärben und die Schwimmblase zu Fischleim verwandt. — Die Karpfen kommen auf das Läuten einer Glocke an die Futterstelle, um ihre Nahrung in Empfang zu nehmen.

2. Die **Karausche** (*C. carássius*), nur 30 Zm. lang und 1 Kilogramm schwer, unterscheidet sich von dem Karpfen durch den mehr gewölbten Körper; sie ist an den Seiten messinggelb und auf dem Rücken stahlblau gefärbt; ihr fehlen die Bartfäden. — Sie bewohnt in ganz Europa Teiche, Flüsse und Seen und liebt solche Gewässer, welche einen schlammigen Grund haben. Ihr Fleisch ist wohlschmeckend.

(§. 51.) **Häring.** (Clúpea.)

Die Häringe erkennt man an dem seitlich zusammengedrückten Körper, dem zurücktretenden Oberkiefer und den sägeartig hervortretenden Schuppen an der Bauchkante; sie sind wohlschmeckende Meerfische.

1. Der **Häring** (*C. haréngus*), bis 30 Zm. lang, hat einen blaugrünen Rücken und silberweiße Seiten und Bauch; die Kiemendeckel sind röthlich gefleckt und aderig gestreift, die Schuppen leicht abfallend, die Brust- und Bauchflossen schmal, und die Rückenflosse ist tief gegabelt. — Ost- und Nordsee sind als die Heimat des Härings anzusehen; den größten Theil des Jahres verlebt er in größerer Meerestiefe; zur Laichzeit, welche in die Wintermonate fällt und oft mehrere Wochen und Monate später eintritt, kommt er in ungeheuren Schaaren an die europäischen Küsten, um den Laich abzusetzen. Die Züge sind oft viele Meilen lang und breit und das Wasser wird von der Milch getrübt; Ruder, welche man in die Züge senkt, bleiben aufrecht stehen. In den norwegischen Fjorden fängt man ihn mit besonders dafür eingerichteten Netzen. — Seine Nahrung sind kleine Krebse, Würmer und kleine Fische; er selbst dient Schellfischen, Haien und dem Kabeljau zur Speise. — Die Holländer haben den Häringsfang schon seit 1164 im großen betrieben; das rechte Verfahren

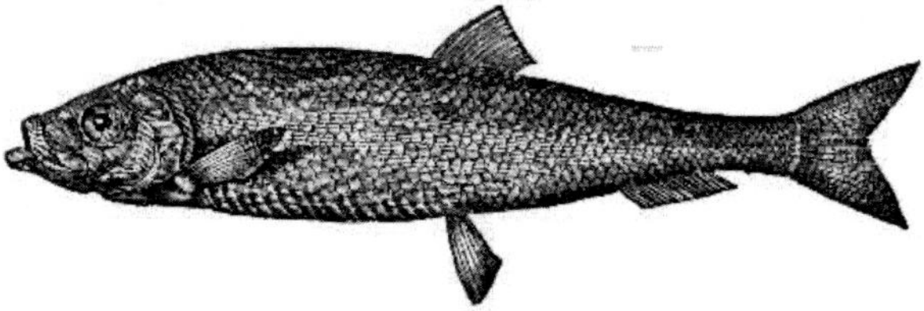

Fig. 77. Häring. (*Clúpea haréngus.*) Bis 30 Zm. lang.

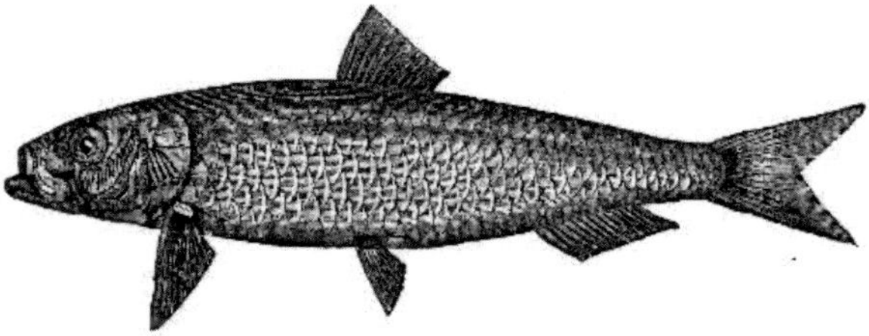

Fig. 78. Sardine. (*Clúpea sardína.*) Bis 25 Zm. lang.

lernten sie erst 1416 von Beukel kennen. — Bücklinge sind geräucherte und Matjes- oder Mädchenhäringe noch nicht ausgewachsene Häringe.

2. Die **Sardine oder der Pilchard** (*C. sardína*) ist dem vorigen in Körperform und Lebensweise sehr ähnlich; man erkennt ihn an den größeren Schuppen und an der breiteren Rückenflosse, welche in der Mitte des Körpers steht. Eine an der Rückenflosse aufgehängte Sardine schwebt im Gleichgewichte, während bei einem ebenso aufgehängten Häringe das Kopfende schwerer wiegt. — Sie bewohnt die englischen, spanischen und französichen Küsten; man fängt sie weniger zur Laichzeit, sondern holt sie meist aus größerer Meerestiefe. Sie wird eingesalzen und in Oel gekocht in den Handel gebracht.

(§. 52.) Schellfisch. (Gadus.)

Der lang gestreckte Körper der Schellfische trägt drei Rücken- und zwei Afterflossen; an ihrem Kinne befindet sich ein Bartfaden.

1. Der **Kabeljau** (*G. mórrhua*), über 1 M. lang, ist grau gefärbt, gelb gefleckt und mit weißen Streifen versehen; die Kiefern haben eine gleiche Länge. — Seine Heimat ist der nördliche Theil des atlantischen Oceans, in welchem er in größerer Meerestiefe wohnt und zur Laichzeit an die flacheren Küsten kommt. Er ist ungemein gefräßig und nährt sich von Muscheln, Krebsen und Fischen. — Die Zahl seiner Eier schätzt man auf 13 Millionen. Hauptsächlich wird er an der norwegischen Küste zwischen den Lofodden und bei Neufundland mit dem Netze und der Grundschnur gefangen; letztere ist 2000 M. lang und mit 1200 Angeln versehen. Wird er nur an der Luft getrocknet, so heißt er Stockfisch und wird er gesalzen und dann auf Klippen getrocknet, weil die Gerüste zum Trocknen nicht ausreichen, so nennt man ihn Klippfisch. Die gesalzenen und in Fässern aufgereihten Kabeljau heißen Laberdan. — Aus seiner Leber bereitet man den Leberthran, und mit den Köpfen werden in Norwegen Pferde und Kühe gefüttert. — 1861 fingen über 20000 Menschen auf den Lofodden über 20 Millionen Kabeljau.

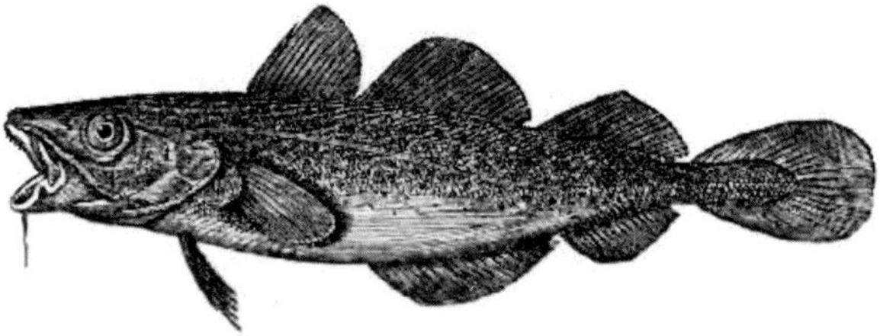

Fig. 79. Kabeljau. (*Gadus mórrhua.*) Ueber 1 M. lang.

2. Der **Dorsch** (*G. callárias*), 30 Zm. lang, unterscheidet sich von dem vorigen durch den längeren Oberkiefer. Er bewohnt die Nordsee und ist in der Ostsee besonders häufig.

(§. 53.) Scholle. (Platéssa.)

Der stark zusammengedrückte, rautenförmige Körper der Schollen ist unregelmäßig gebaut, so daß beide Augen auf der oberen Körperseite liegen, welche dunkel gefärbt ist, während die untere Seite eine hellere Farbe zeigt. Ihnen fehlt die Schwimmblase; Rücken- und Afterflosse sind sehr lang, erreichen jedoch nicht die Schwanzflosse. — Sie schwimmen auf der Seite, so daß der Körper wagerecht liegt. — Sie sind wohlschmeckende Meerfische.

1. Die **gemeine Scholle oder der Goldbutt** (*P. vulgáris*), 30—50 Zm. lang, hat eine braune, rothgefleckte Augen- und eine gelblich weiße Unterseite. — Sie findet sich häufiger in der Nord- als in der Ostsee.

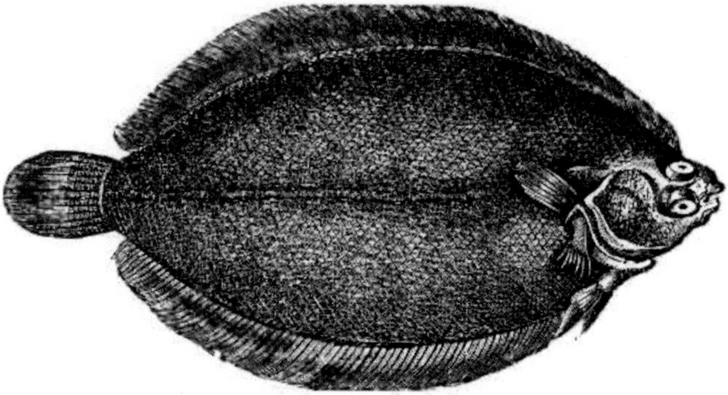

Fig. 80. Scholle. (*Platéssa vulgáris.*) 30—50 Zm. lang.

2. Der **Flunder** (*P. flesus*), 30—40 Zm. lang, unterscheidet sich von der Scholle durch die schwärzlichen Flecken auf dunkelblauem Grunde; die gelblich weiße Unterseite ist mit feinen, schwarzen Punkten versehen. — Er bewohnt Ost- und Nordsee und geht häufig in die Flußmündungen. — Er kommt frisch, an der Sonne getrocknet, gesalzen und geräuchert auf den Fischmarkt.

Wiederhole den Hecht! (§. 21.)

Lachse, Karpfen, Häringe, Schellfische, Schollen und Hechte gehören zur Ordnung der Weichflosser, denn sie besitzen eine Rückenflosse, welche aus gegliederten, sich ästig theilenden, biegsamen Strahlen besteht.

Ordnung der Freikiemer.

(§. 54.) **Stör.** (Acipénser.)

Die Störe besitzen einen lang gestreckten, spindelförmigen Körper, welcher mit fünf Längsreihen großer Knochenschilder bedeckt ist; ihre Schnauze ist verlängert, ihr Mund und vier Bartfäden liegen unterhalb derselben; ihre Kiemen bleiben am Außenrande frei und beweglich. — Die Störe und der Haifisch (§. 22) gehöreen zu den Knorpelfischen, denn sie besitzen ein knorpeliges Skelet.

1. Der **gemeine Stör** (*A. stúrio*), 2—6 M. lang, hat eine dunkelbraune Ober- und eine glänzend silberweiße Unterseite. Die Schilder sind schmutzig weiß und stehen in fünf Reihen; zwischen den Schildern befinden sich noch größere oder kleinere Knochenkerne. Die rüsselförmig verlängerte Schnauze ist vorn abgerundet. — Er ist ein Bewohner des atlantischen Oceans, der

Nord- und Ostsee und wandert in schmalen, langen Zügen in die Flüsse bis Basel, Böhmen und Galizien.

2. Der **Sterlet** (*A. ruthénus*), selten 1 M. lang, wird an dem pfriemenförmigen Rüssel, den ziegeldachigen Schildern des Rückens und den gezähnelten Knochenschüppchen zwischen den drei Schilderreihen leicht erkannt. — Er ist nur ein Bewohner des schwarzen und kaspischen Meeres und ihrer Zuflüsse. — Das Fleisch der Störe ist schmackhaft und wird frisch, gesalzen und geräuchert gern gegessen und ihre Eier geben schwach gesalzen den Kaviar; den feinsten Kaviar liefert der Sterlet.

Fig. 81. Gemeiner Stör. (*Acipénser stúrio.*) 2—6 M. lang.

Fig. 82. Sterlet. (*Acipénser ruthénus.*) Nicht 1 M. lang.

Die Störe gehören zur Ordnung der Freikiemer, denn ihre Kiemen sind am Außenrande frei und beweglich.

Wiederhole den Haifisch! (§. 22.)

Der Haifisch gehört zur Ordnung der Haftkiemer, denn er besitzt am Außenrande festgewachsene Kiemen.

(§. 55.) Rückblick auf die Wirbelthiere.

I. Klasse. Säugethiere.

A. Nagel- oder Zehensäugethiere.

Ordnung der Handflügler oder Fledermäuse.

27) Gemeine und langohrige Fledermaus.

Ordnung der Raubthiere.

1) Maulwurf, 2) Igel, 28) Tiger und Hauskatze, 4) Löwe, 29) Wolf und Fuchs, 3) Haushund, 30) Eis- und brauner Bär.

Ordnung der Beutelthiere.

31) Känguruh.

Ordnung der Nagethiere.

32) Gemeines und fliegendes Eichhörnchen, 5) Hase, 6) Maus.

B. Hufsäugethiere.

Ordnung der Vielhufer.

33) Indischer und afrikanischer Elephant.

Ordnung der Einhufer.

7) Pferd, 34) Esel.

Ordnung der Zweihufer.

35) Dromedar und Trampelthier, 36) Edelhirsch und Reh, 8) Rind.

C. Flossensäugethiere.

Ordnung der Ruderfüßer oder Robben.

37) Walroß.

Ordnung der Fischsäugethiere.

38) Walfisch.

II. Klasse. Vögel.

A. Luftvögel.

Ordnung der Raubvögel.

39) Stein-, Gold- und Königsadler, 9) Uhu.

Ordnung der Klettervögel.

40) Schwarz- und mittlerer Buntspecht, 10) Kukuk.

Ordnung der Singvögel.

41) Schwarz- und Wachholderdrossel, 11) Nachtigall, 42) Hauben- und Feldlerche, 12) Staar.

B. Erdvögel.

Ordnung der Hühnervögel.

43) Rebhuhn und Wachtel, 13) Haushahn.

Ordnung der Laufvögel.

14) Afrikanischer Strauß.

C. Wasservögel.

Ordnung der Wat- oder Sumpfvögel.

44) Weißer und schwarzer Storch.

Ordnung der Schwimmvögel.

45) Wilde und Eiderente, 15) Schwan.

III. Klasse. Reptilien.

A. Schuppenreptilien.

Ordnung der Schildkröten.

16) Europäische Schildkröte.

Ordnung der Krokodile.

17) Nilkrokodil.

Ordnung der Schlangen.

18) Kreuzotter.

Ordnung der Eidechsen.

46) Grüne, flinke und Perleidechse.

B. Nackthäuter.

Ordnung der Frösche.

47) Grüner und brauner Frosch, 19) Laubfrosch.

Ordnung der Molche.

48) Teich- und kleiner Wassermolch.

IV. Klasse. Fische.

Ordnung der Stachelflosser.

20) Stichling.

Ordnung der Weichflosser.

49) Lachs und Bachforelle, 50) Gemeiner Karpfen und Karausche, 51) Häring und Sardine, 52) Kabeljau und Dorsch, 53) Gemeine Scholle und Flunder, 21) Hecht.

Ordnung der Freikiemer.

54) Gemeiner Stör und Sterlet.

Ordnung der Haftkiemer.

22) Haifisch.

Zweiter Kreis. Gliederthiere.

V. Klasse. Insekten. (Insecta.)

Ordnung der Käfer.

(§. 56.) Todtengräber. (Necróphorus.)

Die Todtengräber haben hornige, meist schwarz gefärbte Vorderflügel oder Flügeldecken, welche die letzten drei Hinterleibsringe nicht bedecken, und häutige Hinterflügel. Die letzten Fühlerglieder bilden einen Knopf.

1. Den **gemeinen Todtengräber** (*N. vespíllo*), 17 Zm. lang, erkennt man an den schwarzen Flügeldecken, welche durch zwei gelbrothe Querbänder geziert werden, und an den gelbrothen Fühlerknöpfen.

Fig. 83. Gemeiner Todtengräber. (*Necróphorus vespíllo.*) Fast doppelte Größe.

2. Der **Begraber** (*N. humátor*) ist ein wenig größer und hat schwarze Flügeldecken und rothbraune Fühlerknöpfe. — Die Todtengräber finden sich häufig in ganz Europa und sind mehr nächtliche Thiere, welche aus weiter Ferne Thierleichen wittern. Erscheint ihnen der Boden, auf welchem das Thier liegt, zum Begräbnißplatze geeignet, so scharren sie die Erde unter demselben weg; es entsteht um die Leiche ein kleiner Wall von hervorgescharrter Erde; sie selbst sinkt tiefer und tiefer ein. Jetzt legen sie in das Thier ihre Eier und bedecken es mit Erde. Maulwürfe, Mäuse und Vögel

werden in dieser Weise begraben. Die schmutzig weißen Larven kriechen nach vierzehn Tagen aus den Eiern; diese nähren sich vom Aase. Die Verpuppung erfolgt tiefer in der Erde. Die Käfer fressen Dünger und Thierleichen, welche sie nicht begraben.

Wiederhole den Maikäfer! (§. 23.)

Maikäfer und Todtengräber gehören zur Ordnung der Käfer, denn sie besitzen hornige Vorder- und häutige Hinterflügel.

Ordnung der Hautflügler.

(§. 57.) **Biene.** (Apis.)

Die Bienen besitzen vier gleichartige, ungleich große, häutige Flügel, welche von wenigen ästigen Adern durchzogen werden, leckende Freßwerkzeuge (Fig. 84) und einen Wehrstachel am Hinterleibe.

1. Die **gemeine Honigbiene** (*A. mellifica*) hat einen schwärzlichen, bräunlichgrau behaarten Körper und braune Adern auf den durchsichtigen Flügeln.

2. Die **italienische Biene** (*A. ligustica*), welche aus Italien in neuerer Zeit vielfach nach Deutschland gekommen ist und sich hier eingebürgert hat, unterscheidet sich von der vorigen durch die gelben Hinterleibsringe.

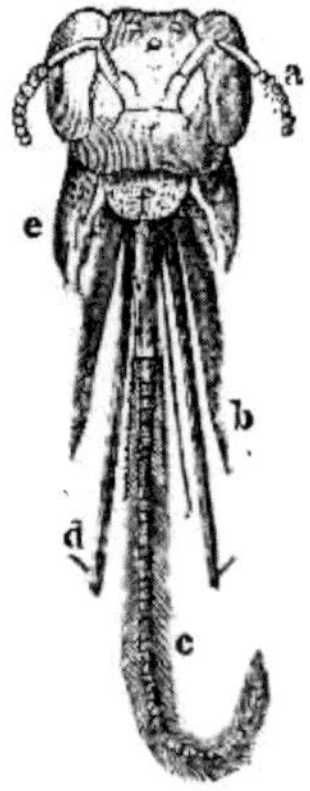

Fig. 84. Kopf der Biene, von vorn gesehen. *a.* Fühler; *b.* Unterkiefer; *c.* Zunge; *d.* Lippentaster; *e.* Oberkiefer; *f.* Oberlippe. (Vergrößert.)

Die Bienen leben in größeren Gesellschaften nirgends mehr wild in der Natur, sondern höchstens verwildert. Der Mensch weist ihnen in dem Bienenkorbe oder Bienenstocke einen Platz an, wo sie leben können. In jeder Gesellschaft befindet sich eine Königin (Weibchen), 6—800 Drohnen (Männchen) und 10—30,000 Arbeiter (Geschlechtslose). Die Königin hat einen längeren, kegelförmigen, weniger behaarten Hinterleib und an dem hinteren Fußpaare weniger breite Glieder. Die Drohnen sind größer und gedrungener gebaut als die Arbeiter und werden an dem stumpfen Hinterleibe und dem runden, großen Kopfe leicht erkannt; ihre großen Augen stoßen auf dem Kopfe zusammen. Die Arbeiter sind kleiner, besitzen einen herzförmigen Kopf und am ersten breiten Fußgliede der Hinterbeine eine Vertiefung nebst Querreihen von Borsten, durch welche das Einsammeln von Blütenstaub erleichtert wird; ihre Augen stoßen nicht zusammen. Die Weibchen und Arbeiter haben den Wehrstachel. — Nur die Arbeiter können aus Zucker oder Honig in ihrem Körper

Fig. 85. Drohne.

Fig. 86. Bienenkönigin.

Fig. 87. Arbeitsbiene.

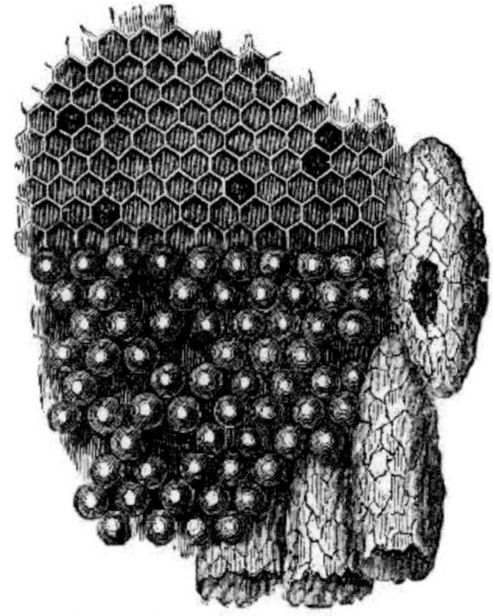

Fig. 88. Bienenzellen. Natürliche Größe. Obere Hälfte: offene Honigzellen durch dunkle, geschlossene Honigzellen durch hellere Schattirung ausgezeichnet. Untere Hälfte: Brutzellen. Rechts unten und an der Seite: Königinzellen.

Wachs bereiten, aus welchem sie die sechseckigen, wagerechten Zellen bauen; diese bilden in zwei Reihen eine senkrecht stehende Wabe. Nicht alle Zellen werden mit Honig gefüllt; Fig. 88 zeigt Honig- und Brutzellen; in letztere legt die Königin die Eier. Die Königinzellen zeichnen sich durch ihre große, birnförmige Gestalt aus. — Sobald zwei Königinnen im Stocke vorhanden sind, zieht die eine mit einem Theile der Arbeiter aus; man sagt, die Bienen schwärmen. Im Herbste werden die Drohnen getödtet (Drohnenschlacht) und aus dem Stocke geworfen. — Die Entwickelung der Königin aus dem Ei erfolgt nach 16—18, die der Arbeiter nach 21 und die der Drohnen nach 24 Tagen. — Außer der Scharlachschildlaus und dem Seidenspinner ist die Biene das einzige Hausthier unter den Insekten; sie versorgt uns mit Honig und Wachs.

Wiederhole die Ameise! (§. 24.)

Ameisen und Bienen gehören zur Ordnung der Hautflügler, denn sie besitzen vier gleichartige, ungleich große, häutige Flügel, welche von wenigen ästigen Adern durchzogen werden.

Ordnung der Netzflügler.

(§. 58.) Ameisenjungfer. (Myrmecóleon.)

Die Ameisenjungfern haben vier gleichartige, gleich große, häutige Flügel, welche von vielen ästigen Adern durchzogen werden und lange, verdickte Fühler.

1. Die **gemeine Ameisenjungfer** (*M. formicárius*) hat einen grauschwarzen Körper und gelbbraune Beine; ihre Flügel sind braun gefleckt.

2. Die **ungefleckte Ameisenjungfer** (*M. formica lynx*) unterscheidet sich von der vorigen durch die breiteren, ungefleckten Flügel, welche eine abgestumpfte Spitze haben. — Beide bewohnen Deutschland und finden sich häufig in sandigen Gegenden. — Die kurzen, breiten, grau gefärbten Larven der Ameisenjungfern heißen Ameisenlöwen, welche auf sonnigen, sandigen Hügeln in der Nähe von Bäumen ihre Wohnungen in Gestalt von 3—4

Fig. 89. Ameisenjungfer; ausgebildetes Insekt. Doppelte Größe.

Zm. tiefen Sandtrichtern bauen; dieselben werden an den Wänden sorgfältig geglättet, so daß sorglose Insekten, wie Ameisen etc., welche durch einen Fehltritt in den Trichter gerathen, hinabgleiten müssen; sofort werden sie von dem Ameisenlöwen, welcher in der Tiefe des Trichters (Fig. 90, *b*), unter dem Sande verborgen, auf die Beute lauert, mit den Zangenkiefern ergriffen und ausgesogen; entflieht jedoch das Thier dem ersten Angriffe, so wirft der Ameisenlöwe mit dem Kopfe Sand in die Höhe und die niederfallenden Körnchen nehmen das Insekt mit in die Tiefe. Die Kiefern sind durchbohrt und haben an der Spitze zum Aussaugen der Beute eine feine Oeffnung. Sobald letztere ausgesogen ist, wird sie über den Rand des Trichters geworfen. Im Juni und Juli verpuppt sich die Larve und spinnt sich ein; die zwischen den Fäden befindlichen Sandkörner geben der Hülle das Aussehen einer kirschgroßen Sandkugel. Nach vier Wochen sprengt die Ameisenjungfer die Hülle und legt ihre Eier in den Sand, wo die bald ausschlüpfenden Larven ihren Winterschlaf halten. (Die Ameisenlöwen sind in sandigen Gegenden, wie bei Bromberg und an der preußischen Küste, sehr häufig; bringt man dieselben in der Gefangenschaft in ein mit Sand gefülltes Glas und stellt dieses in die Sonne, so bauen sie sofort den Trichter und man kann ihre Lebensweise, wenn man den Larven Insekten zur Nahrung in den Trichter wirft, sehr gut im Zimmer wochenlang beobachten.)

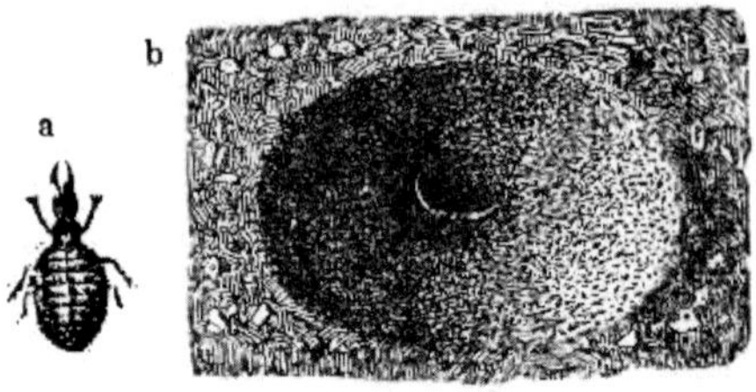

Fig. 90. Ameisenlöwe. (*Myrmecóleon formicárius.*) *a.* Larve; *b.* Sandtrichter mit eingegrabener Larve, von welcher nur die Zangenkiefern sichtbar sind. Natürliche Größe.

Die Ameisenjungfern gehören zur Ordnung der Netzflügler, denn sie besitzen vier gleichartige, gleich große, häutige Flügel, welche von vielen ästigen Adern durchzogen werden.

Ordnung der Zweiflügler.

(§. 59.) **Stechmücke.** (Culex.)

Die Stechmücken besitzen zwei häutige Flügel und saugende Freßwerkzeuge oder einen Rüssel. Nur die Weibchen saugen Blut.

1. Die **gemeine Stechmücke** (*C. pipiens*) hat einen hellgrau gefärbten und weiß geringelten Hinterleib, blasse Beine und braun geaderte Flügel ohne Flecken.

2. Die **geringelte Stechmücke** (*C. annulátus*) besitzt einen schwarzbraun gefärbten Hinterleib, welcher nebst den Beinen weiß geringelt erscheint, und fünf braune Fleckchen auf den Flügeln. — Beide Mücken sind bei uns sehr häufig und werden gegen 1 Zm. lang. Die Männchen, welche nicht stechen, erkennt man an den buschigen Fühlern und Tastern, und die Weibchen an dem langen Rüssel und den vier Stechborsten, welche in einer Scheide liegen. Die letzteren legen ihre Eier aufs Wasser, wo sich aus denselben die Larven entwickeln, welche mit der Athemröhre auf der Wasser-

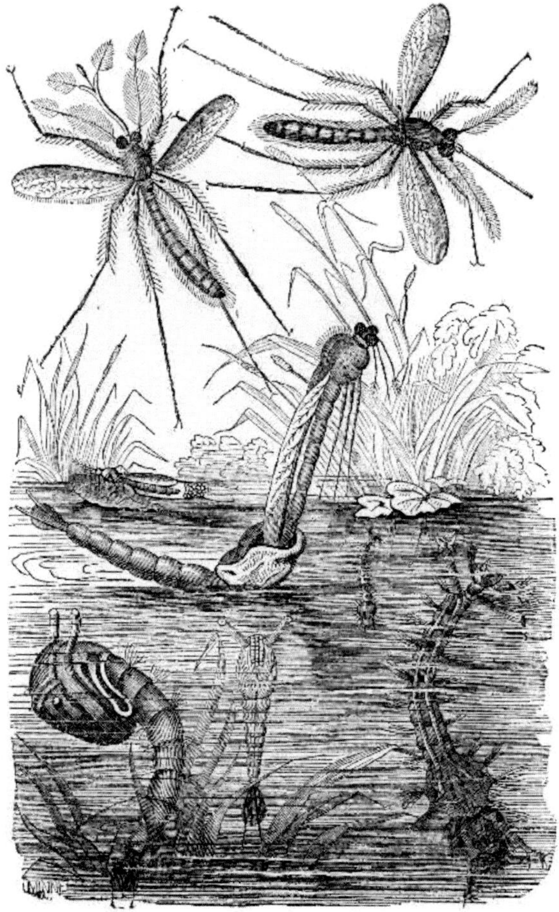

Fig. 91. Gemeine Stechmücke und ihre Entwickelung. (*Culex pipiens.*)
Weibchen, oben rechts; Männchen, oben links; eierlegendes Weibchen, auf dem Wasser links; ausgewachsene Larve mit nach unten gesenktem Kopfe und einer an der Oberfläche des Wassers mündenden Athemröhre, rechts unten; ausgewachsene Puppe oder Nymphe mit zwei Athemröhren, links unten; dazwischen eine junge Larve und Puppe oder Nymphe; ausschlüpfende Mücke, auf dem Wasserspiegel. — Vergrößert.

oberfläche hängen (Fig. 91, unten rechts). Die leiseste Erschütterung veranlaßt ihr Verschwinden; indem sie ihren Körper schlangenartig hin und her winden, gehen sie auf den Boden und kehren jedoch bald zurück. Nach dreimaliger Häutung verpuppen sie sich. Die Puppen besitzen zwei Athemröhren; nach acht Tagen schlüpft das ausgebildete Insekt aus der Hülle. Nur die Weibchen kehren zum Wasser zurück und legen auf Pflanzentheile 2—300 oben zugespitzte und unten breitere Eier, welche klebrig sind, an

Fig. 92. Eierscheibe der Stechmücke. (Vergrößert.)

einander haften und ein kleines Boot bilden (Fig. 92). Die Larven schlüpfen sehr bald aus. Die Zahl der Mücken ist eine sehr große, weil sie in 4—5 Wochen ihre Entwickelung durchmachen, so daß sich dieselben in 4—6 Geschlechtern jährlich fortpflanzen. Die Weibchen überwintern in Kellern. Durch viele Vögel, ganz besonders durch Schwalben, wird die Zahl der Mücken stark vermindert.

Die Stechmücken gehören zur Ordnung der Zweiflügler, denn sie besitzen zwei häutige Flügel.

Ordnung der Schmetterlinge.

(§. 60.) **Weißling.** (Pontia.)

Die Weißlinge haben vier mit Staub bedeckte, häutige Flügel, welche in der Ruhe senkrecht stehen; ihre Fühler sind keulenförmig verdickt.

1. Der **Baumweißling** (*P. crataegi*) hat weiß gefärbte Flügel, welche von schwarzen Adern durchzogen werden. Das Weibchen legt im Juli gelbe Eier in Häufchen (Fig. 95) an die Blätter des Weißdorns (*Crataegus*), der Birn- und Pflaumenbäume, aus welchen noch im Herbste die Raupen hervorschlüpfen; diese spinnen einige Blätter an den Zweigen zusammen und überwintern in den kleinen, leicht in die Augen fallenden Raupennestern. Sobald sich die ersten Knospen entwickeln, beginnen sie zu fressen. Die erwachsene Raupe ist behaart, schmutzig gelb und schwarz und roth gestreift. Im Juni

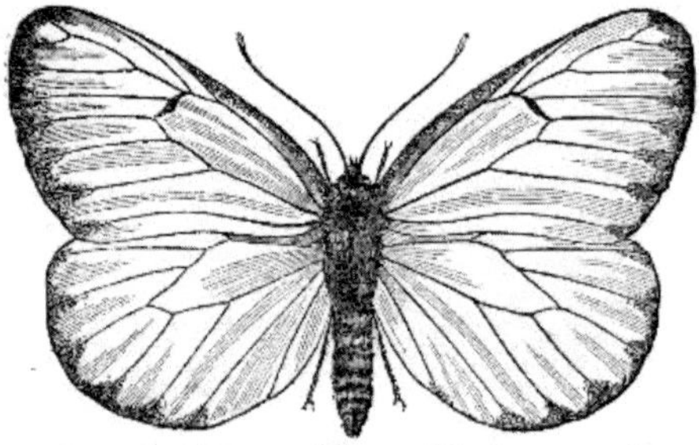

Fig. 93. Baumweißling. (*Pontia crataegi.*) Natürliche Größe.

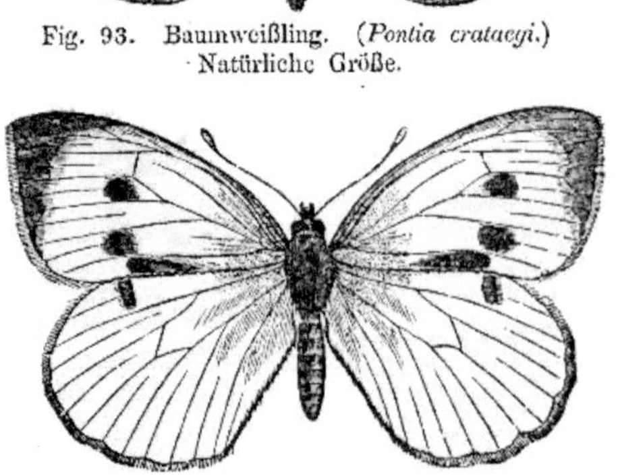

Fig. 94. Großer Kohlweißling. (*Pontia brassicae.*) Weibchen. Natürliche Größe.

Fig. 95. Eier (auf dem Blatte links), Raupe und Puppe des Baumweißlings. Natürliche Größe.

erfolgt die Verpuppung und nach 12—14 Tagen erscheint der Schmetterling, welcher, sobald er die Puppenhülle verlassen hat, einen blutrothen Saft aus seinem After entfernt; derselbe hat die Sage vom Blutregen mit veranlaßt.

2. Den **großen Kohlweißling** (*P. brassicae*) erkennt man an den schwarzen Flecken auf der Vorderspitze der Vorderflügel; die Weibchen tragen in der Mitte derselben noch zwei schwarze Flecken. Aus den Blüten vieler Pflanzen saugt der Schmetterling den Honig; seine Eier legt er jedoch nur auf Kohlarten, Rettig, Goldlack und Reseda. Stehen die gelben Eier in größerer Menge neben einander, so hat sie der große Kohlweißling gelegt; vereinzelte Eier gehören dem kleinen Kohlweißling (*P. rapae*) an, der sich durch die schmäleren Vorderflügel leicht kenntlich macht. Die bläulich grünen, schwarz punktirten Raupen des großen Kohlweißlings haben einen V-ähnlichen Gabelstrich am Kopfe und gelbe Seiten und Rückenstreifen; sie richten in Kohlpflanzungen sehr bedeutenden Schaden an. Vor der Verwandlung kriechen sie an benachbarten Baumstämmen und Wänden in die Höhe, verpuppen sich hier und überwintern. In schönen Sommern kommen 2—3 Geschlechter zur Entwickelung.

Wiederhole den Seidenspinner! (§. 25.)

Der Seidenspinner und die Weißlinge gehören zur Ordnung der Schmetterlinge, denn sie besitzen vier mit Staub bedeckte, häutige Flügel.

Ordnung der Halbflügler.

(§. 61.) Läuse. (Pediculus.)

Die Läuse sind mit einem Schnabel versehen, welcher ihnen zum Saugen dient und nur beim Gebrauche sichtbar wird; am Vorderrande befinden sich Häkchen; diese dienen ihnen zum Festhalten. Sie sind flügellos und nähren sich vom Blute der Säugethiere.

1. Die **Kopflaus** (*P. capitis*), 2 Mm. lang, hat eine graugelbe Farbe, einen eirunden Hinterleib und bräunlich gerandete Körperringe. Sie lebt auf den Köpfen unsauberer Kinder. — Ihre Verwandlung ist eine unvollkommene; aus den birnförmigen Eiern, welche an den Grund der Haare geklebt werden, kommen bereits nach acht Tagen die Jungen; diese häuten sich einige male. — Durch Reinlichkeit, persisches Insektenpulver und geriebenen Samen des Feldrittersporns werden die Kopfläuse vertrieben.

Fig. 96. Kopflaus. (*Pediculus capitis.*) Stark vergrößert.

2. Die **Filzlaus** (*P. pubis*), 1 Mm. lang, ist ein äußerst widerliches Thier; an dem weißlichen Körper ist der kleine Brustkasten kaum vom fast viereckigen Hinterleibe zu unterscheiden. Sie findet sich bei unreinlichen Menschen nur an behaarten Stellen (im Barte und zwischen den Augenbraunen) des Körpers, jedoch nie zwischen den Kopfhaaren; sie bohrt sich mit dem Kopfe in das Fleisch und verursacht ein starkes Fressen. Durch Quecksilbersalbe wird sie vertrieben.

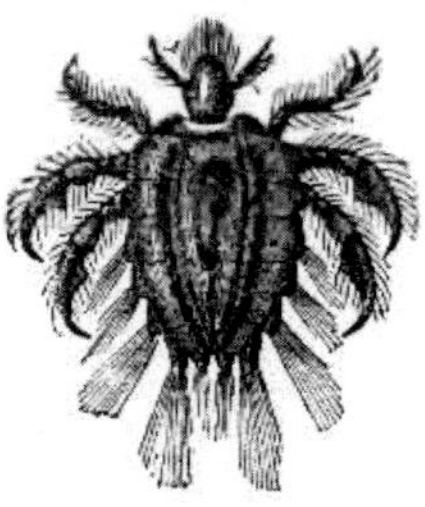

Fig. 97. Filzlaus. (*Pediculus pubis.*) Stark vergrößert.

Die Läuse gehören zur Ordnung der Halbflügler, denn sie sind flügellos, mit einem Schnabel versehen und erleiden eine unvollkommene Verwandlung.

VI. Klasse. Spinnenthiere. (Arachnoidea.)

(§. 62.) Kreuzspinne. (Epeira.)

Die **gemeine Kreuzspinne** (*E. diadéma*) hat acht Beine und einen braunroth bis schwärzlich gefärbten Körper, welcher aus zwei Hauptabschnitten besteht. Der Kopf ist nämlich mit dem Bruststück zu dem Kopfbruststück verwachsen und dieses durch einen Stiel mit dem Hinterleibe verbunden; an letzterem befinden sich die sechs Spinnwarzen, von welchen die vier größeren aus 4000 Spinnborsten bestehen. Die Stellung ihrer acht Augen ist eine ganz bestimmte. Die Beine sind schwarz geringelt. Auf ihrem Hinterleibe bilden größere und kleinere weiße Flecken ein Kreuz. Die größeren Weibchen werden etwa 2, die kleineren Männchen nur 1,5 Zm. lang. — Sie ist in Deutschland überall da in Gärten, Gebüschen und Nadelwäldern zu finden, wo ihr eine reiche Insektenwelt Nahrung bietet. Aus den im Herbste gelegten Eiern entschlüpfen die Jungen im nächsten Mai. Die schöne Zeichnung erhalten sie erst nach mehrmaligen Häutungen. Aus den Spinnborsten tritt der flüssige Spinnstoff, welcher an der Luft schnell erhärtet und mit den Füßen zu einem Faden vereinigt wird. Hat sie einen Ort gefunden, der ihr zur Anlage des senkrechten Netzes, welches etwa 40—50 Zm. im Durchmesser hat, geeignet erscheint, so zieht sie zuerst eine Grundschnur, indem sie sich am Faden herabläßt oder den Faden so lange ausschießt, bis er von der Zugluft an die gewünschte Stelle getragen wird; von derselben zieht sie nun die Strahlen, prüft dieselben in der Mitte, ob sie die gehörige Stärke haben, reißt auch einen ab und ersetzt ihn. Jetzt zieht sie die Kreisfäden. Die Strahlenfäden sind stets trocken, während sich an den Kreisfäden gegen 120,000 Tröpfchen einer sehr klebrigen Feuchtigkeit befinden; berührt man dieselben mit dem Finger, so bleiben sie daran kleben. Ist das Netz fertig, so nimmt sie in der Mitte Platz, den

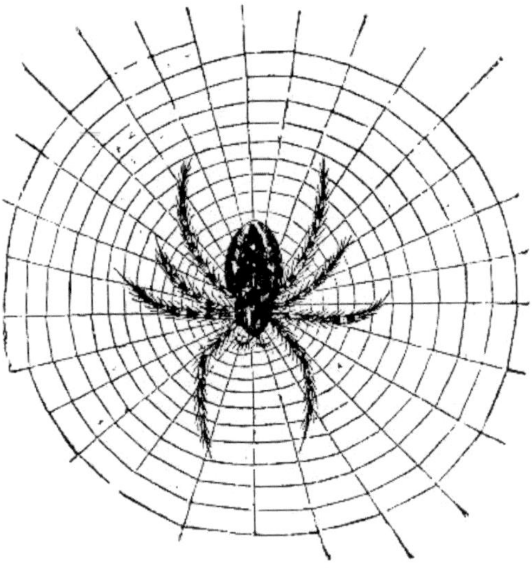

Fig. 98. Kreuzspinne. (*Epeira diadéma.*)

Kopf nach unten gekehrt, die acht Beine weit ausgespannt und lauert, bis sich ein Insekt gefangen hat. Ist dies geschehen, so stürzt sie darauf los, packt es mit den Kiefern und trägt es an einen sichern Ort. Findet sie Widerstand, so wird das zappelnde Insekt schnell in einen Faden eingewickelt. Hornissen, welche ihr gefährlich werden können, befreit sie selbst, indem sie die Fäden um den Gefangenen sorgfältig durchbeißt; den angerichteten Schaden bessert sie schnell aus.

Die Kreuzspinne gehört zur Klase der Spinnenthiere, denn sie hat zwei Hauptkörperabschnitte und acht Beine.

VII. Klasse. Krustenthiere. (Crustacea.)

(§. 63.) Flußkrebs. (Astacus.)

Der von einer kalkigen Schale umschlossene Körper des **Flußkrebses** (*A. fluviátilis*) besteht aus dem Kopfbruststücke und dem Hinterleibe, dem sogenannten Schwanze. Er ist bräunlichgrün gefärbt, hat zwei lange Fühler, zwei gestielte Augen und zehn Beine, von welchen die größeren mit Scheeren versehen sind. Er schwimmt stets rückwärts, kriecht jedoch fast ebenso gut vorwärts wie rückwärts. In seinem Vormagen befinden sich zwei halbkugelige Kalksteine (Krebsaugen), welche sich bei der Häutung (zwischen Juli und September) auflösen und zur Bildung der neuen Schale benutzt werden. Hierbei werden auch abgebrochene Scheeren wieder ersetzt. Die Häutung bringt ihm viel Unbehagen; er wird unruhig und frißt nicht. Sobald die alte Schale abgeworfen ist, hält er sich versteckt; jedoch schon nach einigen Tagen ist die neue Schale vollständig hart geworden. Die Weibchen tragen ihre 200 Eier unter dem Hinterleibe und hüten die Jungen sehr sorgfältig. — Er lebt in Uferlöchern an Flüssen und Bächen und geht in der Nacht auf Raub aus; todte Thiere scheint er besonders gern zu fressen; Fische, Regenwürmer und Schnecken sind für gewöhnlich seine Nahrung. — Sein Fleisch ist in den Monaten am wohlschmeckendsten, welche kein „r" haben.

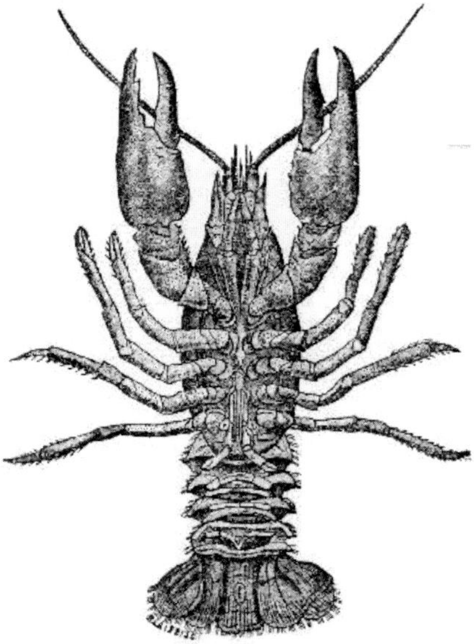

Fig. 99. Flußkrebs. (*Astacus fluviátilis.*) Männchen, von unten gesehen. 1/2 der natürl. Größe.

Der Flußkrebs gehört zur Klasse der Krustenthiere, denn er hat zehn Beine.

VIII. Klasse. Würmer. (Vermes.)

(§. 64.) Blutegel. (Hirúdo.)

Die Blutegel haben einen lang gestreckten, weichen, runden Körper, welcher aus vielen Ringen besteht und dem die Gliedmaßen fehlen; dieselben werden durch Saugnäpfe an den beiden Körperenden ersetzt. Die Egel gebrauchen diese Saugnäpfe zur Bewegung auf dem Lande; im Wasser schwimmen sie schlängelnd.

1. Der **deutsche oder medicinische Blutegel** (*H. medicinális*), 10—16 Zm. lang, hat einen körnig rauhen, oben olivengrünen, mit sechs rostrothen, schwarz gefleckten Längsbinden gezierten Körper, welcher unten schwarz gefleckt erscheint; er bewohnt, wie auch der folgende, ruhige Teiche und Sümpfe in ganz Europa.

Fig. 100. Medicinischer Blutegel. (*Hirúdo medicinális.*) Natürliche Größe.

2. Der **ungarische oder officinelle Blutegel** (*H. officinális*), ebenso groß, unterscheidet sich von dem vorigen durch die schwärzlich grüne Farbe, durch die glatte Haut, durch die sechs rostrothen, ungefleckten Längsbinden des Rückens und den ungefleckten Bauch. Er bewohnt Südeuropa und ist in Ungarn und in Südrußland (an der Wolga und dem Don) besonders häufig. — Beide Egel haben einen nach dem Kopfe verschmälerten Körper. Auf dem Kopfe liegen zehn Augen (Fig. 101, 1). Der vordere Saugnapf (2) umschließt den dreischenkligen Mund, in welchem sich in der Regel drei gezähnte Kiefern (3 und 4) befinden. Ehe die Blutegel ansaugen, durchsägen sie mit ihren Kiefern die Haut, drücken sodann den Saugnapf fest und stellen durch Erhebung desselben im Innern einen luftleeren Raum her, in welchen das Blut tritt. Voll gesogene Thiere fallen von selbst ab und können bis zwei Jahre fasten. Im Frühjahre verlassen die Egel das Wasser und suchen sich am Ufer feuchte, lockere Stellen auf, in welche sie mit dem Kopfe Gänge bohren. Im Juni formen sie aus einer schleimigen, grünen Feuchtigkeit, welche aus ihrem Munde quillt, die Cocons; diese haben die Größe von Eicheln und umschließen 10—16 kleine Eier. Schon nach 4—6 Wochen kriechen die Jungen aus. Durch die Entdeckung

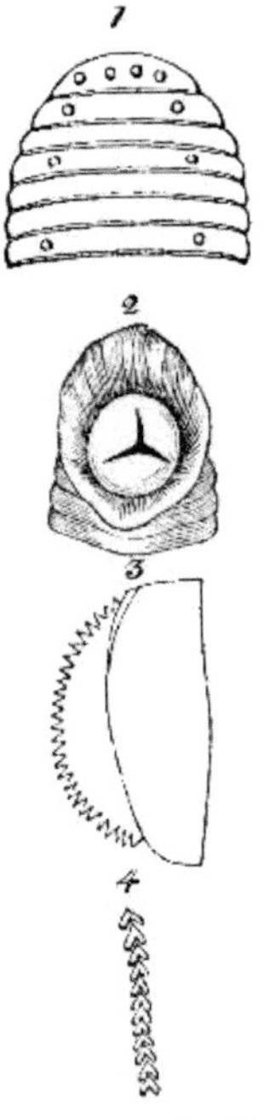

Fig. 101. Deutscher Blutegel. (*Hirúdo medicinális.*) 1. Oberseite des Kopfes mit den zehn Augen; 2. vorderer Saugnapf mit dem dreischenkligen Munde; 3. Kiefer, von der Seite gesehen, die Zahnplatte mit den Zähnen zeigend; 4. Kiefer, von oben gesehen. Stark vergrößert.

des Blutegelcocons (1820) wurde die künstliche Blutegelzucht veranlaßt. — Bei Aufbewahrung der Egel muß man Flußwasser verwenden und das Glas mit Leinewand überbinden. — Sie werden in der Heilkunde zum Blutausziehen gebraucht.

(§. 65.) Rückblick auf die Gliederthiere.

V. Klasse. Insekten.

Ordnung der Käfer.

56) Gemeiner Todtengräber und Begraber, 23) Maikäfer.

Ordnung der Hautflügler.

57) Gemeine Honigbiene und italienische Biene, 24) Ameise.

Ordnung der Netzflügler.

58) Gemeine und ungefleckte Ameisenjungfer.

Ordnung der Zweiflügler.

59) Gemeine und geringelte Stechmücke.

Ordnung der Schmetterlinge.

60) Baumweißling und großer Kohlweißling, 25) Seidenspinner.

Ordnung der Halbflügler.

61) Kopf- und Filzlaus.

VI. Klasse. Spinnenthiere.

62) Gemeine Kreuzspinne.

VII. Klasse. Krustenthiere.

63) Flußkrebs.

VIII. Klasse. Würmer.

64) Deutscher und ungarischer Blutegel.

Cursus III.

Systematik. (Die natürlichen Familien, Ordnungen, Klassen und Kreise.)

(§. 66.) **Eintheilung des Thierreichs.**

Die große Zahl der Thiere und die große Verschiedenheit der Formen und Lebenserscheinungen derselben macht eine Klassifikation nothwendig, und diese ist um so besser, je näher die ähnlichsten Geschöpfe nach ihrer Organisation und Verwandtschaft zusammengestellt sind.

Die innere Organisation der Thiere bildet die feste Grundlage eines jeden Systems; da diese aber früher zu wenig untersucht war, so konnte selbst das System des berühmten Linné (1735 und 1768) wenig genügen. Linné theilte die Thiere in sechs Klassen (Säugethiere, Vögel, Amphibien, Fische, Insekten und Würmer). In den beiden letzten Klassen (Insekten und Würmer) sind Thiere von der verschiedensten Organisation zusammengestellt, und diese haben daher auch in der Neuzeit durch Georg Cuviers System (1800 und 1829) eine bedeutende Umgestaltung erfahren. Georg Cuviers System ist hier mit einigen Veränderungen zu Grunde gelegt worden.

Uebersicht des Thierreichs

in 3 Kreisen und 12 Klassen.

1. Kreis. Wirbelthiere.

Mit rothem Blute, mit innerem Knochenskelet, welches Gehirn und Rückenmark umschließt, mit vollkommenen Sinnesorganen und mit geschlossenem Gefäßsystem, welches aus Puls-, Blut-, und Saugadern besteht.

Rothes, warmes Blut, Herz mit zwei Vor- und mit zwei Herzkammern.	Bringen lebendige Junge zur Welt und säugen sie mit Milch; Körper meist behaart; meist vier Beine	I. Klasse. Säugethiere.
	Legen hartschalige Eier; Körper mit Federn bedeckt; zwei Beine und zwei Flügel . . .	II. Klasse. Vögel.

Rothes, kaltes Blut, Herz mit einer bis zwei Vor- und einer Herzkammer.	Legen pergamenthäutige oder in Schleim gehüllte Eier; athmen durch Lungen, seltener durch Kiemen; Körper beschuppt, beschildet oder nackt; vier oder keine Beine	III. Klasse. Reptilien.
	Legen weichschalige Eier, athmen durch Kiemen, seltener durch Lungen und Kiemen; Körper beschuppt, beschildet oder nackt; Flossen	IV. Klasse. Fische.

2. Kreis. Gliederthiere.

Mit weißlichem Blute, ohne inneres Skelet, wohl aber mit einem äußeren oder Hautskelet; Körper von symmetrischer Gestalt und aus hinter einander liegenden Ringen bestehend.

Bewegungsorgane gegliedert.	Körper mit zwei bis drei Hauptabschnitten.	Körper mit drei Hauptabschnitten; sechs Beine; zwei Fühler	V. Klasse. Insekten.
		Körper mit zwei Hauptabschnitten; acht Beine; keine Fühler	VI. Klasse. Spinnenthiere.
	Körper mit vielen Abschnitten; zehn bis vierzehn Beine; zwei bis vier Fühler		VII. Klasse. Krustenthiere.
Bewegungsorgane ungegliedert; Körper geringelt; ohne Beine			VIII. Klasse. Würmer.

3. Kreis. Bauchthiere.

Ohne Skelet und Gliedmaßen; Körper von regelmäßiger oder unregelmäßiger Gestalt.

Mit Darm.	Körper oft unsymmetrisch, meist von weichem Mantel umgeben, welcher gewöhnlich eine kalkige Schale absondert	IX. Klasse. Weichthiere.
	Körper fünfstrahlig	X. Klasse. Strahlthiere.
Ohne Darm.	Körper vier- oder sechsstrahlig . .	XI. Klasse. Darmlose Thiere.
	Körper mehr oder weniger rundlich und sehr klein	XII. Klasse. Urthiere.

(§. 67.) Erster Kreis. Wirbelthiere. (Vertebrata.)

Die Wirbel-, Knochen- oder Rückgratsthiere haben rothes Blut und ein inneres Knochen- oder Knorpelskelet, welches sowohl zum Schutze und zur Stütze der inneren Organe, als auch zur Befestigung der Muskeln dient. Die Haupttheile des Skelets sind Schädel und Wirbelsäule, welche das Nervensystem umschließen. Die übrigen Theile des Skelets befinden sich stets symmetrisch zu beiden Seiten der Wirbelsäule und laufen zum Theil in Gliedmaßen aus, deren es nie mehr als vier giebt. — Die Wirbelthiere haben ein vollständig ausgebildetes Nerven-, Athmungs- und Gefäßsystem.

(§. 68.) I. Klasse. Säugethiere. (Mammalia.)

Die Säugethiere haben rothes, warmes Blut (35—40° C.), athmen durch Lungen, bringen lebendige Junge zur Welt und säugen sie mit Milch in der ersten Lebenszeit; sie bewegen sich durch vier Gliedmaßen, nur wenige durch Flossen. Ihr Körper ist mit Haaren, Borsten oder Stacheln, seltener mit Schuppen oder Schildern bedeckt.

Alle Säugethiere besitzen weiche, fleischige Lippen, — das Schnabelthier ausgenommen, — eine weiche, schmeckende Zunge, bewegliche Augenlider und fast immer eine Ohrmuschel. Ihre Nahrung entnehmen sie entweder aus dem Thier- oder Pflanzenreiche, einige jedoch aus beiden Reichen. Kein Säugethier ist giftig, einige sind schädlich (Mäuse) oder gefährlich (Tiger); wuthkranke Hunde und Katzen, trichinöse Schweine und milzkranke Rinder gefährden das Leben des Menschen.

Bei Unterscheidung der Säugethiere achtet man auf die Zähne und die Füße. — Ein vollständiges Gebiß besteht aus Backen-, Eck- und Vorder- oder Schneidezähnen; die vorderen kleinen Backenzähne heißen auch Lückenzähne. Zur kürzeren Bezeichnung der Zähne bedient man sich der Zahnformeln, z. B.: $\frac{6 \,.\, 1 \,.\, 6 \,.\, 1 \,.\, 6}{6 \,.\, 1 \,.\, 6 \,.\, 1 \,.\, 6}$, d. h. das Pferd hat oben und unten rechts sechs Backenzähne und einen Eckzahn, vorn sechs Schneidezähne und links einen Eckzahn und sechs Backenzähne. Fehlt eine Zahnart, so setzt man Nullen an deren Stelle; z. B.: $\frac{4 \,.\, 0 \,.\, 2 \,.\, 0 \,.\, 4}{4 \,.\, 0 \,.\, 2 \,.\, 0 \,.\, 4}$, d. h. die Nagethiere haben keine Eckzähne; oder: $\frac{6 \,.\, 0 \,.\, 0 \,.\, 0 \,.\, 6}{6 \,.\, 0 \,.\, 8 \,.\, 0 \,.\, 6}$, d. h. den Zweihufern fehlen alle Eckzähne und auch die oberen Schneidezähne; zuweilen ist jedoch das Gebiß der Zweihufer nach folgender Formel zusammengesetzt: $\frac{6 \,.\, 1 \,.\, 2 \,.\, 1 \,.\, 6}{6 \,.\, 1 \,.\, 6 \,.\, 1 \,.\, 6}$.

Vergleiche §. 278, 292, 295.

Nach Beschaffenheit der Füße und des letzten Zehengliedes unterscheidet man: 1) Nagel- oder Zehensäugethiere mit Plattnägeln oder Krallen, 2) Hufsäugethiere mit Zehen, welche von einem Hufe umschlossen werden und 3) Flossensäugethiere, deren Zehen flossenartig verwachsen sind oder Flossen bilden.

Man kennt etwa 1200 Arten. Die Artenzahl nimmt von dem Aequator nach den Polen ab.

Uebersicht der zwölf Ordnungen der Säugethiere.

A. Nagel- oder Zehensäugethiere.

Mit allen drei Zahnarten.	Mit Händen.	Gliedmaßen frei, die vordern mit Händen, die hinteren mit Füßen	I. Ordnung.	Zweihänder.
		Gliedmaßen frei, an allen vier oder nur an den hinteren Hände	II. Ordnung.	Vierhänder.
	Ohne Hände.	Gliedmaßen mit Flughaut .	III. Ordnung.	Handflügler.
		Ohne Flughaut. Ohne Bauchtasche oder Beutel	IV. Ordnung.	Raubthiere.
		Ohne Flughaut. Mit Bauchtasche oder Hautfalten	V. Ordnung.	Beutelthiere.
Mit höchstens zwei Zahnarten.		Ohne Eckzähne	VI. Ordnung.	Nagethiere.
		Ohne Eck-, Schneide- und zuweilen auch ohne Backenzähne	VII. Ordnung.	Zahnlücker.

B. Hufsäugethiere.

Mit Vorderzähnen in beiden Kiefern.	Mit mehr als zwei Hufen	VIII. Ordnung.	Vielhufer.
	Mit einem Hufe ..	IX. Ordnung.	Einhufer.
Mit Vorderzähnen im Unterkiefer und zwei Hufen		X. Ordnung.	Zweihufer.

C. Flossensäugethiere.

Mit vier Flossenfüßen	XI. Ordnung.	Ruderfüßer.
Mit zwei Flossen	XII. Ordnung.	Wale.

A. Nagel- oder Zehensäugethiere.

(§. 69.) **I. Ordnung. Zweihänder.** (Bimana.)

Die einzige Gattung und Art dieser Ordnung bildet der Mensch (*Homo sapiens*), dessen Körperbau im vierten Cursus ausführlich besprochen wird.

Die Zweihänder besitzen zwei Füße, zwei Hände, nur Plattnägel und alle Zähne: $\frac{5 . 1 . 4 . 1 . 5}{5 . 1 . 4 . 1 . 5}$; der Gesichtswinkel (§. 278) beträgt 75—90°. Sie sind mit Vernunft und Sprache begabt, an keine bestimmte Nahrung und kein Klima gebunden. Der Mensch ist Kosmopolit oder Weltbürger, d. h. er kann in allen Zonen leben. Blumenbach unterscheidet fünf Rassen:

1. Die **kaukasische Rasse**: Mit hochgewölbter Stirn (Gesichtswinkel 80—90°), weißer Hautfarbe und weichem Haare. Hierher gehören die Europäer (ohne Lappländer), die Westasiaten und Nordafrikaner. 300 Millionen. (Fig. 102.)

Fig. 102. Europäer.

Fig. 103. Chinese.

2. Die **mongolische Rasse**: Mit flachem und breitem Gesichte (Gesichtswinkel 75—80°), eng geschlitzten und schief stehenden Augen, kleiner und stumpfer Nase, gelber Hautfarbe und schwarzem, straffem Haare. Hierher gehören die Lappländer Europas, die Eskimos Amerikas und die Bewohner des nördlichen und mittleren Asiens: Mongolen, Chinesen etc. 552 Millionen. (Fig. 103.)

Fig. 104. Neger.

Fig. 105. Indianer.

3. Die **äthiopische oder Negerrasse**: Mit flachem und schmalem Gesichte (Gesichtswinkel 70—75°), hervortretenden Kiefern und Backenknochen, wulstigen Lippen, schwarzer Hautfarbe und wolligem und schwarzem Haare. Hierher gehören die Bewohner Mittel- und Südafrikas, Neuhollands und Neu-Guineas. 200 Millionen. (Fig. 104.)

4. Die **amerikanische Rasse**: Mit breitem Gesichte, niedriger Stirn, rothbrauner Farbe und schwarzem, straffem Haare. Hierher gehören die Ureinwohner Amerikas (Indianer) mit Ausnahme der Eskimos. 1 Million. (Fig. 105.)

5. Die **malaische Rasse**: Mit etwas hervortretender Stirn, breiter Nase, aufgeworfenen Lippen, brauner Farbe und schwarzem, lockigem Haare. Hierher gehören die Urbewohner Malacas, Oceaniens, Australiens, der Südsee- und Sundainseln, der Molukken etc. 200 Millionen.

(§. 70.) **II. Ordnung. Vierhänder oder Affen.** (Quadrumana.)

Die Affen besitzen entweder vier Hände oder nur an den hinteren Gliedmaßen zwei Hände, meist Plattnägel, seltener Krallen, nach vorn gerichtete Augen und alle Zähne: $\frac{5-6 \; . \; 1 \; . \; 4 \; . \; 1 \; . \; 5-6}{5-6 \; . \; 1 \; . \; 4 \; . \; 1 \; . \; 5-6}$.

Die Affen unterscheiden sich von dem Menschen durch den kleineren Gesichtswinkel (30—65°) und die starke Behaarung des Körpers. Sie können nicht aufrecht gehen, weil die hinteren Gliedmaßen der Sohle entbehren. —

Sie bewohnen die heiße Zone, leben gesellig in Wäldern auf Bäumen und nähren sich von Früchten, seltener von Insekten und Eiern; sie sind lebhaft, gewandt, listig, durch keine Strafe zu bessern und nicht gelehriger als Hund und Elephant, aber sehr nachahmungssüchtig.

Uebersicht der Familien der Affen.

Mit kahlem Gesichte und Plattnägeln.	Mit vier Händen	I. Familie. Eigentl. Affen.
	Mit zwei Händen an den Hintergliedmaßen, welche außer dem Daumen nur Krallen haben	II. Familie. Krallenaffen.
Mit behaartem Gesichte, zugespitztem Kopfe und mit Plattnägeln an den vier Händen		III. Familie. Halbaffen.

(§. 71.) Erste Familie. Eigentliche Affen.

a. Affen der alten Welt: Mit **schmaler** Nasenscheidewand.

Orangaffe. (Pithécus.)

Die Orangaffen sind ungeschwänzt und besitzen Backentaschen.

1. Der **Waldmensch oder Orang-Utang** (*P. sátyrus*) bewohnt Borneo und Sumatra, ist mit rothbraunen Haaren bekleidet, hat Arme, welche fast bis zu den Knöcheln reichen, ein kahles Gesicht von bleigrauer Farbe und erreicht eine Größe von 1,7 M. Er nährt sich von Früchten, besonders von Feigen. Nur junge Thiere werden gefangen und sehr selten lebend nach Europa gebracht. Junge und Weibchen leben gesellig; die Männchen lieben Einsamkeit und Zurückgezogenheit. Träge und furchtsam, klettern sie den Tag über vorsichtig in den Kronen der Bäume umher, hängen sich mit einer Hand auf und ergreifen mit der andern Früchte oder schwingen sich mit den

Fig. 107. Gorilla. (*Pythécus Gorilla.*) Fast 2 M. lang.

Fig. 106. Orang-Utang; Weibchen. (*Pythécus sátyrus.*) 1,7 M. lang.

langen Armen auf die fernsten, noch erreichbaren Aeste. Bei drohender Gefahr und Verfolgung eilen sie in die höchsten Gipfel und verstecken sich in dunkles Laubwerk. Für die Nacht bereitet der Orang-Utang sich ein Lager auf niedrigen Aesten, schlägt die dünnen Zweige kreuzweise über einander und polstert dieselben mit dürren Blättern. Jung gefangen wird der Orang-Utang leicht zahm, zutraulich folgsam und hört auf seinen Namen. Er lernt Thüren aufschließen, Schnallen und Knoten auflösen, aber dieselben nicht schlingen, Stühle herbeibringen, Tische und Stühle abwischen, bedient sich beim Essen des Messers und der Gabel, trinkt aus Tassen und Gläsern und öffnet Flaschen.

2. Der **Gorilla** (*P. Gorilla*) hat seine Heimat in Nieder-Guinea. Mit Ausnahme des Gesichtes, eines Theils der Brust und der inneren Handflächen deckt langes, schwarzes Haar den fast 2 M. langen Körper. Auf dem Scheitel erhebt sich ein hoher Haarkamm, den er beliebig vor- und rückwärts wenden kann. Die fast 1 M. langen Vorderarme von der Stärke eines Mannesschenkels, welche bis unter das Knie reichen, und das scharfe Gebiß sind für ihn furchtbare Waffen. Die Männchen greifen den Menschen, Löwen, Elephanten und Leoparden mit Erfolg an. Der Gorilla ist der unumschränkte Herrscher des Waldes. Unter den Negern gilt der als der größte Held, welcher einen Gorilla erschlug. Eßbare Früchte, Vögel und Eier bilden seine Speise. Er lebt in Familien, welche aus den Alten und einem bis zwei Jungen bestehen.

Fig. 108. Schimpanse. (*Pythécus troglódytes.*) 1,6 M. lang.

3. Der **Schimpanse** (*P. troglódytes*), in Kongo und Guinea heimisch, 1—1,6 M. hoch, von schwarzbraunen Haaren bekleidet, ist vielfach lebend nach Europa gebracht worden. Er ist sanft, klug, liebenswürdig und ungemein gelehrig; er nährt sich von Früchten. In den Wäldern lebt er in größeren Gesellschaften und baut sich auf den Bäumen mehr Nester als Hütten. Er ist das menschenähnlichste Säugethier, dessen Arme kaum bis unter das Knie reichen.

Pavian. (Cynocéphalus.)

Zu den geschwänzten Affen gehören die Hundsaffen oder Paviane, von welchen der in Arabien und Aethiopien heimische **Mantelpavian** (*C. Hamadryas*) — Vorderkörper der Männchen lang behaart — und der **Mandrill** (*C. mormon*) Guineas — hellblaue Backen, gelben Kinnbart und blutrothe Nase beim Männchen — zu den gewöhnlichsten Erscheinungen unserer Thierbuden gehören. Ihre Größe beträgt 60—90 Zm.

Fig. 109.
Mantelpavian. (*Cynocéphalus Hamadryas.*)
60—90 Zm. lang.

b. Affen der neuen Welt: Mit **breiter** Nasenscheidewand.

Brüllaffe. (Mycétes.)

Der **rothe Brüllaffe** (*M. seniculus*) — mit lebhaft rothem Pelze — und der **schwarze** (*M. Beelzebub*) — mit kohlschwarzem Pelze — sind Bewohner des nördlichen Südamerikas; sie werden etwa 50—60 Zm. lang und zeichnen sich durch ihre fürchterlich brüllende Stimme aus, welche durch eine Knochen- oder Schallblase am Zungenbein hervorgebracht wird. In größeren Gesellschaften veranstalten sie meist bei Auf- oder Untergang der Sonne ihre Concerte; einzelne Töne gleichen dem Grunzen des Schweines oder dem Knurren des Jaguars. Sie sind grämlich und mürrisch und spielen nie. Wenn sie nicht brüllen oder fressen, starren sie sich bewegungslos an oder schlafen. Baumblätter, Körner, auch wohl Eier und junge Vögel bilden ihre Nahrung, welche sie auf den Bäumen, wo sie ausschließlich leben, reichlich finden. Der Schwanz ist ihr wichtigstes Bewegungsorgan, das sie auch zum Erfassen benutzen. Sie werden wegen ihres wohlschmeckenden Fleisches und Pelzes häufig gejagt.

Fig. 110.
Rother Brüllaffe. (*Mycétes seniculus.*)
50—60 Zm. lang.

(§. 72.) Zweite Familie. Krallenaffen.

Fig. 111. Seidenaffe. (*Hápale Jachus.*) 20—25 Zm. lang.

Sie besitzen vorn Pfoten und hinten Hände. Zu ihnen gehören lebhafte und furchtsame Thierchen von der Größe eines Eichhörnchens, welche gesellig die Wälder Südamerikas bewohnen und sich von Früchten und Insekten nähren. — Der **weißöhrige Seiden- oder Pinselaffe** (*Hápale Jachus*), 20—25 Zm. lang, hat weiße, fächerartige Haarpinsel an den Ohren; Kopf und Hals sind dunkelbraun, der übrige Körper graubraun gefärbt; er ist häufig in Menagerien.

(§. 73.) Dritte Familie. Halbaffen.

Nur an dem Zeigefinger der Hintergliedmaßen befindet sich ein spitzer Krallennagel. Sie bewohnen nur die alte Welt, nähren sich von Insekten und Früchten, führen eine nächtliche Lebensweise und zeichnen sich durch den zugespitzten Kopf aus, der einem Fuchskopfe ähnlich ist. Der **Katzenmaki** (*Lemur catta*) hat einen schwarz und weiß geringelten Schwanz, ist oben grau und unten weiß gefärbt, wird 30—40 Zm. lang und schnurrt wie eine Katze; er lebt auf Madagascar.

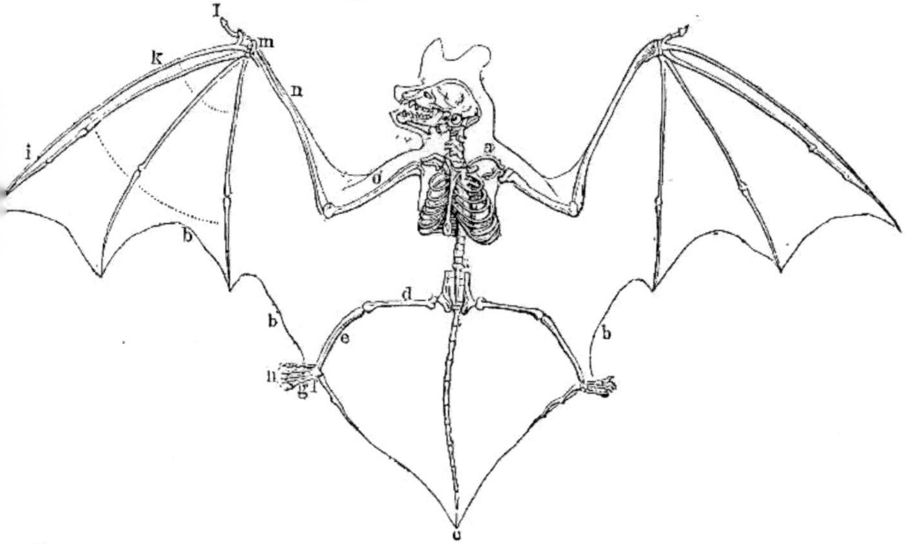

Fig. 112. Skelet der Fledermaus. (Mit Andeutung der Flughaut.) *a.* Schlüsselbein; *b.* Flughaut; *c.* Schwanzwirbel; *d.* Oberschenkel; *e.* Unterschenkel; *f.* Fußwurzel; *g.* Mittelfuß; *h.* Zehen; *i.* Finger; *k.* Mittelhand; *l.* Daumen; *m.* Handwurzel; *n.* Unterarm; *o.* Oberarm.

(§. 74.) III. Ordnung. Handflügler oder Fledermäuse. (Chiróptera.)

Zwischen den Vorder- und Hintergliedmaßen befindet sich eine feine, zarte Flughaut. Der Daumen (Fig. 112, *l*) befindet sich am oberen Rande der Flughaut und dient zum Aufhängen. Sie besitzen alle drei Arten Zähne, einen großen Mund, große Ohrmuscheln und starke Schlüsselbeine (*a*). Ihr ganzes Skelet zeigt Aehnlichkeit mit dem der Vögel, denn die Rippen sind bis zum Brustbein verknöchert; letzteres trägt einen Kamm, den die Vögel auch besitzen. Die Hände sind ungewöhnlich lang. Gehör und Geruchsorgane werden durch besondere Einrichtungen geschärft; hierzu gehören die Anhänge auf der Nase und riesige Ohrmuscheln und Ohrdeckel. Der scharfe Gefühlssinn wird durch die nervenreiche Flughaut unterstützt. — Die europäischen Arten nähren sich nur von Insekten und werden hierdurch sehr nützlich; sie halten einen Winterschlaf, wobei die Temperatur ihres Blutes langsam sinkt.

Fig. 113. Fliegender Hund. (*Pteropus edulis.*) 40 Zm. lang; 1,6 M. Flügelbreite.

Flatterhund. (Ptéropus.)

Der **fliegende Hund oder Kalong** (*P. edúlis*) bewohnt den indischen Archipel, wird 40 Zm. lang und klaftert 1,6 M. weit; er ist schwarzbraun gefärbt, schwanzlos, nährt sich von Früchten und zeichnet sich durch den hundähnlichen Kopf aus. Sein Fleisch wird gern gegessen.

Blattnase. (Phyllóstoma.)

Fig. 114.
Kopf des Vampyrs. (*Phyllóstoma spectrum.*)
Vergrößert.

Der **Vampyr oder das Gespenst** (*P. spectrum*), mit trichterförmigem Nasenblatte und dicker, fleischiger Zunge, welche mit Saugwarzen besetzt ist, bewohnt das heiße Südamerika. Er wird 15 Zm. lang, ist kastanienbraun gefärbt und klaftert gegen 80 Zm. weit. — Der Vampyr und die übrigen Arten der Blattnasen Südamerikas nähren sich von Insekten und dem Blute der Hausthiere und des Menschen. Weder der einmalige Biß, noch der Verlust des Blutes haben den Tod zur Folge, es sei denn, daß mehrere Thiere mehrere Nächte hindurch dasselbe Opfer ansaugen.

Fledermaus. (Vespertilio.)

Den Fledermäusen fehlt der Nasenaufsatz.

1. Die **gemeine Fledermaus** (*V. murínus*) hat Ohren, welche die Kopflänge erreichen und ist oben rothbraun, unten weißlich gefärbt; sie jagt in Straßen und ruht in Gebäuden. Vergleiche §. 27.

2. Die **frühfliegende Fledermaus** (*V. Noctula*) hat abgerundete, dreieckige Ohren, welche nicht die Kopflänge erreichen und ist oben und unten rothbraun gefärbt; sie jagt um die Wipfel hoher Waldbäume und ruht in hohlen Stämmen.

3. Die **langohrige Fledermaus** (*V.* oder *Plecotus aurítus*) hat Ohren, welche die doppelte Kopflänge erreichen und ist oben graubraun und unten blasser gefärbt; sie jagt in Gärten und ruht in Gewölben. Vergleiche §. 27.

(§. 75.) **IV. Ordnung. Raubthiere oder Fleischfresser.** (Carnívora.)

Sie haben gleich gebildete Vorder- und Hintergliedmaßen und alle drei Arten Zähne. Nach ihrer Nahrung unterscheidet man Insektenfresser und Fleischfresser oder eigentliche Raubthiere.

Die Insektenfresser sind kleine, nächtliche, unterirdisch lebende, den Nagern ähnliche Thiere, welche sich von Insekten, Würmern und Mäusen nähren. Ihre Schnauze ist meist rüsselförmig; sie besitzen Schlüsselbeine, spitzhöckerige Backenzähne und $\frac{2-6}{2-6}$ Vorderzähne.

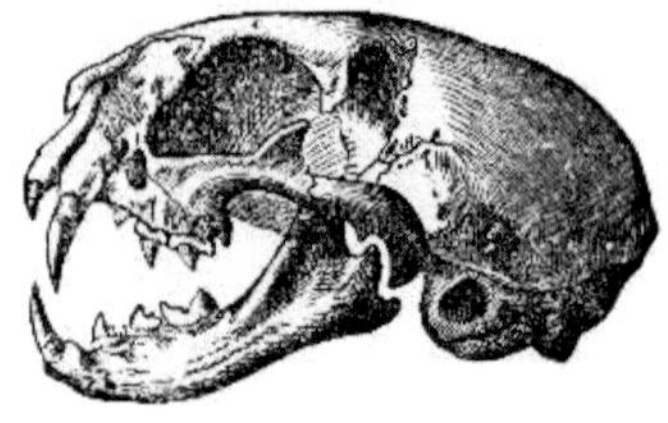

Fig. 115. Schädel der Katze. (*Felis domestica.*)

Die Fleischfresser sind die größten, stärksten, durch scharfes Gebiß ausgezeichneten Räuber, welche sich entweder nur von Fleisch nähren, oder wie die Bären auch noch Pflanzennahrung zu sich nehmen. Die kleinen vorderen Backen- oder Lückenzähne sind scharf kegelzackig, der darauf folgende große Backenzahn heißt Reißzahn; die hinteren sind stumpfhöckerige Mahlzähne; die Zahl der Vorderzähne beträgt $\frac{6}{6}$. Die Eckzähne sind lang und besonders kräftig. Der Kopf ist stumpfschnauzig und die Schlüsselbeine fehlen.

Uebersicht der Familien der Raubthiere.

A. Insektenfresser. (Mit rüsselförmiger Schnauze.)

Mit Stacheln bedeckt		I. Familie. Igel.
Mit Haaren bedeckt.	Vorder- und Hintergliedmaßen gleich entwickelt	II. Familie. Spitzmäuse.
	Vordergliedmaßen mit Grabfüßen	III. Familie. Maulwürfe.

B. Fleischfresser. (Mit stumpfer Schnauze.)

Krallen nicht zurückziehbar.	Alle Füße fünfzehig.	Reißzahn höckerig	IV. Familie. Bären.
		Reißzahn mit mehreren Spitzen	V. Familie. Marder.
	Alle Füße oder nur die Hinterfüße vierzehig		VI. Familie. Hunde.
Krallen zurückziehbar			VII. Familie. Katzen.

(§. 76.) Erste Familie. Igel.

Der in ganz Europa heimische **Igel** (*Erinácens europaeus*) trägt auf dem Rücken starke Muskeln, durch welche er sich einkugeln kann, so daß er eine Stachelkugel bildet; seine Schnauze besitzt eine bewegliche, abgestutzte Rüsselscheibe. Er nährt sich von Fröschen und Würmern. Mit Eintritt des Frostes verfällt er in einen Winterschlaf, der bis zum März währt. — Vergleiche §. 2.

(§. 77.) Zweite Familie. Spitzmäuse.

Die Spitzmäuse sind mäuseartige, gefräßige, nie Pflanzen, sondern nur Insekten und Würmer fressende und daher sehr nützliche Thiere; aus einer Seitendrüse des Körpers scheidet sich eine, den Katzen und Hunden unangenehme Feuchtigkeit aus, weshalb diese die Spitzmäuse nie fressen.

Fig. 116. Gemeine Spitzmaus. (*Sorex araneus.*) ½ der natürlichen Größe.

Die **gemeine Spitzmaus** (*Sorex araneus*) ist rostbraun gefärbt und 8 Zm. lang; sie lebt in Erdlöchern und ist die gemeinste Art. — Die **Zwergspitzmaus** (*S. pygmaeus*), etwa 5 Zm. lang, ist das kleinste Säugethier.

(§. 78.) Dritte Familie. Maulwürfe.

Der **gemeine Maulwurf** (*Talpa europaea*) bewohnt Europa — außer Irland, Süditalien und Sardinien — und einen großen Theil Asiens. Er hält keinen Winterschlaf; wenn der Boden friert, legt er auch seine Jagdröhren tiefer. Sein ungemein scharfer Geruch und das nicht minder feine Gehör wittern Nahrung und drohende Gefahren sehr leicht. Beim Einfangen sucht der Maulwurfsfänger die Laufröhre auf und schiebt eiserne Zangen oder Schlingen an biegsamen Stäben in dieselben; passirt der Maulwurf dann dieselben, so geräth er in die Schlinge und erhängt sich; außer dem Menschen wird er von Störchen, Eulen, Wieseln und Kreuzottern überfallen. Sein feines, leichtes Pelzwerk wird im östlichen Europa benutzt und sein Fleisch gegessen. — Vergleiche §. 1.

(§. 79.) Vierte Familie. Bären.

Sie sind Sohlengänger, d. h. sie treten mit der ganzen Sohle auf, und haben an allen Füßen fünf Zehen.

Bär. (Ursus.)

1. Der **gemeine oder braune Bär** (*U. arctos*) ist das größte Raubthier Europas, denn er wird fast 2 M. lang; sein Fell ist braun gefärbt und seine Stirn gewölbt. — Vergleiche §. 30.
2. Der **amerikanische Bär** (*U. americanus*) ist etwas kleiner, glänzend schwarz gefärbt, bewohnt das nördliche Nordamerika und hat eine flache Stirn. Er wird des Pelzes, Fleisches und Fettes wegen stark verfolgt.
3. Der **Eisbär** (*U. marítimus*), 2,5 M. lang, lebt im höchsten Norden; sein Fell ist weiß gefärbt. — Vergleiche §. 30.

Der **Waschbär** (*Prócyon lotor*) ist gelblichgrau gefärbt und 60 Zm. lang; er bewohnt das gemäßigte Nordamerika, wo er auch als Hausthier gehalten wird. Sein Fleisch wird gegessen und sein geschätzter Pelz kommt als „Schupp" in den Handel. Er hat die Angewohnheit, seine Nahrung vor dem Fressen ins Wasser zu tauchen und mit den Vorderpfoten zu reiben,

Fig. 117. Waschbär. (*Prócyon lotor.*) 60 Zm. lang.

d. h. sie gleichsam zu waschen; er thut dies jedoch nur dann, wenn er nicht besonders hungrig ist.

Die Bären sind Sohlengänger und fressen Alles, d. h. sie nähren sich von Pflanzen- und Thierstoffen. Trotz ihres schwerfälligen Ansehens bewegen sie sich schnell und geschickt und können die Vorderfüße zum Klettern gut gebrauchen.

(§. 80.) Fünfte Familie. Marder.

Der Dachs ist ein Sohlengänger; der Vielfraß tritt mit der halben Sohle auf und die eigentlichen Marder sind Zehengänger, d. h. sie treten nur mit den Zehen auf.

Der **Dachs** (*Meles taxus*) trägt lange, borstige Haare, welche oben gelblich weiß und unten schwarz gefärbt sind; über den Augen und Ohren befindet sich ein schwarzer Streif. Er bewohnt Erdlöcher (Dachsbaue) in Europa und Nordasien, welche er nur Abends verläßt, um Mäuse, Frösche, Insekten und Würmer zu fangen. Seine Länge beträgt etwa 60 Zm; sein Fleisch wird gegessen und sein Fell zu Jagdtaschen und Kofferüberzügen verarbeitet.

Der **Vielfraß** (*Gulo borealis*), d. h. Fjaelfraß oder Höhlenbewohner, lebt in den Wäldern Nordeuropas; er ist etwas größer als der Dachs; sein braunes Fell hat einen dunkleren, sattelförmigen Rückenstreifen. Er ist ein schlaues, grausames Thier, welches von Hasen und anderen kleinen Säugethieren lebt, aber auch Hirsche und Renthiere überwältigt, indem er ihnen auf den Rücken springt und die Adern durchbeißt.

Marder. (Mustéla.)

Die Marder sind muthige, nächtliche Räuber und geschickte Kletterer mit lang gestrecktem Körper, gebogenem Rücken und behaarten Sohlen; sie sind listig, blutdürstig und grausam, daher dem Federvieh sehr schädlich; nützlich werden sie durch Vertilgung von Mäusen und Ratten.

Fig. 118. Edel- oder Baummarder. (*Mustéla martes.*) 47 Zm. lang.

1. Der **Zobel** (*M. zibellina*), 42 Zm. lang, ist kastanienbraun gefärbt und hat eine graue Stirn und Kehle. Sein Fell wird mit 50—100 Rubeln bezahlt.

2. Der **Edel- oder Baummarder** (*M. martes*), 47 Zm.

Fig. 119. Hermelin. (*Mustéla erminea.*) 26 Zm. lang.

Fig. 120. Wiesel. (*Mustéla vulgaris.*) 26 Zm. lang.

Fig. 121. Iltis. (*Mustéla putorius.*) 45 Zm. lang.

lang, ist kastanienbraun gefärbt; er hat eine schön dottergelb gefärbte Brust und Kehle. Er findet sich in den Wäldern Europas. Sein Fell wird sehr geschätzt.

3. Der **Stein- oder Hausmarder** (*M. foina*) unterscheidet sich vom vorigen durch geringere Länge und die weiße Kehle. Er bewohnt Gemäuer und Felsenspalten und richtet in Hühnerställen und Taubenschlägen große Verheerungen an.

4. Das **Hermelin oder große Wiesel** (*M. erminea*), 26 Zm. lang, ist im Sommer braun und im Winter weiß gefärbt; die Schwanzspitze ist stets schwarz. Es bewohnt den Norden Europas und Asiens.

5. Das **kleine Wieselchen** (*M. vulgaris*), 18—20 Zm. lang, ist oben röthlichbraun und unten weiß gefärbt. Es bewohnt die Steinhaufen auf den Chausseen und ist wegen seiner Mordlust der beste Mäusevertilger.

6. Der **Iltis** (*M. putorius*), 45 Zm. lang, mit schwarzbraunem Felle, lebt in Wäldern und in Gebäuden und richtet in Hühnerställen großen Schaden an.

7. Der **Nörz oder die kleine Fischotter** (*M. lutréola*), 30 Zm. lang, dunkelbraun gefärbt, bewohnt Nord- und Osteuropa. Er besitzt Zehen mit kleinen Schwimmhäuten und ist das Verbindungsglied der Marder mit der Fischotter.

Die **Fischotter** (*Lutra vulgaris*) hat kastanienbraunes Fell, lebt in ganz Europa und Asien und bewohnt Uferlöcher. Sie wird 60—90 Zm lang, schwimmt und taucht sehr gut, frißt Fische, Amphibien und Krebse und läßt sich zum Fischfange abrichten, indem sie einzelne gefangene Fische ihrem Herrn abliefert oder ganze Züge derselben ins Netz treibt; ihr Fell liefert ein kostbares Pelzwerk und ihr Fleisch wird als Fastenspeise gegessen.

(§. 81.) Sechste Familie. Hunde.

Die Hunde sind Zehengänger mit nicht zurückziehbaren Krallen. Die eigentlichen Hunde haben fast gleich lange Beine, an den Vorderfüßen fünf und an den Hinterfüßen vier Zehen, während die Hyäne nur vierzehige Füße und kürzere Hinterbeine besitzt.

Hund. (Canis.)

1. Der **Haushund** (*C. familiáris*) besitzt eine runde Pupille; er trägt den Schwanz aufrecht; die Spitze des letzteren ist nach links zurückgekrümmt. Er wird dem Menschen dadurch gefährlich, daß er die Tollwuth verbreitet. — Vergleiche §. 3.

2. Der **Wolf** (*C. lupus*) hat eine runde Pupille und einen herabhängenden Schwanz; seine Augen sind etwas schräg gestellt. — Vergleiche §. 29.

3. Der **Schakal oder Goldwolf** (*C. aureus*) steht zwischen Hund und Wolf; er ist gelblich grau und an der Kehle weiß gefärbt, lebt heerdenweise in Asien und wird leicht gezähmt. (Simson's Füchse.)

4. Der **gemeine Fuchs oder Birkfuchs** (*C. vulpes*), mit etwas schief stehender Pupille, mit oben fuchsrothem, unten weißem Felle und 40 Zm. langem, buschigem Schwanze, wird etwa 85—90 Zm. lang; er bewohnt Höhlen (Fuchsbaue) in den Wäldern Nordamerikas, Asiens und Europas. Abarten sind der Brandfuchs mit schwarzer Schwanzspitze und der schwarze oder Silberfuchs mit schwarzen Haaren, welche eine weiße Spitze haben. — Vergleiche §. 29.

5. Der **Polar-, Blau- oder Eisfuchs** (*C. lagopus*) unterscheidet sich vom vorigen durch die sehr veränderliche Farbe seines Felles (grau, braun, weiß etc.) und die geringere Größe; er bewohnt die Polarzone und liefert kostbares Pelzwerk.

Hyaene. (Hyaena.)

1. Die **gestreifte Hyaene** (*H. striata*), 1 M. lang, weißlichgrau gefärbt mit braunen Querstreifen, bewohnt Nordafrika. Die Araber fürchten sie wenig und essen ihr Fleisch.

2. Die **gefleckte Hyaene** (*H. crocuta*), ebenso groß, grau gefärbt mit dunkelbraunen Flecken, ist in Südafrika heimisch; sie ist gleichfalls dem Menschen nicht gefährlich.

Fig. 122. Gefleckte Hyaene. (*Hyaena crocuta.*)
1 M. lang.

(§. 82.) Siebente Familie. Katzen.

Die Katzen sind Zehengänger mit zurückziehbaren Krallen; an den Vorderfüßen haben sie fünf und an den Hinterfüßen vier Zehen.

Katze. (Felis.)

a. Löwen: Mit einfarbigem Felle.

1. Der **Löwe** (*F. leo*), mit Mähne und Schwanzbüschel und braungelbem Felle, wird gegen 2 M. lang und über 1 M. hoch; er bewohnt Nordafrika und Westasien. Nur das Männchen trägt eine Mähne. — Vergleiche §. 4.

2. Der **Cuguar, Puma oder amerikanische Löwe** (*F. cóncolor*), ohne Mähne und Schwanzbüschel und mit gelbrothem Felle, wird 1,6 M. lang. Er ist das größte Raubthier Amerikas, welches zwar sehr mordlustig, aber feige und furchtsam ist.

b. Katzen: Mit gestreiftem Felle.

3. Der **Tiger** (*F. tigris*), mit rostgelbem, schwarz gestreiftem Felle, wird 2—2,8 M. lang. Er ist das furchtbarste aller Raubthiere, der Schrecken der Menschen und Thiere; seine Heimat ist Südasien. — Vergleiche §. 28.

4. Die **wilde Katze** (*F. catus*), mit graubraunem, schwarz gestreiftem Felle, wird etwas größer als die folgende; ihr Schwanz erreicht nicht die halbe Körperlänge. Sie bewohnt die großen Wälder Europas.

5. Die **Hauskatze** (*F. domestica*), von sehr verschiedener Färbung, stammt wahrscheinlich von der nubischen Katze ab; ihr Schwanz übertrifft die halbe Körperlänge. Ihr Schnurren oder Spinnen wird nicht durch die Schnurrhaare, sondern durch zwei gespannte, zarte Häute im Kehlkopfe hervorgebracht. — Vergleiche §. 28.

Fig. 123. Jaguar. (*Felis onca.*) 1,6 M. lang.

c. Katzen: Mit geflecktem Felle.

6. Der **Jaguar oder amerikanische Tiger** (*F. onca*) ist rostgelb gefärbt und hat auf jeder Seite vier bis fünf Reihen großer Ringe, welche aus schwarzen Flecken bestehen und einen Mittelfleck umschließen. Er ist das furchtbarste Raubthier Amerikas, welches die Größe des Cuguars erreicht. Pferde, Rinder und Hirsche bilden seine Nahrung. Er wird auch dem Menschen gefährlich.

7. Der **Panther oder afrikanische Tiger** (*F. pardus*), von der Größe des vorigen, ist rothgelb gefärbt und hat sechs bis sieben Reihen runder Flecken, welchen der Mittelfleck fehlt. Die mit zehn Fleckenreihen versehenen Tiger heißen Leoparden. Er bewohnt Afrika, West- und Südasien.

Fig. 124. Panther. (*Felis pardus.*) 1,6 M. lang.

8. Der **Luchs** (*F. lynx*) zeichnet sich durch schwarze Ohrbüschel und rostbraune Flecken auf röthlichbraunem Felle aus. Seine Länge beträgt 1 M.; er bewohnt die Gebirgswälder Europas und Asiens.

(§. 83.) **V. Ordnung. Beutelthiere.** (Marsupialia.)

Sie besitzen am Bauche eine sackartige Tasche oder Hautfalten, welche durch sogenannte Beutelknochen gestützt werden. Die bewegungslosen, mit undeutlichen Gliedmaßen geborenen, sehr kleinen Jungen werden von der Mutter in diesen Beutel gebracht; hier halten sie sich so lange auf, bis sie sich so weit entwickelt haben, daß sie selbst ihre Nahrung aufsuchen können.

Sie bilden den Uebergang von den Raubthieren zu den Nagethieren und bewohnen Neuholland und Amerika.

Uebersicht der Familien der Beutelthiere.

Mit Raubthiergebiß . . . . . I. Familie. Fleischfresser.

Mit Nagethiergebiß . . . . . II. Familie. Pflanzenfresser.

(§. 84.) Erste Familie. Fleischfresser.

Sie haben ein Raubthiergebiß und nähren sich von Säugethieren, Vögeln und Insekten. — Die **Aeneasratte** (*Didelphys dorsigera*) erreicht die Größe einer Ratte, ist graubraun gefärbt und hat am Bauche nur Hautfalten. Die unausgebildeten Jungen saugen sich an den Zitzen fest und hängen hier so lange, bis sie Haare bekommen; dann setzen sie sich auf den Rücken der Mutter und halten sich mit ihren Schwänzen fest, indem sie dieselben um

Fig. 125. Aeneasratte. (*Didélphys dorsígera.*) 20 Zm. lang.

den Schwanz der Alten schlingen. Sie lebt in Südamerika, klettert sehr geschickt und hält sich meist in der Krone der Bäume verborgen; sie nährt sich von jungen Vögeln und Eiern.

(§. 85.) Zweite Familie. Pflanzenfresser.

Ein Nagethiergebiß (Fig. 126) und eine Bauchtasche zeichnen die Pflanzenfresser aus, welche sich nur von Pflanzenstoffen nähren.

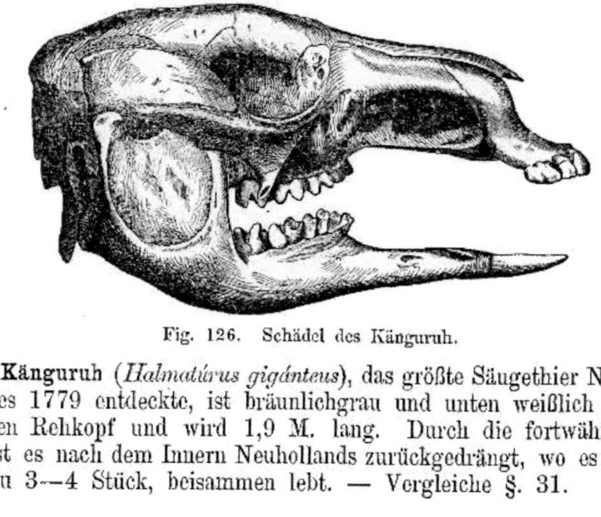

Fig. 126. Schädel des Känguruh.

Das **Känguruh** (*Halmatúrus gigánteus*), das größte Säugethier Neuhollands, als Cook es 1779 entdeckte, ist bräunlichgrau und unten weißlich gefärbt, es trägt einen Rehkopf und wird 1,9 M. lang. Durch die fortwährende Verfolgung ist es nach dem Innern Neuhollands zurückgedrängt, wo es in kleinen Trupps, zu 3—4 Stück, beisammen lebt. — Vergleiche §. 31.

(§. 86.) **VI. Ordnung. Nagethiere.** (Glires.)

Sie besitzen in jedem Kiefer zwei meißelartig geschärfte und gebogene Vorder- oder Nagezähne, welche nur an der Vorderseite mit Schmelz überzogen sind; dieselben bleiben immer scharf, weil beim Nagen der hintere Theil sich rascher abnutzt; sie wachsen fortwährend nach und erreichen, wenn sie nicht durch entsprechende Nahrung abgenutzt werden, eine bedeutende Länge. Die Eckzähne fehlen; ihre Zahnformel ist:

$$\frac{2-6 \,.\, 0 \,.\, 2 \,.\, 0 \,.\, 2-6}{2-6 \,.\, 0 \,.\, 2 \,.\, 0 \,.\, 2-6}.$$

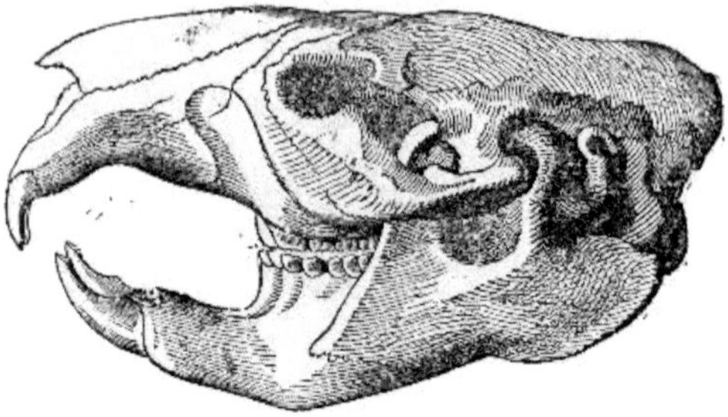

Fig. 127. Schädel des Bibers. (*Castor fiber.*)

Die Nagethiere sind kleine, friedliche, mehr schädliche als nützliche Thiere, welche über die ganze Erde verbreitet sind.

Uebersicht der Familien der Nagethiere.

A. Körper behaart; Beine gleich lang.

Mit freien Zehen.	Mit Krallen	Ohren und Schwanz dicht behaart; Augen groß .	I. Familie.	Eichhörnchen.
		Ohren und Schwanz fast nackt; Augen klein . .	II. Familie.	Mäuse.
	Mit hufartigen Zehen		III. Familie.	Halbhufer.
Mit Schwimmhäuten an den hinteren Zehen			IV. Familie.	Schwimmfüßer.
B. Körper behaart; Hinterbeine länger			V. Familie.	Hasen.
C. Körper mit Stacheln . . .			VI. Familie.	Stachelschweine.

(§. 87.) Erste Familie. Eichhörnchen.

Sie haben dicht behaarte Ohren, Pfoten und Schwanz und große Augen, leben auf Bäumen und nähren sich von Sämereien und Früchten. — Das **gemeine Eichhörnchen** (*Sciurus vulgaris*) — vergleiche §. 32 — hat ziemlich lange Ohren und unterscheidet sich hierdurch von den **Flugeichhörnchen** (*Pteromys*), welche kurze Ohren und außerdem zwischen den Gliedmaßen eine Flughaut besitzen; diese dient ihnen als Fallschirm und erleichtert das Springen.

(§. 88.) Zweite Familie. Mäuse.

Die Mäuse haben nackte, abgerundete Ohren, fast nackte Pfoten und Schwanz, an den Vorderfüßen vier und an den Hinterfüßen fünf Zehen.

Wühlmaus. (Hypudaeus.)

Die Wühlmäuse unterscheiden sich von den Mäusen durch die stumpfe Schnauze. — Die **Wasserratte** (*H. amphibius*) wird 17 Zm. lang, ist graubraun, fast schwarz gefärbt, hat Ohröffnungen, welche ganz durch einen Deckel verschlossen werden können und bewohnt Löcher an Gewässern; sie schwimmt

Fig. 128. Wasserratte. (*Hypudaeus amphibius.*) 17 Zm. lang.

Fig. 129. Feldmaus. (*Hypudaeus arvális.*) 10 Zm. lang.

sehr gut, frißt Fischrogen und benagt die Baumwurzeln. — Die **Feldmaus** (*H. arvális*), 10 Zm. lang und gelbgrau gefärbt, ist die schädlichste unter den Mäusen. Ein Pärchen kann sich in einem Sommer auf 23,000 Stück vermehren. Sie verwüstet oft die Erträge ganzer Landstriche.

Maus. (Mus.)

Die Mäuse besitzen eine zugespitzte Schnauze.

1. Die **Wanderratte** (*M. decumánus*), 18—21 Zm. lang, mit röthlichgrauem, unten grauweißem Felle, erhält durch die längeren, borstenartigen Haare, welche zwischen den kürzeren stehen, ein rauhes Ansehen; über jedem Auge befinden sich drei lange Borsten. Sie soll aus Asien durch Rußland und Polen 1770 nach Deutschland gekommen sein; sie ist die häufigste und schädlichste Art, welche junge Enten, Gänse, Kaninchen, Mäuse und alles Eßbare frißt und auch gut schwimmt.

2. Die **schwarzbraune Hausratte** (*M. rattus*) erreicht nicht ganz die Größe der Wanderratte und ist fast in ganz Deutschland durch die vorige vertrieben worden. Ueber jedem Auge befinden sich eine kurze und eine lange Borste.

3. Die **Hausmaus** (*M. músculus*), nur 9 Zm. lang, ist mäusegrau, unten heller gefärbt und trägt über jedem Auge nur eine feine Borste. — Vergleiche §. 6.

Fig. 130. Norwegischer Lemming. (*Lemmus norvegicus.*) 13 Zm. lang.

7*

Der **norwegische Lemming** (*Lemmus norvegicus*) wird 13 Zm. lang; er hat eine rostgelbe Farbe und ist mit großen, schwarzen Flecken versehen. Seine Heimat sind die Gebirge Norwegens und Schwedens, von welchen er in großen Zügen in die Thäler wandert, die Flüsse durchschwimmt und Felsen und Häuser, welche er nicht erklettern kann, umgeht. Hierbei wird jede Vegetation zerstört, so daß er zur wahren Landplage wird.

Der **Hamster** (*Cricétus frumentárius*), 26 Zm. lang, rothgelb und unten schwarz gefärbt, bewohnt Thüringen und das Marchfeld und zeichnet sich durch die Backentaschen aus, in welchen er Getreide in seinen Bau trägt; dasselbe dient ihm als Wintervorrath (8—10 Kilogramm), da er seinen Winterschlaf unterbricht. Er ist ein muthiges, bissiges Thier, das selbst den Menschen angreift. Außer dem Getreide bilden auch Mäuse, Insekten und Schlangen seine Nahrung.

Fig. 131. Hamster. (*Cricétus frumentárius.*) 26 Zm. lang.

(§. 89.) Dritte Familie. Halbhufer.

Ihre Nägel sind hufartig; sie nähren sich von Pflanzen und ihr wohlschmeckendes Fleisch wird gegessen. — Das **Meerschweinchen** (*Cávia cobaya*) grunzt wie ein Schwein und ist über das Meer aus Brasilien nach Europa gekommen; daher der Name. Es wird 21—24 Zm. lang und ist unregelmäßig weiß, schwarz und gelb gefleckt. Bei uns ist es ein munteres, possirliches, gutartiges Hausthier.

Fig. 132.
Meerschweinchen. (*Cávia cobaya.*)
21—24 Zm. lang.

(§. 90.) Vierte Familie. Schwimmfüßer.

Sie haben nur an den Hinterfüßen Schwimmhäute. (Fig. 134.) — Der **gemeine Biber** *Castor fiber*), gegen 1 M. lang, hat ein rothbraunes Fell und einen platten, nackten und schuppigen Schwanz; er bewohnt die gemäßigte und kalte Zone Europas, Asiens und Nordamerikas und nährt sich von Bäumblättern

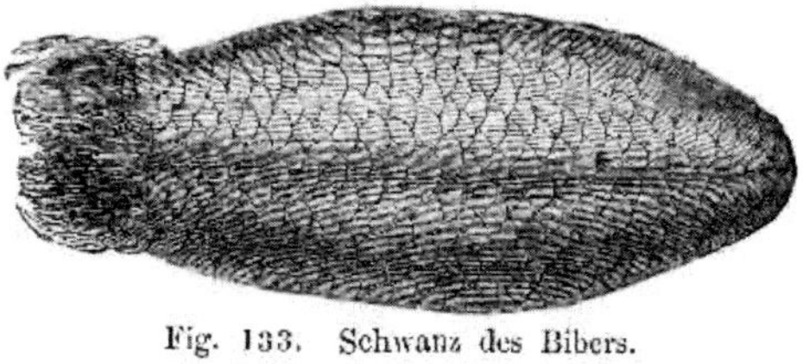

Fig. 133. Schwanz des Bibers.

und Rinden. Sein Fell ist als Pelzwerk sehr geschätzt; aus den Haaren werden die feinsten Kastorhüte gemacht. Zwei Drüsensäcke in der Nabelgegend liefern das theure Bibergeil, ein vorzüglich krampfstillendes Mittel. In größeren Gesellschaften führen die Biber backofenförmige Baue an Fluß-

Fig. 134. Hinterfuß des Bibers.

Fig. 135. Vorderfuß des Bibers.

Fig. 136. Gemeiner Biber. (*Castor fiber.*) Gegen 1 M. lang.

ufern auf; dieselben haben ein Stockwerk über dem Wasser und ein anderes nebst Eingang unter dem Wasser. Die Biber laufen schlecht, schwimmen und tauchen aber sehr gut. (Ist in Deutschland selten an der Elbe und Donau.)

(§. 91.) Fünfte Familie. Hasen.

Die Hinterbeine der Hasen sind zwei mal so lang als die vorderen. — Der **Hase** (*Lepus timidus*) schläft wegen der Kleinheit der Augenlider mit offenen Augen, sieht schlecht, aber hört und riecht sehr gut. Er ist das einzige Säugethier, bei welchem hinter den oberen Schneidezähnen noch zwei kleinere stiftartige Zähne stehen. Seine Ohren oder Löffel, welche länger sind als der Kopf, haben eine schwarze Endspitze. — Vergleiche §. 5.

Das **Kaninchen** (*L. cuniculus*) lebt wild in Spanien und Nordafrika, bei uns jedoch nur als Hausthier. Die wilden Kaninchen sind grau gefärbt; die zahmen Kaninchen verwildern sehr leicht und nehmen dann die graue Farbe an. Die einfarbigen Ohren sind kürzer als der Kopf.

Fig. 137. Kaninchen. (*Lepus cuniculus.*) 40—45 Zm. lang.

(§. 92.) Sechste Familie. Stachelschweine.

Fig. 138. Stachelschwein. (*Hystrix cristáta.*) 60 Zm. lang.

Sie unterscheiden sich von allen anderen Nagethieren durch ihr Stachelkleid. — Das **gemeine Stachelschwein** (*Hystryx cristáta*), ein Bewohner Afrikas und Südeuropas, erreicht eine Länge von 60 Zm.; seine Halsstacheln stehen mähnenartig; alle sind schwarz und weiß geringelt. Die 20—25 Zm. langen Stacheln dienen zu Malerpinseln, Zahnstochern und Federhaltern.

(§. 93.) **VII. Ordnung. Zahnlücker.** (Edentata.)

Diesen Thieren fehlen Vorder-, Eck- und auch zuweilen die Backenzähne; daher der Name. Die Zähne haben keinen Schmelz und keine Wurzel, d. h. sie sind an beiden Enden gleich gebildet. Es sind stumpfsinnige, langsame, von Insekten und Pflanzen lebende Thiere der Tropengegenden. Sie und die Affen bilden den zoologischen Charakter Brasiliens.

Uebersicht der Familien der Zahnlücker.

Mit kurzer Schnauze			I. Familie. Faulthiere.
Mit langer Schnauze.	Schnauze nicht schnabelartig.	Körper mit Gürteln	II. Familie. Gürtelthiere.
		Körper mit Schuppen oder Haaren	III. Familie. Wurmzüngler.
	Schnauze schnabelartig		IV. Familie. Schnabelthiere.

(§. 94.) Erste Familie. Faulthiere.

Das Gebiß der Faulthiere (*Brádypus*) hat folgende Formel: $\frac{4 . 1 . 0 . 1 . 4}{3 . 1 . 0 . 1 . 3}$. — Das **gemeine oder dreizehige Faulthier oder Ai** (*B. tridáctylus*) und das **zweizehige Faulthier oder Unau** (*B. didáctylus*) bewohnen

Südamerika. Ersteres wird 1 M. lang, ist hellgrau gefärbt, hat einen Schwanz und an allen Füßen drei Zehen und sehr lange Vorderbeine, so daß sein Gang ein sehr langsamer ist. Das zweizehige Faulthier ist etwas kleiner, hat keinen Schwanz und zwei Zehen an den Vorderbeinen, welche ein wenig länger sind als die hinteren. — Beide nähren sich von Baumblättern und kommen selten auf die Erde; ihr Fleisch wird gegessen.

(§. 95.) Zweite Familie. Gürtelthiere.

Fig. 139.
Langschwänziges Gürtelthier. (*Dásypus novemcinctus.*) 30 Zm. lang.

Ihnen fehlen die Vorder- und Eckzähne. — Das **langschwänzige Gürtelthier** (*Dásypus novemcinctus*) wird 30 Zm. lang; es trägt einen Knochenpanzer, welcher aus Schulter- und Kreuzschild besteht; zwischen diesen befinden sich sieben bis zehn (meist neun) bewegliche Gürtel. Es bewohnt Guiana und Mexiko; sein Fleisch wird gern gegessen.

(§. 96.) Dritte Familie. Wurmzüngler.

Ihnen fehlen die Zähne. — Der **große Ameisenbär** (*Myrmecóphaga jubáta*) bewohnt die Urwälder Paraguays; sein langhaariger, graubrauner Körper und sein langhaariger Schwanz werden über 1 M. lang. Der Kopf ist lang und walzig und läuft in eine dünne Schnauze aus; die sehr lange Zunge ist mit spitzigen Schuppen besetzt. Er lebt von Termiten und Ameisen, deren

Fig. 140. Großer Ameisenbär. (*Myrmecóphaga jubáta.*) Ueber 1 M. lang.

Haufen er mit seinen starken Vorderbeinen zerstört, um die lange Zunge hineinzustecken, welche er, sobald die Thiere sich festgebissen haben, wieder zurückzieht. Er wird wegen seines schmackhaften Fleisches und Fettes gejagt und fällt häufig dem Jaguar und Cuguar zur Beute.

(§. 97.) Vierte Familie. Schnabel- oder Kloakenthiere.

Sie besitzen schnabelartig verlängerte Kiefern, welche mit einer lederartigen Haut überzogen sind, und wie die Vögel eine gemeinschaftliche Kloake für After- und Harnorgane. Ihnen fehlen fleischige Lippen und das äußere Ohr.

Das **Schnabelthier** (*Ornithorhynchus paradóxus*) bewohnt Neuholland. Es ist schwarzbraun oder röthlich gefärbt, wird gegen 50 Zm. lang und be-

Fig. 141. Schnabelthier. (*Ornithorhynchus paradóxus.*) 50 Zm. lang.

sitzt Schwimmhäute zwischen den Zehen und eine breite, platte Schnauze, welche vorn die Nasenlöcher trägt und einem Entenschnabel ähnlich ist. Die Männchen haben an den Hinterfüßen einen beweglichen, durchbohrten Sporn, der an seiner Wurzel mit einer nicht gifthaltigen Drüse versehen ist. Es ist ein furchtsames Thier, welches im Wasser und auf dem Lande lebt und wie ein Maulwurf wühlt; seine Nahrung besteht aus Weichthieren und Insekten.

B. Hufsäugethiere.

(§. 98.) **VIII. Ordnung. Vielhufer.** (Multungula.)

Ihre drei bis fünf Zehen werden von Hufen eingeschlossen; wegen ihrer dicken, meist sehr dürftig mit Haaren oder Borsten besetzten Haut heißen sie auch Dickhäuter. Das Gebiß ist sehr verschieden; die Backenzähne sind besonders groß und haben eine breite Kaufläche. Die Dickhäuter sind die Riesen unter den Landsäugethieren, welche vorzüglich in den Tropen leben und sich von Pflanzen nähren.

Uebersicht der Familien der Vielhufer.

Haut mit Haaren oder nackt.	Mit Stoßzähnen, sehr langem Rüssel und fünf oder vier Zehen	I. Familie.	Rüsselthiere.
	Ohne Stoßzähne, mit kurzem Rüssel und drei bis vier Zehen	II. Familie.	Eigentliche Dickhäuter.
Haut mit Borsten besetzt; mit kurzem Rüssel und vier Zehen		III. Familie.	Schweine.

(§. 99.) Erste Familie. Rüsselthiere.

Den **Elephanten** (*Elephas indicus* und *africanus*) fehlen die Eckzähne und die unteren Vorderzähne; die beiden Vorderzähne im Oberkiefer sind zu 1—2 M. langen und 80—90 Kilogramm schweren Stoßzähnen umgebildet, welche aus in einander steckenden konischen Schichten (Elfenbein) bestehen. Die Backenzähne, jederseits einer bis drei, sind aus Schmelzplatten gebildet. Ihre zu einem verlängerten Rüssel umgebildete Nase dient zum Tasten, Greifen und Riechen.

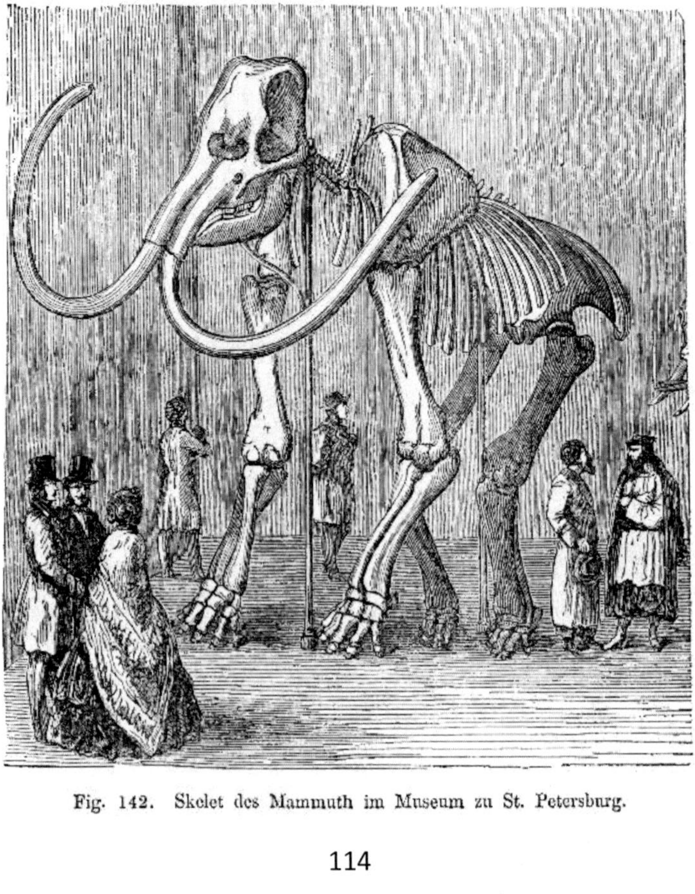

Fig. 142. Skelet des Mammuth im Museum zu St. Petersburg.

Die Elephanten sind die größten Landsäugethiere, welche gesellig (50—200 Stück) in feuchten Wäldern Afrikas und Indiens leben und sich von Mais, Reis und Baumblättern nähren. Sie sind plump, friedfertig, sanft, leicht zähmbar und sehr gelehrig, doch nicht klüger als der Hund. Sie werden zum Lasttragen, zum Reiten, zur Tigerjagd, zur Bearbeitung der Reisfelder und wurden auch früher im Kriege benutzt. Ihre Stoßzähne liefern das Elfenbein und ihre Haut starkes Leder. — Vergleiche §. 33.

Das **Mammuth** (*E. primigenius*), ein fossiler Elephant, unterscheidet sich von den vorigen durch den größeren und lang behaarten Körper und die großen, gebogenen, 3—5 M. langen Stoßzähne. Seine Knochen finden sich fast auf der ganzen Erde, besonders in Sibirien, so daß das fossile Elfenbein ungefähr den dritten Theil des im Handel vorkommenden Elfenbeins ausmacht. Am Ausflusse der Lena fand man 1806 ein eingefrornes Mammuth mit Fleisch und langen Haaren; sein Skelet steht im Museum zu Petersburg. (Fig. 142.)

(§. 100.) Zweite Familie. Eigentliche Dickhäuter.

Der **amerikanische Tapir** (*Tápirus americanus*) erreicht die Größe eines Esels, ist braun gefärbt, trägt eine starke Nackenmähne und hat vorn vier und hinten 3 Zehen; er nährt sich von Palmblättern. In Südamerika wird er als Hausthier gehalten; sein Fleisch ist sehr schmackhaft. — Der noch etwas größere **indische Tapir** (*T. indicus*) bewohnt die Wälder Sumatras und Malacas.

Fig. 143. Amerikanischer Tapir. (*Tápirus americanus.*) 2 M. lang.

Das **indische Nashorn** (*Rhinóceros indicus*), fast 4 M. lang, mit drei Zehen und einem Horne auf der Nase, bewohnt die feuchten Wälder Indiens, wo es sich von Baumblättern nährt. Das Horn dient zu Trinkgefäßen, die dicke Haut zu Schildern und Spazierstöcken; sein Fleisch wird gegessen.

Fig. 144. Indisches Nashorn. (*Rhinóceros indicus.*) 3—4 M. lang.

Fig. 145. Wildschwein. (*Sus scrofa.*) 2 M. lang.

Das **Fluß- oder Nilpferd** (*Hippopótamus amphibius*), gegen 4 M. lang, mit vier Zehen, dicker, haarloser Haut und plumpen Beinen, findet sich im oberen Nil und anderen Flüssen Afrikas. Es nährt sich von Gras, schwimmt und taucht sehr gut. Die großen Eckzähne liefern Elfenbein, das Fleisch wird gegessen und aus der Haut schneidet man Peitschenstöcke.

(§. 101.) Dritte Familie. Schweine.

Die Schweine haben vier Zehen, von welchen die beiden Seiten- oder Afterzehen höher stehen, weshalb sie nur mit den beiden Mittelzehen auftreten; ihre Zahnformel ist: $\frac{7 \,.\, 1 \,.\, 6 \,.\, 1 \,.\, 7}{7 \,.\, 1 \,.\, 6 \,.\, 1 \,.\, 7}$. Die Eckzähne oder Hauer sind dreikantig, hakig gekrümmt und hervorragend und die oberen sind nach oben gerichtet. — Die Schweine sind Allesfresser.

Das **Wildschwein** (*Sus scrofa*) wird gegen 2 M. lang und 1 M. hoch; es ist schwarzbraun gefärbt und mehr oder weniger mit Gelb oder Weiß gemischt; es bewohnt die dichten Wälder Mitteleuropas, wo es durch Wühlen oft großen Schaden anrichtet. Das männliche Thier heißt Eber, das weibliche Bache oder Sau und die Jungen Frischlinge.

Von dem Wildschweine und dem indischen Schweine (*Sus indicus*) stammen die zahlreichen Rassen des Hausschweines (*Sus domesticus*) ab, welches durch Fleisch, Fett und Borsten sehr nützlich wird, leider aber als Träger der Finnen und Trichinen Krankheit und Tod unter den Menschen verbreitet. — Vergleiche §. 258.

(§. 102.) IX. Ordnung. Einhufer. (Solidungula.)

An ihren Füßen findet sich nur die Mittelzehe entwickelt, welche von einem Hufe umgeben ist; die beiden unentwickelten Seitenzehen oder Kastanien liegen unter der Haut. Nur die Männchen haben kleine Eckzähne; ihre Zahnformel ist: $\frac{6 \,.\, 1 \,.\, 6 \,.\, 1 \,.\, 6}{6 \,.\, 1 \,.\, 6 \,.\, 1 \,.\, 6}$. (Fig. 146.) Sie leben heerdenweise und nähren sich nur von Pflanzen. Schnelligkeit und Ausdauer im Lauf zeichnen sie besonders aus. Zu dieser Ordnung gehört nur die Gattung:

Pferd. (Equus.)

1. Das **Pferd oder Roß** (*E. cabállus*) unterscheidet sich von den übrigen Gattungsverwandten durch den lang behaarten Schwanz (Schweif), durch die edleren Formen seines Körperbaues und vom Esel durch die Ohren, welche nicht die halbe Kopflänge erreichen. Es findet sich nirgends mehr wild; verwilderte Pferde leben in Osteuropa und Südamerika. Von den zahlreichen Pferderassen liefert die arabische und englische die schönsten Pferde. — Vergleiche §. 7.

2. Der **Esel** (*E. ásinus*) hat Ohren von halber Kopflänge; er findet sich nur noch in den Wüsten Mittelasiens wild. — Maulesel sind Mischlinge von einem Pferdehengst und einer Eselin, Maulthiere von einer Pferdestute und einem Esel. — Vergleiche §. 34.

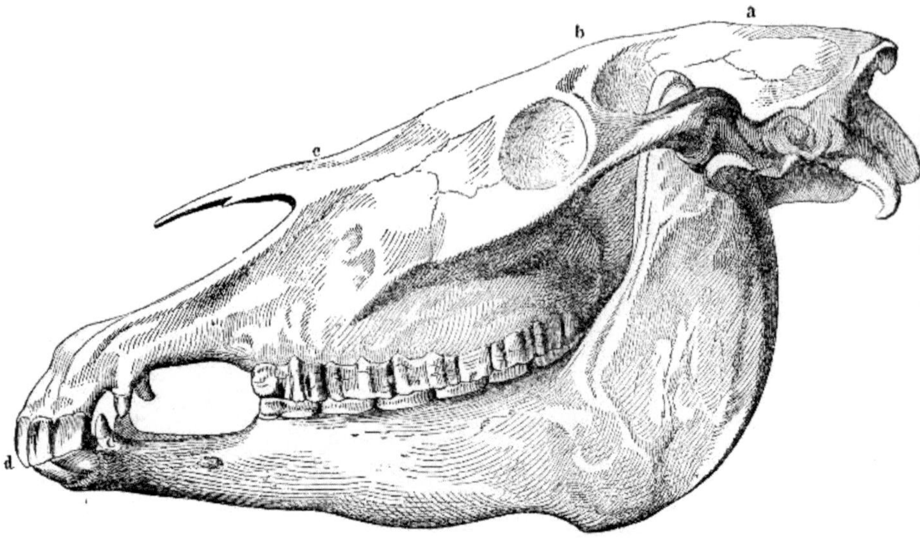

Fig. 146. Schädel des Pferdes.
a. Scheitelbein; *b.* Stirnbein; *c.* Nasenbein; *d.* Vorderzähne; *e.* Eckzähne.

3. Das **Zebra** (*E. zebra*), etwas größer als der Esel, ist weißgelb gefärbt und schwarzbraun gestreift.

4. Das **Quagga** (*E. quagga*) ist etwas kleiner als das Zebra, kastanienbraun gefärbt und nur vorn mit dunkelbraunen Querstreifen versehen. Zebra und Quagga bewohnen heerdenweis Südafrika; sie sind unzähmbar.

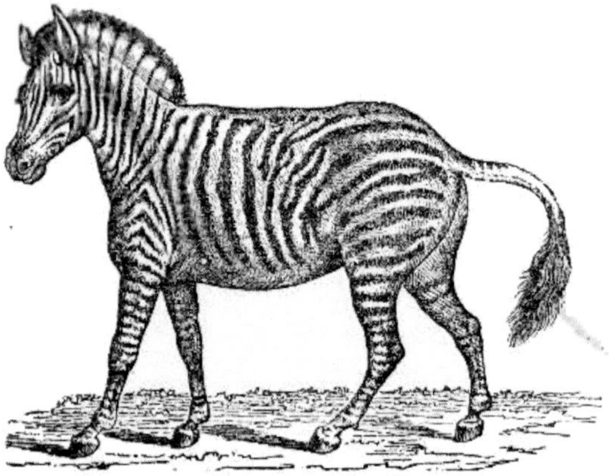

Fig. 147. Zebra. (*Equus zebra.*) 2 M. lang.

(§. 103.) **X. Ordnung. Zweihufer, Spalthufer oder Wiederkäuer.** (Ruminantia.)

An jedem Fuße befinden sich vorn zwei Zehen, welche von Hufen umkleidet sind, und hinter denselben zwei nicht auftretende Afterzehen. Zum Wiederkäuen ihrer Pflanzennahrung dient der aus vier Abtheilungen zusammengesetzte Magen. (Fig. 148.) Das grobgekaute Futter wird vom Pansen (*d*) aufgenommen, gelangt, in kleinere Portionen getheilt

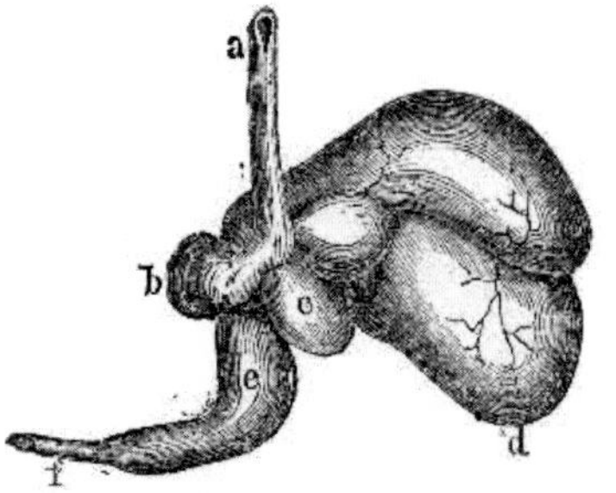

Fig. 148. Magen eines Wiederkäuers. *a.* Speiseröhre; *b.* Blättermagen; *c.* Netzmagen; *d.* Pansen; *e.* Fettmagen; *f.* Darm.

aus diesem in den Netzmagen (*c*), wird hier gehörig erweicht und wieder ins Maul getrieben. Nach nochmaligem Zerkauen geht das Futter in den mit blättrigen Falten versehenen Blättermagen (*b*), aus welchem es in den Fett- oder eigentlichen Magen (*e*) geführt wird.

Ihre Zahnformel ist:

$$\frac{6 \text{ oder } 6 \,.\, 0 \text{ oder } 1 \,.\, 0 \text{ oder } 2 \,.\, 0 \text{ oder } 1 \,.\, 6 \text{ oder } 6.}{6 \text{ oder } 5 \,.\, 0 \text{ oder } 1 \,.\, 8 \text{ oder } 6 \,.\, 0 \text{ oder } 1 \,.\, 6 \text{ oder } 5.}$$

Es sind friedliche, flüchtige Thiere, meist in Heerden lebend und sich von Pflanzen nährend. Die Stirnbeine tragen meist knöcherne Zapfen. Die Hörner sind hohl und nie verzweigt. — Die Geweihe sind nie hohl und stets verzweigt und werden jährlich abgeworfen; in der ersten Zeit sind sie von einer weichen, mit Pelz besetzten Masse überzogen.

Uebersicht der Familien der Wiederkäuer.

Ohne Stirnzapfen			I. Familie.	Kameele.
Mit Stirnzapfen.	Rücken abschüssig		II. Familie.	Abschüssige Wiederkäuer.
	Rücken nicht abschüssig.	Mit Geweihen	III. Familie.	Hirsche.
		Mit Hörnern	IV. Familie.	Hornthiere.

(§. 104.) Erste Familie. Kameele.

Ihre Hufen sind klein und ihre Oberlippe ist tief gespalten; Afterzehen und Stirnzapfen fehlen. — Das **Kameel oder Trampelthier**, — mit zwei Fetthöckern, — und **Dromedar**, — mit einem Fetthöcker, — (*Camélus bactriánus* und *dromedárius*) sind über 3 M. lange, geduldige, genügsame, häßliche Thiere, welche in den Steppen Asiens und Afrikas als Hausthiere schon seit den ältesten Zeiten gehalten werden. Die beiden Zehen sind durch eine schwielige Sohle verbunden. Durch einen ausgebildeten Speichelapparat sind sie im Stande, das Wasser 3—8 Tage ohne Beschwerde zu entbehren. Einen besonderen Wassermagen besitzen sie nicht. Sie dienen zum Lasttragen und Reiten; ihr Fleisch wird gegessen, ihre Milch getrunken, die Haut liefert Leder und die groben Haare Stoff zu Zeugen und der Mist Feuerungsmaterial. — Vergleiche §. 35.

Das **Lama** (*Auchénia Lama*) hat Zehen, welche durch keine Sohle verbunden sind; ihm fehlt der Fetthöcker. Es erreicht die Größe eines Hirsches, ist braun gefärbt und war schon vor der Eroberung Perus 1531 das einzige Lastthier in Gebirgsgegenden; (Peru und Chile; Tragkraft 50 bis 60 Kilogramm). Das Fleisch wird gegessen, die wohlschmeckende Milch getrunken, die Wolle wird zu Tüchern, die Haut zu Leder verarbeitet und der Mist dient als Feuerungsmaterial.

Fig. 149. Lama. *(Auchénia Lama.)* 1,50 M. lang.

Das **Alpaca** (*A. Alpaco*) und **Vigognethier** (*A. vicunna*) leben auf den höchsten Anden; ihre Wolle wird verarbeitet; nur ersteres wird in Heerden gehalten, letzteres auf Treibjagden gefangen.

(§. 105.) Zweite Familie. Abschüssige Wiederkäuer.

Sie besitzen zwei kurze mit Haut überzogene Stirnzapfen, kürzere Hinterbeine, einen abschüssigen Rücken und einen sehr langen Hals. Die **Giraffe** (*Camelopárdalis Giraffa*) bewohnt Mittel- und Südafrika; sie ist gelblichweiß gefärbt, mit braunen eckigen Flecken und das höchste Säugethier, denn sie wird fast 6 M. hoch. Die Giraffe kann nicht traben, sondern nur galloppiren, läßt sich leicht zähmen, nährt sich von Blättern der *Acacia Giraffae* und liefert schmackhaftes Fleisch und sehr geschätztes Fell. — (Siehe Seite 112.)

(§. 106.) Dritte Familie. Hirsche.

Die Hirsche sind scheue, furchtsame, in Wäldern lebende Thiere, von welchen die Männchen, — das Moschusthier ausgenommen, — stets Geweihe tragen, dieselben fehlen zuweilen den Weibchen.

Hirsch. (Cervus.)

a. Mit rundem Geweihe.

1. Das **Reh** (*C. capréolus*), mit dreisprossigem, fast aufrechtem Geweihe und fast schwanzlosem Körper, bildet nebst den übrigen Hirschen den Hauptgegenstand der hohen Jagd. — Vergleiche §. 36.

Fig. 150. Giraffe. (*Camelopárdalis Giraffa.*) 6 M. hoch.

2. Der **Edel- oder Rothhirsch** (*C. élaphus*), mit vielsprossigem, zurückgebogenem Geweihe, hat einen Schwanz, welcher die halbe Ohrlänge erreicht. — Vergleiche §. 36.

b. Mit plattem oder schaufelförmigem Geweihe.

3. Der **Dammhirsch** (*C. dama*), 1 M. lang und 0,80 M. hoch ist rothbraun gefärbt und weiß gefleckt. Die Geweihe besitzen nur an der Spitze Schaufeln. Er findet sich in Südeuropa, bei uns jedoch nur in Thiergärten.

4. Das **Renthier** (*C. tarándus*) erreicht die Größe eines Esels, hat im Sommer eine braungraue, im Winter eine weiße Farbe; sein Hals wird durch eine Mähne geziert.

Für die im hohen Norden wohnenden Völker ist das Renthier das unentbehrlichste Hausthier; es ist ihr einziger Reichthum. Es liefert ihnen

Milch, Fleisch, festes Leder, Pelzwerk, Zwirn (aus den Sehnen), Stricke (aus den Därmen) und Löffel (aus den Knochen); auch dient es als Zugthier und ersetzt Pferd, Rind und Schaf. Die Renthiere fressen allerlei Pflanzen, selbst Fliegenpilze; im Winter leben sie aber nur von dem Renthiermoose.

Fig. 151. Renthier. (*Cervus tarándus.*) 2 M. lang.

Fig. 152. Elen oder Elch (*Cervus alces*), von Wölfen angegriffen. 2,6 M. lang und 2 M. hoch.

5. Das **Elen oder Elch** (*C. alces*), gegen 2,6 M. lang und fast 2 M. hoch, mit pferdeähnlicher Schnauze, findet sich wild in Europa nur am kurischen Haff (Provinz Preußen), in Norwegen und in Lithauen, außerdem in den nordischen Wäldern Asiens und Amerikas. Der Körper ist rothbraun, die Beine weißlich aschgrau und die Mähne schwarzbraun gefärbt. Es richtet in den Wäldern, da es sich nur von Baumblättern und Rinden nährt, großen Schaden an.

Das **Moschusthier** (*Moschus moschiferus*) erreicht Rehgröße und bewohnt die Gebirge Nordasiens; es liefert den kostbaren, zu Parfümerien und Arzneien gesuchten Moschus.

(§. 107.) Vierte Familie. Hornthiere.

Sie haben kegelförmige Stirnzapfen, welche von einem Horne scheidenartig umgeben werden.

Antilope. (Antilope.)

Ihr Körper ist schlank, ruht auf hohen, dünnen Beinen und hat mit den übrigen Hornthieren Aehnlichkeit; es giebt Hirsch-, Kuh- und Büffel-Antilopen. Sie leben in Rudeln oder Heerden (bis zu 10,000 Stück) in Afrika und Asien und gewähren durch wohlschmeckendes Fleisch, Hörner und feste Haut vielfachen Nutzen.

Fig. 153. Gazelle. (*Antilope dorcas.*) Ueber 1 M. lang.

1. Die **Gazelle** (*A. dorcas*) ist hellbraun gefärbt, erreicht Rehgröße und hat einen ungemein zierlichen Körper und klare Augen, so daß sie als Sinnbild der Schönheit gilt; sie ist die gewöhnlichste Beute der Panther und Löwen.

2. Die **Gemse** (*A. rupicapra*) erreicht die Größe einer Ziege und bewohnt in kleinen Heerden die Alpen Europas; sie hat ein dunkelbraunes Fell, einen weißlichen Kopf und trägt rückwärts gekrümmte Hörner. Die von Alters her beliebt gewesene Gemsenjagd ist, da sich die immer seltener werdenden Thiere nach schwer zugänglichen Stellen flüchten, gefährlich; das Fleisch der Gemse ist wohlschmeckend und ihre Haut giebt schönes Leder.

3. Das **Gnu** (*A. gnu*) ist braun gefärbt und erreicht die Größe eines kleinen Pferdes, mit dem es Mähne und Schweif gemein hat.

Fig. 154. Gemse. (*Antilope rupicapra.*) 1,5 M. lang.

Rind, Ochs oder Stier. (Bos.)

Die männlichen und weiblichen Thiere haben an der Spitze drehrunde Hörner und einen dünn behaarten Schwanz mit büscheliger Spitze.

1. Das **gemeine Rind** (*B. taurus*), mit kurz behaartem Körper, flacher Stirn und nackter Schnauze, trägt nach außen gerichtete Hörner; es scheint von ausgestorbenen Arten (*B. primigenius etc.*) abzustammen. Vergleiche §. 8.

2. Der **Büffel** (*B. bubalus*) ist etwas größer als das Rind und hat eine gewölbte, kraushaarige Stirn. Er lebt wild in Ostindien und wird in Ungarn und in Italien als Hausthier gehalten, läßt sich aber nur durch einen Nasenring bändigen. Milch und Leder sind brauchbar; sein Fleisch ist schlecht.

3. Der **amerikanische Büffel** (*B. americanus*) hat kurze, weit auseinander stehende Hörner, einen langzottigen Vorderleib und einen Höcker. Er wird in Nordamerika der Häute und Hörner wegen sehr stark verfolgt, so daß sich die Heerden, welche früher 10—20,000 Stück zählten, schon sehr gelichtet haben. Er ist etwas kleiner, als der folgende.

4. Der **Auerochs oder Bison** (*B. urus*) ist das größte Landsäugethier Europas, denn er erreicht eine Länge von 3 und eine Höhe von 2 M.; er bewohnte vor 2000 Jahren ganz Mittel-Europa und lebt jetzt nur noch im Walde von Bialowicza in Lithauen (700 Stück) unter dem Schutze der russischen Regierung. Er kennzeichnet sich durch die gewölbte, mehr

8*

Fig. 155. Bison. (*Bos americanus.*) 3 M. lang.

breitere als lange Stirn, durch den Bart am Kinn und durch den Hals, welchem die Wamme fehlt; das dunkle Haar verlängert sich am Kopfe und Halse, kräuselt sich auf der Stirn; letztere duftet nach Veilchen und Moschus.

Schaf. (Ovis.)

Die Schafe haben zusammengedrückte, quergerunzelte und schraubenförmig gewundene Hörner, welche meist den weiblichen Thieren fehlen. — Das **Hauschaf** (*O. áries*) unterscheidet sich von den wilden Schafen durch den dichten Wollpelz und den längeren, hängenden Schwanz; es stammt entweder vom sardinischen Muflon oder sibirischen Argali ab. Als Hausthier ist es über die ganze Erde verbreitet und wurde als solches schon in den frühesten Zeiten (Abel) gehalten. Abarten sind: 1. **Merinoschaf** mit der besten Wolle; von Spanien aus verbreitet; 2. **Haidschnucke** mit grober Wolle; (Lüneburger Haide); 3. **Zackelschaf** (Griechenland und Oesterreich-Ungarn); 4. **Fettschwänziges Schaf**, von Eselsgröße (Mittelasien).

Fig. 156. Merinoschaf. (*Ovis áries.*) 1 M. lang.

Ziege. (Capra.)

Die Ziegen (Männchen und Weibchen) tragen sichelförmig nach hinten gebogene, quergerunzelte Hörner; die Männchen sind meist mit einem Kinnbarte versehen.

Fig. 157. Hausziege. (*Capra hircus.*)

1. Die **Hausziege** (*C. hircus*) besitzt vorn gekielte, glatte Hörner und findet sich in vielen Abarten auf der ganzen Erde, — die kalte Zone ausgenommen, — besonders in Gebirgsgegenden; sie stammt wahrscheinlich von der **Bezoarziege** (*C. Aegagrus*) ab, welche im Kaukasus und Persien lebt. Die Wolle der **Kaschmir- oder Tibetziege** liefert die langen Haare zu den kostbaren Kaschmirshawls; sie wird schon in Südeuropa gezogen. Das gekräuselte Haar der **Angora- oder Kämelziege** wird zu Kamelots gebraucht.

2. Der **Steinbock** (*C. ibex*) hat vorn knotige Hörner; er wohnt nur noch auf den unzugänglichsten Felsen des Montblanc und Montrosa, wird größer als eine Ziege und ist graugelb, unten weißlich gefärbt. Seine starken Hörner sind knotig. — Daß der Steinbock und die Gemse den Jäger absichtlich in den Abgrund zu stürzen suchen, und daß der Steinbock sich auf seine Hörner stürze, ist irrig.

C. Flossensäugethiere.

(§. 108.) XI. Ordnung. Ruderfüßer oder Robben. (Pinnipedia.)

Die Zehen der vier Gliedmaßen der Ruderfüßer sind durch Schwimmhäute verbunden; ihre Hinterfüße liegen wagerecht nach hinten gerichtet und

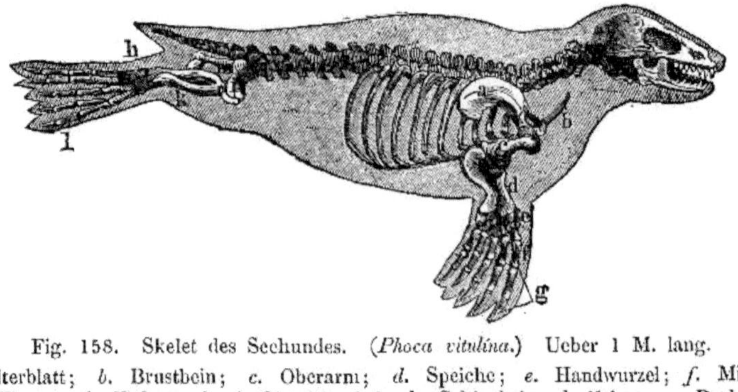

Fig. 158. Skelet des Seehundes. (*Phoca vitulina.*) Ueber 1 M. lang.

a. Schulterblatt; *b.* Brustbein; *c.* Oberarm; *d.* Speiche; *e.* Handwurzel; *f.* Mittelhand; *g.* Finger; *h.* Fußwurzel; *i.* Oberschenkel; *k.* Schienbein; *l.* Zehen; *m.* Becken.

sehr genähert; zwischen ihnen befindet sich der kurze Schwanz; ihr langgestreckter Körper ist mit kurzen Haaren bekleidet, und ihr Kopf zeigt Schnurrborsten. Sie besitzen alle drei Arten von Zähnen; ihr Gebiß nähert sich dem der Raubthiere. — (Fig. 158.) — Es sind Meerthiere, die sehr geschickt schwimmen, aber nur sehr schwerfällig kriechen und nur auf das Land oder Eis steigen, um sich zu sonnen, auszuruhen oder ihre Jungen zu säugen; sie nähren sich von Fischen und Tangen. Sie leben paarweise oder gesellig und werden ihres Thranes, Felles, Speckes und Fleisches wegen harpunirt, geschossen oder erschlagen.

Ueber die Familien der Ruderfüßer.

Oberkiefer mit zwei starken, abwärts gerichteten, weit hervorstehenden Eckzähnen . . . . . I. Familie. Walrosse.

Eckzähne nicht hervorragend . . . . II. Familie. Seehunde.

(§. 109.) Erste Familie. Walrosse.

Das **Walroß** (*Tríchechus rosmárus*), gegen 6 M. lang und gelbbraun gefärbt, bewohnt das nördliche Eismeer. Die 0,70 M. langen Eckzähne dienen dem Thiere zum Fortziehen auf dem Lande; dieselben werden wie Elfenbein benutzt. — Vergleiche §. 37.

(§. 110.) Zweite Familie. Seehunde.

Der **gemeine Seehund** (*Phoca vitulína*) ist gelbgrau gefärbt und mit schwärzlichen Flecken versehen. Er wird 1 M. und darüber lang; er bewohnt die europäischen Meere, die nördlichen Meere beider Erdhälften und geht gelegentlich auch in die Flußmündungen. (Ein Seehund wurde vor einigen Jahren in Königsberg im Pregel gefangen.) — Der **grönländische Seehund** (*P. groenlándica*) ist gelbgrau gefärbt und trägt am Kopfe und zu beiden Seiten große schwarze Flecken. Er wird 2 M. lang und bewohnt das nördliche Eismeer. Den Grönländern und Eskimos liefert er alle Lebensbedürfnisse: Speck, Thran, Fleisch, Felle zu Decken, Kleidern und Zelten, Därme zu Segeln und Fenstern und Knochen zu allerlei Werkzeugen.

(§. 111.) XII. Ordnung. Wale oder Fischsäugethiere. (Cetacea.)

Die Wale haben einen fischartigen Körper und kein äußeres Ohr; die Hintergliedmaßen fehlen, und statt der Vordergliedmaßen besitzen sie Armflossen. Der horizontal liegende Schwanz dient zum Schwimmen. Die Augen sind klein und die enge Ohröffnung und die Nasenlöcher sind verschließbar. Sie bewohnen nur das Wasser und müssen, da sie durch Lungen athmen, von Zeit zu Zeit an die Oberfläche kommen, um Luft zu schöpfen.

Die Wale sind die größten aller Thiere; sie nähren sich dessenungeachtet nur von kleinen Fischen, Krebsen und Tangen.

Uebersicht der Familien der Wale.

Mit Zähnen.	Ohne Spritzloch	I. Familie.	Seekühe.
	Mit Spritzloch	II. Familie.	Delphine.
Mit Fischbeinbarten, d. h. mit Hornplatten .		III. Familie.	Wale.

(§. 112.) Erste Familie. Seekühe.

Die **Seekuh oder das Meerweibchen** (*Manatus australis*) wird gegen 7 M. lang und bewohnt gesellig die Tropengegenden des atlantischen Oceans; (Orinoko- und Amazonenstrommündungen). Der Körper ist mit einzelnen Haaren besetzt und die Schwanzflosse oval abgerundet. — Sie nährt sich nur von Meerpflanzen; ihr Fleisch wird gegessen.

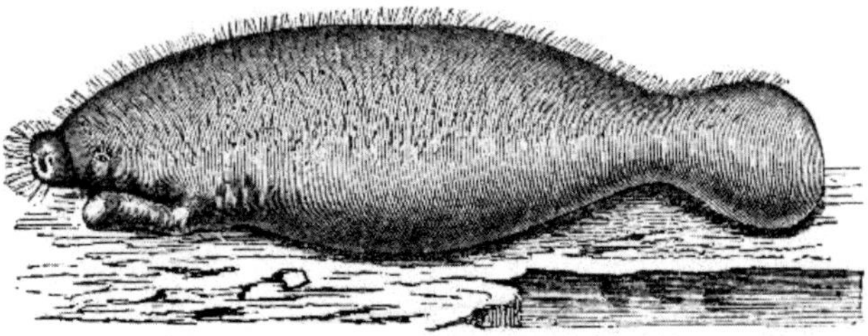

Fig. 159. Seekuh. (*Manatus australis.*) 7 M. lang.

(§. 113.) Zweite Familie. Delphine.

Der **gemeine Delphin** (*Delphinus delphis*) und die übrigen Delphine, sind kühne, nur von Thieren lebende Räuber der nördlichen Meere. Er wird 2,5 M. lang, hat verlängerte Kiefern mit zahlreichen, spitzen Zähnen, folgt in großen Zügen den Schiffen und scheint die Musik zu lieben.

Fig. 160. Gemeiner Delphin. (*Delphinus delphus.*) 2,5 M. lang.

Der **Pottfisch oder Cachelot** (*Physéter macrocéphalus*), der Schrecken aller Meerthiere, erreicht eine Länge von 25 und einen Umfang von 12 M. Der vierseitige Kopf, $^1/_3$ der Rumpflänge einnehmend, enthält in den großen Schädelzellen eine ölige, an der Luft gerinnende Flüssigkeit, den Walrath (50 Centner), welcher zu Kerzen, Seifen und Pomaden Verwendung findet. Im Darmkanal findet man den grauen Amber, einen wohlriechenden, zu Arzneien und Parfümerien verwendbaren Stoff.

(§. 114.) Dritte Familie. Wale.

Die Wale besitzen statt der Zähne im Oberkiefer 300—1000, hinter einander stehende, 3—5 M. lange, elastische Fischbeinplatten oder Barten, welche unten verschmälert und nach der Innenseite gefranzt sind; sie dienen

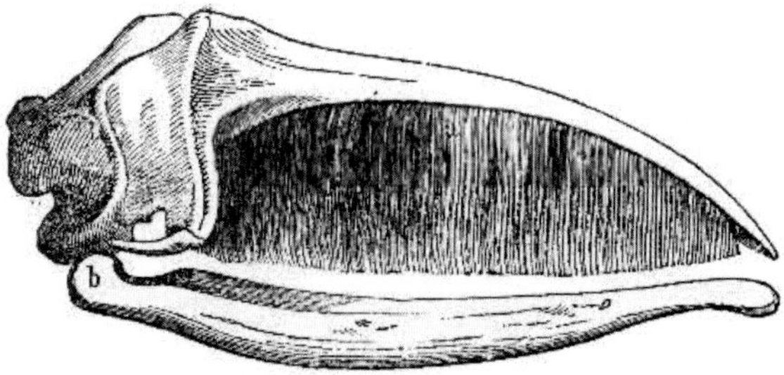

Fig. 161. Schädel des Walfisches. (*Balaena mysticetus.*)

ihnen als Reuse, in welcher die mit dem Wasser aufgenommenen Thiere hängen bleiben. Jedes Nasenloch ist zu einem Spritzloch umgewandelt, aus welchem sie Wasserdampf und wohl auch Wasser springbrunnenartig empor schleudern. Sie werden mit an langen Seilen befindlichen Harpunen gefangen oder dadurch, daß man nicht befestigte Harpunen auf sie wirft, deren Spitze mit Blausäure gefüllt ist.

Der **grönländische Wal** (*Balaena mysticetus*) liefert das beste Fischbein und den meisten Thran; jedes Thier hat einen Werth von 10—15,000 Mark. — Der **Südsee-Wal** (*B. australis*), mit kleinem Kopfe und spitzer Schnauze, ist etwas kleiner als der grönländische Wal. — Vergleiche §. 38.

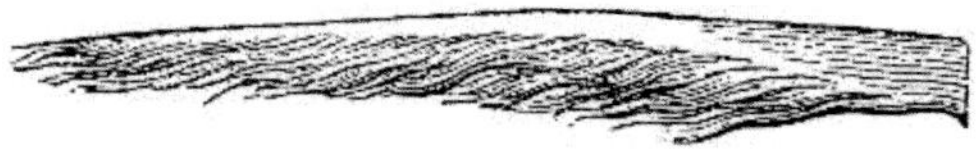

Fig. 162. Fischbeinbarte.

Der **Finnfisch** (*Balaenóptera boops*) ist das längste Säugethier, denn sein Körper mißt gegen 33 M.; er bewohnt das nördliche Eismeer und wird, da er weniger Thran liefert und nur kurze Barten hat, nicht so eifrig verfolgt.

(§. 115.) **II. Klasse. Vögel.** (Aves.)

Die Vögel haben rothes, warmes Blut (40—43 ° C.), athmen durch Lungen und legen hartschalige Eier, aus welchen sie die Jungen brüten; sie besitzen zwei Beine, zwei Flügel und einen mit Federn bedeckten Körper.

Die Kieferknochen haben einen hornigen Ueberzug und sind so zum Schnabel umgestaltet. Ihre Zunge ist wenig ausgebildet, um so schärfer ist das Auge; die Nahrung entnehmen sie dem Thier- und Pflanzenreiche. Kein Vogel ist giftig, einige schädlich, wie z. B. die Raub-, Schwimm- und Sumpfvögel durch Wegfangen anderer Vögel, der Fische und des Fischlaichs. Ihr Nutzen ist ein sehr großer, da sie uns Fleisch, Eier und Federn liefern; auch werden sie durch Vertilgung von Insekten, deren Verbreitung sie beschränken, nützlich.

An der vollständigen Feder unterscheidet man Kiel und Fahne. Der Kiel ist der Hauptstamm und besteht aus der Spule, in welcher sich die Seele befindet, und dem Kiele, an welchem zu beiden Seiten die Fahne steht.

Nach der Bildung der Federn heißen dieselben: Deck- oder Contourfedern, Flaumfedern und Bart- oder Schnurrborsten. Die Deckfedern heißen: Schwungfedern oder Schwingen, wenn sie in den

Flügeln stehen, Schwanzfedern, wenn sie sich im Schwanze befinden und eigentliche Deckfedern, wenn sie die vorigen decken. — Die kleinen, gekräuselten Flaumfedern werden von den Contourfedern bedeckt; sie besitzen wenig zusammenhängende Fahnenstrahlen. Die Schnurrborsten sind haarähnlich und stehen am Grunde des Schnabels.

Alle Vögel wechseln jährlich wenigstens einmal das Federkleid, d. h. sie mausern. Man unterscheidet Herbst- und Frühlingsmauser. Das Sommer- oder Hochzeitskleid ist schöner als das Herbst- oder Winterkleid. Damit die Federn von der Nässe nicht leiden, werden dieselben durch das Oel aus der Bürzeldrüse wasserdicht gemacht.

Nach den verschiedenen Aufenthaltsörtern sind die Beine äußerst verschieden gebildet; sie bestehen aus einem dicht am Körper liegenden Oberschenkel, aus dem Unterschenkel (Schienbein oder Watbein) und dem Fuße oder Laufe mit den Zehen. Da wo Schienbein und Fuß zusammenstoßen, befindet sich das Hackengelenk, die Ferse oder Fußbeuge.

Die Beine heißen Gangbeine (Fig. 164), wenn sie bis über die Fußbeuge befiedert sind, (alle Singvögel, die meisten Raub- und Hühnervögel), und Watbeine, (Fig. 163) wenn das Gefieder über der Fußbeuge aufhört, (Lauf- und Wasservögel).

Nach den Zehen und der Beinbildung unterscheidet man:

1. Rennfüße mit zwei Vorderzehen (Strauß);
2. Lauffüße mit drei Vorderzehen (Kasuar, Fig. 163);
3. Klammerfüße mit vier Vorderzehen (Mauerschwalbe);
4. Kletterfüße mit zwei Vorder- und zwei Hinterzehen (Klettervögel, Fig. 169);

5.—8. Sitz- (Hühner und Raubvögel), Gang- (Singvögel), Spalt- (Tauben), und geheftete Füße (Storch) mit drei Vorder- und einer Hinterzehe;

9. 10. ganze und halbe Schwimmfüße, je nachdem die drei Vorderzehen durch eine ganze (Gänse) oder eine halbe Schwimmhaut verbunden sind;

11. Ruderfüße (Fig. 201), wenn die vier Vorderzehen durch eine ganze Schwimmhaut verbunden sind.

Fig. 163.
Lauffuß des Kasuars.

Mit Ausnahme der Pinguine und Laufvögel können alle Vögel fliegen; hierzu werden sie durch die pneumatischen Luft- oder Röhrenknochen (Oberarm und Brustbein), durch die Schwungfedern und die Luftsäcke befähigt; letztere stehen mit der Lunge und den hohlen Knochen in Verbindung, so daß die eingeathmete Luft den Vogel aufbläht.

Nach dem Wohnort zerfallen die Vögel in Stand-, Strich- und Zug- oder Wandervögel. Die Standvögel bleiben das ganze Jahr hindurch in derselben Gegend; die Strichvögel, wie Stieglitze und Hänflinge, fliegen der Nahrung wegen nur wenige Meilen weit, und die Zugvögel ziehen der Nahrung und des Klimas wegen in großen Zügen nach dem Süden. Falken, Staare, Lerchen und Finken ziehen nur bei Tage, Schwalben, Wachteln und Schwimmvögel nur des Nachts; die Störche fliegen hoch, die Schnepfen niedrig, in dichten Schaaren die Finken und Schwalben, in geraden Reihen die Enten in schrägen Linien die Gänse und in Haken die Kraniche. Man nimmt an daß der Erdmagnetismus die richtende Kraft sei, welche sie treibt, da sie stets von und nach den magnetischen Polen fliegen.

Entschlüpfen die Jungen schwach und hülflos den Eiern und werden sie von den Alten gefüttert, so heißen solche Vögel Nesthocker. Die Nestflüchter folgen sofort der Mutter, um ihre Nahrung zu suchen. Fast alle Erd- und Wasservögel sind Nestflüchter, die Luftvögel dagegen Nesthocker.

Von den etwa 8000 bekannten Arten sind 500 in Europa heimisch. Die Artenzahl nimmt vom Aequator nach den Polen ab. —

Vergleiche §. 278, 292 und 295.

Uebersicht der acht Ordnungen der Vögel.

A. Luftvögel.

Sie sind Nesthocker; sie hüpfen, fliegen geschickt mit angezogenen Gangbeinen und leben meist auf Bäumen.

Nasenlöcher ohne Schuppe.	Schnabelgrund von einer Wachshaut überzogen, Schnabel kräftig, mit hakig gekrümmtem Oberschnabel		I. Ordnung. Raubvögel.
	Schnabel ohne Wachshaut.	Ohne Singmuskelapparat und mit Kletterfüßen	II. Ordnung. Klettervögel.
		Mit Singmuskelapparat und meist mit Gangfüßen	III. Ordnung. Singvögel.
Nasenlöcher mit bauchiger Schuppe und einer weichen Haut			IV. Ordnung. Tauben.

B. Erdvögel.

Sie sind Nestflüchter; sie gehen, aber hüpfen niemals, fliegen schlecht mit angezogenen Gangbeinen und halten sich meist auf der Erde auf.

Mit Gangbeinen und steifen Schwingen	V. Ordnung. Hühnervögel.
Mit Watbeinen und meist ohne steife Schwingen	VI. Ordnung. Laufvögel.

C. Wasservögel.

Sie sind Nestflüchter; sie gehen, fliegen geschickt mit nach hinten gestreckten Watbeinen und halten sich auf oder neben Gewässern auf.

Watbeine so lang oder länger als der Rumpf, in der Mitte des Körpers eingelenkt	VII. Ordnung. Sumpfvögel.
Watbeine kürzer als der Rumpf, mehr nach hinten gerückt	VIII. Ordnung. Schwimmvögel.

A. Luftvögel.

(§. 116.) **I. Ordnung. Raubvögel.** (Rapaces.)

Die Raubvögel sind durch kräftigen Körperbau, durch kurzen, hakig abwärts gekrümmten Oberschnabel, welcher am Grunde von einer Wachshaut überzogen ist, und durch große, meist scharfe, hakig gebogene Krallen (Fig. 164) ausgezeichnet; ihr Gesicht ist scharf und ihre Flugfertigkeit bedeutend. Die Raubvögel nähren sich meist von Wirbelthieren und legen nur wenige Eier. Sie bewohnen alle Zonen. Ihr Gefieder ist sehr veränderlich.

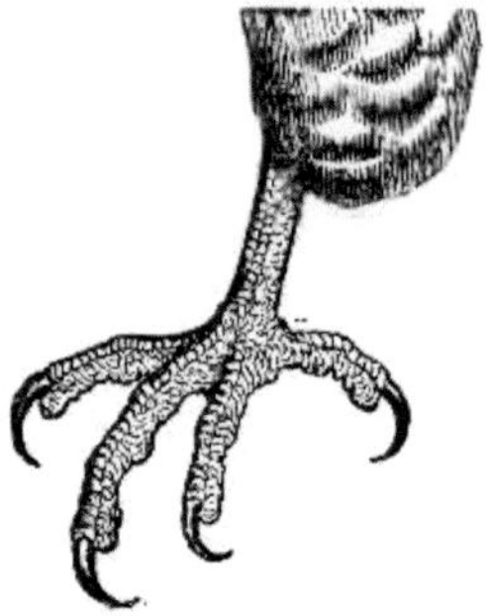

Fig. 164. Fuß eines Falken.

Uebersicht der Familien der Raubvögel.

Kopf und Hals meist nackt, Krallen stumpf . . .		I. Familie. Geier.
Kopf und Hals dicht befiedert; Krallen scharf.	Augen seitlich, ohne Federkranz	II. Familie. Falken.
	Augen nach vorn gerichtet, mit einem Federkranze	III. Familie. Eulen.

(§. 117.) Erste Familie. Geier.

Für den Fang ihrer Beute benutzen sie mehr den geraden, langen, an der Spitze hakig gekrümmten Schnabel, als die weniger gebogenen, stumpfen Krallen.

Der **Lämmer- oder Bartgeier** (*Gypäëtus barbatus*) ist der größte Raubvogel der alten Welt (Alpen), welcher über 1 M. lang wird und 3 M. weit klaftert. Sein Gefieder ist kastanienbraun; unter dem Schnabel hat er borstenartige Federn, welche einen Bart bilden; Kopf und Hals sind dicht befiedert.

Der **Condor** (*Sarcorámphus gryphus*) klaftert über 3,5 M. und ist etwas länger als der Lämmergeier; Kopf und Hals sind nackt; die Stirn trägt einen hohen Hautkamm; das Gefieder ist blauschwarz und der Halskragen weiß gefärbt. Er kann am höchsten fliegen (16,000 M.) und bewohnt nur die Anden Südamerikas nahe der Schneegrenze, greift nie den Menschen an und nährt sich von frisch gefallenen Lamas, Pferden und Rindern.

(Abbildung hierzu siehe Seite 124.)

(§. 118.) Zweite Familie. Falken.

Sie besitzen einen kurzen, meist vom Grunde aus hakig gebogenen Schnabel und nie befiederte Zehen, welche stark gekrümmte, spitze Krallen tragen.

Fig. 165. Condor. (*Sarcorámphus gryphus.*) 3,5 M. Flügelbreite.

Adler. (Aquila.)

Der Schnabel der Adler ist erst von der Mitte an hakig gekrümmt; zu ihnen gehören der **Königsadler** (*A. imperiális*), welcher Südosteuropa bewohnt, der **Goldadler** (*A. chrysáëtos*), der sich in den hohen Gebirgen Asiens und Europas findet und der **Steinadler** (*A. fulva*). — Häufiger ist an den Küsten Europas der **See- oder Fischadler** (*Haliáëtus albicílla*), welcher oben braun, unten und an den Schultern weiß gefärbt ist. Er wird 1 M. lang und klaftert 2,5 M. Seine Nahrung besteht aus Fischen und Wasservögeln. — Vergleiche §. 39.

Fig. 166. Jagdfalke. (*Falco candicans.*) 60 Zm. lang.

Falke. (Falco.)

Der Schnabel der Falken ist schon von der Wurzel an hakig gekrümmt. — Der **isländische oder Jagdfalke** (*F. candicans*) ist mehr oder weniger weiß gefärbt mit braunen, wellen- oder herzförmigen Flecken. Seine Länge beträgt 60 Zm. Er bewohnt den hohen Norden und wurde früher zur Jagd abgerichtet. — Der **Thurmfalke** (*F. tinnunculus*) hat auf dem Rücken eine hellrothe Farbe mit schwarzen Flecken, wird 30 Zm. lang und bewohnt Thürme und Ruinen.

Der **Hühnerhabicht, Taubenstößer oder Sperber** (*Astur palumbárius*) hat einen abgerundeten Schwanz und Flügel, welche kürzer als der Schwanz sind. Er ist bei uns ein sehr häufiger Strich-, Stand- und Zugvogel, dessen aschgraues Gefieder unterseits weißlich und schwärzlich gewellt erscheint; sein Schwanz hat vier bis sechs dunkle Querbinden. Der Hühnerhabicht wird 60 Zm. lang und klaftert 1 M. Muth und Schlauheit zeichnen diesen verwegenen Räuber aus; er ist der Schrecken der Tauben, Hühner und Enten und greift selbst Hasen an.

Der **Mäusebussard** (*Búteo vulgaris*) ist der in Färbung veränderlichste Raubvogel. Er wird 60 Zm. lang; sein Gefieder ist oben dunkelbraun und unten gelb bis grau gefärbt mit dunkelbraunen Flecken und Wellenlinien. Der abgerundete, mit acht bis vierzehn Querbinden versehene Schwanz wird ganz von den Flügeln bedeckt. Da er Kreuzottern und Mäuse in Menge vertilgt, so ist er unser nützlichster Raubvogel.

Die **Gabelweihe** (*Milvus regális*) hat einen gegabelten Schwanz, welcher fast von den Schwingen bedeckt wird; sie wird so groß wie der Bussard und ist rostfarben gefärbt.

Fig. 167. Hühnerhabicht. (*Astur palumbárius.*) 60 Zm. lang.

(§. 119.) Dritte Familie. Eulen.

Die Eulen haben einen meist vom Grunde aus hakig gebogenen Schnabel, welcher nur an der Spitze nicht mit Federn bedeckt ist, und Augen, welche nach vorn gerichtet und von einem Federkranze umgeben sind; um die großen Ohröffnungen steht gleichfalls ein Kranz von Federn; diese Federbildungen heißen Schleier; sie geben dem Eulenkopf das katzenartige Aussehen. Ihr Körper ist schlank und schmal und wird durch das lockere Federkleid zu einem wahren Federball, der nur Schnabelspitze und Krallen nicht bedeckt. Die Eulen jagen in der Dämmerung und in hellen Nächten und ernähren sich von kleinen Vögeln und Säugethieren; sie gehören außer dem Uhu zu den nützlichen Vögeln.

Eule. (Strix.)

1. Der **Uhu** (*S. bubo*) unterscheidet sich von den übrigen Eulen durch die enger stehenden Federbüschel auf dem Kopfe. — Vergleiche §. 9.

2. Dem **Waldkauz** (*S. alúco*) und den folgenden Eulen fehlt der Federbüschel; er hat einen großen Schleier und kleine Ohröffnungen. Das Männchen trägt ein graues und das Weibchen ein rostbraunes Gefieder. Der 40 Zm. lange Waldkauz findet sich überall in Europa als Standvogel.

Fig. 168.
Waldkauz. (*Strix alúco.*)
40 Zm. lang.

3. Die **Perl- oder Schleiereule** (*S. flammea*) hat einen großen Schleier und große Ohröffnungen; ihr Gefieder ist oben rostroth gefärbt und zeigt weiße Perlenflecken; unten hat sie weißliche Farbe mit braunen Tropfen. Sie wird gegen 40 Zm. lang, klaftert 1 M. und findet sich in Kirchthürmen und Felsen.

4. Das **Leichhuhn oder Käuzlein** (*S. noctua*), kaum 30 Zm. lang, hat meist keinen eigentlichen Schleier, weshalb der Kopf einem Tagraubvogel ähnlich ist. Sein graubraunes Gefieder ist weiß betropft. Es findet sich häufig in Mitteleuropa; sein Geschrei „kuiwitt,“ von Leichtgläubigen in „Komm mit“ übersetzt, gilt als Vorbote des Todes.

(§. 120.) **II. Ordnung. Klettervögel.** (Scansóres.)

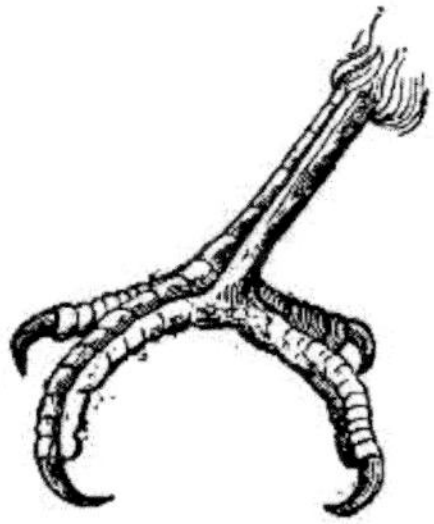

Fig. 169. Kletterfuß des Wendehalses.

Die Klettervögel haben Kletterfüße (Fig. 169), einen geraden oder gebogenen Schnabel, welcher am Grunde nicht von einer Wachshaut überzogen ist. (Nur die Papageien besitzen eine Wachshaut.) Sie nähren sich von Insekten und Früchten und nisten in Baumhöhlen.

Uebersicht der Familien der Klettervögel.

Schnabel ungezähnelt.	Oberkiefer nicht hakig übergreifend.	Mit kurzem Schwanze und geradem Schnabel.	I. Familie. Spechte.
		Mit langem Schwanze und schwach gebogenem Schnabel	II. Familie. Kukuke.
	Oberkiefer hakig übergreifend; mit kurzem, dickem Schnabel		III. Familie. Papageien.
Schnabel gezähnelt und dreimal länger als der Kopf			IV. Familie. Großschnäbler.

(§. 121.) Erste Familie. Spechte.

Sie besitzen einen geraden, ungezähnelten, vierkantigen, nicht hakig übergreifenden Schnabel, einen kurzen Schwanz und eine wurmförmige Zunge.

Specht. (Picus.)

Die Zunge der Spechte ist mit Widerhäkchen besetzt und so eingerichtet, daß sie zum Ergreifen der Insekten weit vorgeschnellt werden kann.

1. Der **Schwarzspecht** (*P. martius*), der größte Specht, wird bis 45 Zm. lang, ist schwarz gefärbt und mit rothem Scheitel versehen. — Vergleiche §. 40.

2. Der **mittlere Buntspecht** (*P. medius*) wird 20 Zm. lang, ist schwarzweiß gefärbt und hat einen rothen Hinterleib, Scheitel und Hinterkopf. — Vergleiche §. 40.

3. Der **große Buntspecht** (*P. major*) unterscheidet sich vom vorigen durch den rothen Hinterkopf (beim Männchen), den schwarzen Scheitel (beim Weibchen) und den schwarzen Streifen, welcher vom Mundwinkel nach unten geht. (Zuweilen ist der Hinterkopf auch schwarz.) Er wird gegen 25 Zm. lang und bewohnt unsere Wälder wie die vorigen.

4. Der **kleine Buntspecht** (*P. minor*) hat einen weißen Hinterleib und Scheitel (beim Weibchen); letzterer ist beim Männchen roth. Er wird nur 12—13 Zm. lang und bewohnt Gärten und Laubhölzer.

5. Der **Grünspecht** (*P. viridis*), mit grünem Gefieder und rothem Hinterkopfe, bewohnt Eichenwälder und wird 30 Zm. lang.

Der **Wendehals** (*Junx torquilla*) hat eine Zunge ohne Widerhaken und ein aschgrau gesprenkeltes Gefieder mit schwarzbraunen Flecken; er erreicht Finkengröße, klettert nicht, aber wendet Kopf und Hals sehr geschickt. (Fig. 169.)

(§. 122.) Zweite Familie. Kukuke.

Sie unterscheiden sich von den Spechten durch den langen Schwanz und den auf der Firste schwach gebogenen Schnabel; sie bewohnen hauptsächlich die Tropen und werden als Insektenvertilger nützlich.

Der **gemeine Kukuk** (*Cúculus canórus*), 30 Zm. lang, darf seiner großen Gefräßigkeit wegen keinem Walde fehlen, da er schädliche Waldinsekten in sehr großer Zahl vertilgt; schädlich wird er nur dadurch, daß das Weibchen aus jedem Neste, in welches es ein Ei legt, ein anderes oder auch zwei entfernt; auch gehen seine Stiefgeschwister meist zu Grunde. Trotzdem die Stiefeltern die alte Kukuksmutter hassen, entziehen sie dem jungen Kukuk nie die Pflege. Vielleicht ist die ungleiche Entwickelung der Eier — das Weibchen legt etwa alle sechs Tage ein Ei — die Veranlassung, daß der Kukuk nicht selbst brütet. — Vergleiche §. 10.

(§. 123.) Dritte Familie. Papageien.

Sie besitzen einen kurzen Schnabel, dessen Oberkiefer hakig übergreift und welcher am Grunde mit einer Wachshaut überzogen ist. Ihre Zunge ist dick und fleischig; sie lernen daher die Worte des Menschen nachsprechen und ahmen das Lachen, Nießen, Husten und Gähnen nach. Sie gebrauchen den Schnabel beim Klettern und bedienen sich allein unter allen Vögeln der Füße, um ihre Nahrung, welche aus Früchten besteht, zum Schnabel zu führen. — Die Papageien sind schön gefärbte, schlecht fliegende, gelehrige und lärmende Vögel der heißen Zone, oder die Affen unter den Vögeln. Die Papageien der alten Welt haben in ihrem Gefieder meist das Roth, Gelb und Weiß, die der neuen das Grün.

Der **graue Papagei** (*Psittacus erithacus*), mit aschgrauem Gefieder und rothem Schwanze, erreicht Taubengröße. Seine Heimat ist die Westküste Afrikas, von wo aus dieser sehr gelehrige, aber theure Vogel oft nach Europa gebracht wird.

Der **Kakadu** (*Cacátus cristátus*), mit weißem Gefieder und einer gelben Haube auf dem Kopfe, die aufgerichtet und niedergelegt werden kann, wird 30 Zm. lang; er bewohnt die Molukken und lernt leicht sprechen.

Fig. 170. Kakadu. (*Cacátus cristátus.*) 30 Zm. lang.

Der **blaue Ara** (*Ara ararauna*) ist in Brasilien häufig. Die Oberseite seines Gefieders ist blau, die Unterseite gelb, Stirn und Scheitel sind grün, Schnabel und Kehle schwarz und die Backen weiß gefärbt. Er wird gegen 80 Zm. lang. Noch etwas größer ist der **rothe Ara** (*A. macáo*); er ist scharlachroth und hat olivengrüne Flügel mit blauen Spitzen; er bewohnt die Antillen.

Die **Unzertrennlichen oder Inseparabels** (*Psittácula passerina*) erreichen Sperlingsgröße, lernen nicht sprechen und sind grün gefärbt mit Blau am Rücken und Flügel. Wegen ihrer Zärtlichkeit gegen einander hält man sie gern paarweise. Brasilien ist ihre Heimat.

(§. 124.) Vierte Familie. Großschnäbler.

Sie heißen auch Leichtschnäbler, weil der dicke und sehr lange Schnabel hohl ist; sie bewohnen die heiße Zone Amerikas. — Der **große Tukan oder Pfefferfraß** (*Rhámphastos toco*) ist oben schwarz, an der Kehle und Schnabel gelb und am Steiß roth gefärbt. Er frißt Alles, vorzüglich Pimentpfeffer, Eier und Jungen anderer Vögel.

(§. 125.) III. Ordnung. Singvögel. (Aves Canorae.)

Die Singvögel besitzen meist Gangfüße (§. 40) und einen Singmuskelapparat, durch welchen sie bald einzelne Töne, bald eine Reihenfolge von schreienden, pfeifenden oder zwitschernden Tönen hervorbringen. Sie sind meist kleine, gesellige, Insekten, Würmer und Körner fressende Thiere, welche hauptsächlich die gemäßigte Zone der ganzen Erde bewohnen.

Uebersicht der Familien der Singvögel.

a. Schnabel **nicht** bis zu den Augen gespalten.

Oberschnabel an der Spitze etwas übergreifend			I. Familie. Zahnschnäbler.
Oberschnabel nicht übergreifend.	Schnabel stark, meist gerade.	Schnabel fast pfriemlich	II. Familie. Pfriemenschnäbler.
		Schnabel kegelförmig .	III. Familie. Kegelschnäbler.
		Schnabel stark, fast gerade und so lang wie der Kopf . . .	IV. Familie. Raben.
	Schnabel sehr dünn, gebogen und meist länger als der Kopf . .		V. Familie. Dünnschnäbler.

b. Schnabel bis hinter die Augen gespalten . . . . VI. Familie. Spaltschnäbler.

(§. 126.) Erste Familie. Zahnschnäbler.

Ihr Oberschnabel ist an der Spitze übergreifend; am Grunde desselben befinden sich einige Bartborsten.

Der **graue Fliegenschnäpper** (*Muscícapa grísola*), 20 Zm. lang, hat ein oben aschgraues, unten weißliches Gefieder mit grauen Längsflecken auf der Brust; er bewohnt Europa und Afrika, nistet in Gärten und wird häufig in Stuben zum Fliegenfangen gehalten.

Fig. 171. Kopf des grauen Fliegenschnäppers. (*Muscícapa grísola.*)

Der **große Würger** (*Lánius excubitor*) mit aschgrauem Rücken, weißem Bauche und grauer Stirn (25 Zm. lang), der **kleine Würger** (*L. minor*) mit aschgrauem Rücken, röthlichem Bauche und schwarzer Stirn (20 Zm. lang) und der **rothrückige Würger oder Neuntödter** (*L. collurio*) mit rosenrother Brust und rostbraunem Rücken (16 Zm. lang), haben die Gewohnheit, Käfer und andere Insekten, junge Vögel und Mäuse erst auf Dornen zu spießen und sie dann stückweise aufzufressen; sie ahmen den Gesang anderer Vögel nach.

Fig. 172. Großer Würger. (*Lánius excubitor.*) 25 Zm. lang.

(§. 127.) Zweite Familie. Pfriemenschnäbler.

Sie haben einen pfriemförmigen, an der Spitze nicht gebogenen Schnabel und leben von Insekten und Beeren.

Bachstelze. (Motacilla.)

Die Bachstelzen sind schlanke Vögel mit langem, gerade abgeschnittenem Schwanze, welche sich durch das Nicken mit dem Kopfe und das Wippen mit dem Schwanze leicht kenntlich machen. — Die **weiße Bachstelze** (*M. alba*), mit weißem Bauche und grauem Rücken, hat einen schwarzen Schwanz und Brust; sie liebt Gewässer und nistet in Baumlöchern. Die **gelbe Bachstelze** (*M. flava*) hat einen gelben Bauch und olivengrünen Rücken; sie bewohnt waldige Gegenden; beide werden etwa 17 Zm. lang.

Drossel. (Turdus.)

Die Drosseln besitzen einen vorn seitlich zusammengedrückten Schnabel von Kopflänge, welcher nur schwach gebogen ist; ihr Fleisch ist wohlschmeckend. Sie sind Zugvögel, welche im October in großen Schaaren nach Südeuropa ziehen und im März und April wieder zu uns zurückkehren. Die Drosseln bewohnen Laub- und Nadelwälder. — Die **Schwarzdrossel oder Amsel** (*T. mérula*), mit gelbem Schnabel und schwarzem Gefieder, bewohnt unsere Laub- und Nadelwälder und wird wegen ihres Gesanges in Stuben gehalten; sie wird etwa 25 Zm. lang. — Der **Krammetsvogel oder Wachholderdrossel** (*T. piláris*) mit kastanienbraunem Rücken, aschgrauem Kopfe und rostgelbem, schwarzgeflecktem Unterleib frißt besonders gern Wachholder- und Krammetsbeeren; sie erreicht die Größe der vorigen. — Die **Singdrossel** (*T. musicus*) ist etwas kleiner und hat ein oben graues und unten gelblichweißes Gefieder mit braunen Flecken. — Vergleiche §. 41.

Pirol. (Oríolus.)

Den **Pirol, die Goldamsel oder den Kirschvogel** (*O. galbula*) erkennt man an dem goldgelben Gefieder mit schwarzen Flügeln (bei den Männchen) oder dem zeisiggrünen, unten weißlichen Federkleide (bei den Weibchen). In Wäldern oder Gärten hängt er sein kunstreiches, korbförmiges Hängenest an einen Gabelzweig und läßt seinen flötenden Ruf, — nach demselben heißt er Pirol — ertönen. Er nährt sich von Raupen und frißt besonders gern Kirschen (daher Kirschvogel).

Sänger. (Sýlvia.)

Ihr Schnabel ist kürzer als der Kopf; sie leben in Wäldern und Gebüschen.

a. Mit dünnem Schnabel.

1. Die **Nachtigall** (*S. luscínia*), mit unten schmutziggrauem, oben dunkelrostbraunem Gefieder und gelbgrauer Kehle, wird 16 Zm. lang. — Der **Sprosser oder die Philomele** (*S. philomela*) unterscheidet sich von der vorigen durch das dunklere Gefieder und den stärkeren Schlag; er wird etwas größer und bewohnt mehr Osteuropa. — Vergleiche §. 11.

2. Das **Rothkehlchen** (*S. rubécula*) ist kleiner und hat eine rostrothe Kehle und Stirn und ein olivengraues Gefieder.

3. Das **Gartenrothschwänzchen** (*S. phoenicúrus*), 13 Zm. lang, hat eine rostrothe Brust und schwarze Kehle.

4. Das **Hausrothschwänzchen** (*S. tithys*) ist eben so lang und auf der ganzen Unterseite schwarz gefärbt.

b. Mit dickem Schnabel.

5. Der **Mönch** (*S. atricapílla*), 13 Zm. lang, besitzt einen grünlichgrauen Rücken, eine weißliche Unterseite und eine schwarze Platte auf dem Kopfe, welche sich beim Weibchen braun färbt.

6. Die **Hausgrasmücke** (*S. curruca*), mit aschgrauem Kopfe und bläulichgrauem Rücken, bewohnt Gärten mit dichtem Dorngebüsch.

7. Die **graue Grasmücke** (*S. cinérea*), mit grauem Rücken, röthlichweißer Unterseite und fleischfarbenen Beinen, findet sich in Gebüschen.

8. Die **Gartengrasmücke** (*S. hortensis*) unterscheidet sich von der vorigen durch die gelblichweiße Unterseite und die bläulichen Beine; sie bewohnt Gärten. Alle drei Grasmücken werden gegen 15 Zm. lang; sie gehören zu den besten Sängern.

Der **Zaunkönig** (*Troglódytes parvulus*), nicht 10 Zm. lang, ist unser kleinster Singvogel; er ist oben rothbraun und schwarz und unten etwas heller gefärbt. Er bewohnt Europa und Asien und zeichnet sich durch unruhiges, keckes, munteres und possirliches Wesen aus.

Fig. 173. Zaunkönig. (*Troglódytes parvulus.*) ½ der natürlichen Größe.

(§. 128.) Dritte Familie. Kegelschnäbler oder Hopser.

Sie haben einen kegelförmigen Schnabel, welcher dicker und kürzer ist als bei den Pfriemenschnäblern; sie sind meist Zugvögel und leben von Beeren und Körnern, fressen aber auch Insekten und füttern die Jungen mit letzteren.

Meise. (Parus.)

Der kegelförmige Schnabel der Meisen ist etwas zusammengedrückt; sie sind kleine, 10—13 Zm. lange, sehr lebhafte, zanksüchtige, listige und muthige, alles Genießbare fressende Thiere, welche selbst andere kleine, besonders kranke Vögel morden.

Die **Haubenmeise** (*P. cristátus*), mit zugespitzter Federhaube, ist in Nadelwäldern ein häufiger Standvogel; dies gilt auch von der **Schwanzmeise** (*P. caudátus*), deren Schwanz länger als der Körper ist; sie baut ein beutelförmiges Nest an Rohrstengel. Die

Fig. 174. Kohlmeise. (*Parus major.*) 12 Zm. lang.

Kohl- oder Speckmeise (*P. major*), mit einem schwarzen Längsstreifen auf der Mitte der gelben Brust, hat einen schwarzen Kopf und kommt im Winter in die Gärten; sie ist ein Strichvogel. Die **Blaumeise** (*P. coerúleus*) trägt ein grünblaues Gefieder mit gelbem Bauche. — Die Kohl-, Blau- und Haubenmeise nisten in Baumlöchern und Felshöhlen.

Lerche. (Alauda.)

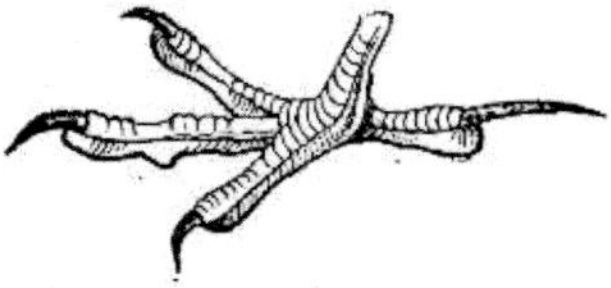

Fig. 175. Fuß einer Lerche.

Die Lerchen haben an der hinteren Zehe (Fig. 175) einen Nagel, welcher stets länger ist als an den übrigen Zehen. — Die **Haubenlerche** (*A. cristáta*) trägt auf dem Kopfe eine Federhaube und besucht im Winter Städte und Dörfer. Der **Feldlerche** (*A. arvensis*) fehlt die Federhaube; sie wird leider ihres wohlschmeckenden Fleisches wegen im Herbste in größter Menge gefangen. — Vergleiche §. 42.

Ammer. (Emberíza.)

Ihr Oberschnabel ist schmäler und niedriger als der Unterschnabel und paßt in den letzteren hinein; am Gaumen befindet sich ein vorstehender Höcker. Ihre Länge beträgt 16—17 Zm. — Die **Goldammer** (*E. citrinélla*) hat einen goldgelben Kopf und Unterseite; sie kommt, sobald der erste Schnee fällt, in die Dörfer. Die **Gartenammer oder Ortolan** (*E. hortulána*) ist unten rostroth gefärbt; sie bewohnt den Süden und wird gemästet. Der **Rohrsperling** (*E. schoenículus*) hat eine weißliche, schwarzbraun gefleckte Unterseite und findet sich im Rohr an Teichen.

Kreuzschnabel. (Lóxia.)

Fig. 176. Fichtenkreuzschnabel. (*Lóxia curviróstra.*) 15 Zm. lang.

Der **Fichtenkreuzschnabel** (*L. curviróstra*) hat einen Schnabel, dessen Kiefern sich an der Spitze kreuzen; sein Gefieder ist hochroth (bei dem Männchen), gelb oder gelbgrün. Er bedient sich des Schnabels beim Klettern, nährt sich von Fichtensamen und brütet selbst im Winter.

Fink. (Fringílla.)

Die Spitzen des dicken, kurz gewölbten und kegelförmigen Schnabels kreuzen sich nicht; ihr Oberschnabel ist so hoch wie der Unterschnabel.

a. Schnabel etwas länger als hoch.

1. Der **Haussperling** (*F. domestica*) hat eine blaßgraue Ohrgegend, eine gelblichweiße Querbinde auf den Flügeln und ein graues Gefieder;

Fig. 177. Haussperling. (*Fringilla domestica.*) $^1/_2$ der natürlichen Größe.

die Männchen haben eine schwarze Kehle. Er brütet jährlich fünf mal; ein Sperlingspaar gebraucht für sich und die Jungen wöchentlich gegen 3300 Raupen.

2. Der **Feldsperling** (*F. montana*) hat eine schwarze Ohrgegend, zwei reinweiße Querbinden auf den Flügeln und ein graues Gefieder. Er bewohnt die Felder. — Die Sperlinge werden 15—17 Zm. lang.

b. Schnabel kaum länger als hoch.

3. Der **Dompfaff oder Gimpel** (*F. rubricilla*) hat glänzend schwarze Schwungfedern, Schwanz und Scheitel und eine scharlachrothe (beim Männchen) oder bläulichgraue Unterseite (beim Weibchen). Er wird 17 Zm. lang und ist in unsern Wäldern ein häufiger Zug- und Strichvogel, welcher sich als Stubenvogel sehr gelehrig zeigt.

Fig. 178. Dompfaff. (*Fringilla rubricilla.*) $^1/_2$ der natürlichen Größe.

Fig. 179. Stieglitz. (*Fringilla carduelis.*) 14 Zm. lang.

c. Schnabel länger als hoch.

4. Der **Zeisig oder Erlenfink** (*F. spinus*), 12 Zm. lang, hat ein gelblichgrünes Gefieder und frißt besonders gern Erlensamen.

5. Der **Stieglitz oder Distelfink** (*F. carduelis*), 14 Zm. lang, ist

schwarz (Schwingen und Schwanz, erstere mit goldgelber Binde), hochroth (am Schnabelgrund) und weiß (auf dem hinteren Rücken) gefärbt; er frißt gern Distelsamen und lernt mancherlei Kunsstücke.

6. Der **Bluthänfling** (*F. cannábina*), 13 Zm. lang, hat ein zimmetbraunes Gefieder und schwarze Schwanzfedern, welche wie die Schwingen weiß gerandet sind. Die Männchen tragen einen karminrothen Scheitel. Er ist ein gelehriger Stubenvogel.

7. Der **Buchfink** (*F. coelebs*), etwas größer als der vorige, macht sich durch die rothe Unterseite leicht kenntlich.

8. Der **Kanarienvogel** (*F. canária*) hat ein mehr oder weniger gelbes Gefieder; er trägt in seiner Heimat, auf den canarischen Inseln, ein fast grünes Gefieder mit gelblichem Schimmer.

Seidenschwanz. (Bombycilla.)

Der **Seidenschwanz** (*B. garrula*), 20 Zm. lang, hat einen kurzen, geraden Schnabel, eine Federhaube und ein röthlichgraues Gefieder; die Schwanzspitze und die Schwingen sind nach außen gelb gefärbt mit scharlachrothen

Fig. 180. Seidenschwanz. (*Bombycilla garrulla.*) 20 Zm. lang.

Anhängseln. Er bewohnt die Kieferwaldungen des Nordens und kommt in harten Wintern nach Deutschland.

(§. 129.) Vierte Familie. Raben.

Ihr starker, fast gerader Schnabel erreicht die Länge des Kopfes; sie leben in allen Zonen, singen nicht, aber lernen Worte nachsprechen und nähren sich von Beeren, andern Vögeln, Schnecken, Würmern und Insekten.

Staar. (Sturnus.)

Der **gemeine Staar** (*S. vulgaris*) unterscheidet sich von den übrigen Raben durch die dicht befiederten Nasengruben und die sichtbaren Nasenlöcher. — Vergleiche §. 12.

Rabe. (Corvus.)

Sie haben einen abgestutzten Schwanz, Nasengruben, welche von borstigen Federn bedeckt sind, und nicht sichtbare Nasenlöcher. Ihre Nester befinden sich auf Bäumen oder Thürmen; sie sind scheu, lebhaft, zänkisch, gelehrig und schreien unangenehm.

1. Die **Dohle** (*C. monedula*) trägt ein schwärzlichgraues Gefieder; Scheitel, Rücken, Flügel und Schwanz sind tiefschwarz gefärbt. Sie nistet auf Thürmen und wird 35 Zm. lang.

2. Die **Nebelkrähe** (*C. cornix*) trägt ein aschgraues Gefieder; Kopf, Flügel und Schwanz sind tiefschwarz gefärbt. Sie kommt aus Schweden mit dem Beginn des Winters zu uns und wird 45 Zm. lang.

Fig. 181. Nebelkrähe. (*Corvus cornix.*) 45 Zm. lang.

3. Die **schwarze Krähe** (*C. corone*) hat einen blauschwarzen Kopf und Nacken und wird so groß wie die vorige. Sie nistet in den Wäldern und kommt im Winter in die Dörfer und Städte. Durch Vertilgung von Mäusen und Insekten wird sie nützlich.

4. Der **Rabe oder Kolkrabe** (*C. corax*) hat ein schwarzes Gefieder mit bläulichem Schimmer, wird 60 Zm. lang, leicht zahm und lernt einige Worte nachsprechen. Durch das Wegfangen der Feldmäuse macht er sich nützlich und schadet dem jungen Jagdgeflügel und den Hasen.

5. Die **Saatkrähe** (*C. frugilegus*), etwa 45 Zm. lang, ist blauschwarz gefärbt; sie ist ein Zugvogel und nistet gern in Feldhölzern.

Fig. 182. Elster. (*Pica caudáta.*) 45 Zm. lang.

Elster. (Pica.)

Die **Elster oder Häkster** (*P. caudáta*), 45 Zm. lang, trägt ein schwarzes Gefieder; Bauch und Schulter sind weiß. Sie wird durch Vertilgung von Insekten nützlich und durch Zerstörung der Vogelbrut schädlich.

Eichelhäher. (Gárrulus.)

Der **Eichelhäher** (*G. glandárius*) wird 35 Zm. lang; er bewohnt die Wälder Deutschlands, in welchen er auf den höchsten Bäumen nistet; sein Gefieder ist grauroth, die Flügelfedern sind himmelblau mit schwarzen Bändern und seine Scheiteltolle ist weiß, schwarz und bläulich gefärbt. Er ist munter und keck, äußerst verschlagen und sehr scheu; in der Gefangenschaft zeigt er sich sehr possirlich und gelehrig; er ahmt fremde Stimmen nach, lernt einige Wörter nachsprechen und frißt im Sommer Würmer, Insekten, Mäuse, junge Vögel und im Winter Haselnüsse, Eicheln und Beeren.

(§. 130.) Fünfte Familie. Dünnschnäbler.

Sie haben einen dünnen, gebogenen Schnabel, welcher meist länger ist als der Kopf.

Fig. 183. Gemeiner Wiedehopf. (*Upupa epops.*) 30 Zm. lang.

Wiedehopf. (Upupa.)

Der **gemeine Wiedehopf** (*U. epops*) hat ein röthliches Gefieder und eine zweireihige Federhaube mit schwarzen Spitzen; er wird 30 Zm. lang und ist ein Zugvogel, welcher bei uns vom März bis zum September weilt. Während der Brütezeit sondert das Weibchen eine stinkende Flüssigkeit ab (daher der Name Stinkhahn). Er nährt sich von Insekten und Würmern, welche er unter den drolligsten Verbeugungen aus der Erde holt und in die Höhe wirft, um sie mit dem offenen Schnabel aufzufangen.

Kolibri. (Tróchilus.)

Die Kolibris oder Fliegenvögel sind die kleinsten Vögel, welche zuweilen nur die Größe einer Hummel erreichen; ihr Schnabel ist lang, dünn und röhrenartig und ihre Zunge hervorstreckbar und zweispaltig. Durch die langen, schmalen Flügel und die kurzen Beine wird ihr Flug ein sehr schneller, so daß man denselben nicht mit den Augen verfolgen kann. Ihre Nahrung, welche aus Insekten besteht, holen sie, ohne sich dabei zu setzen, aus den Blüten. Die Männchen zeichnen sich durch große Farbenpracht aus. Die Kolibris bewohnen das mittlere Amerika und bauen äußerst kunstvolle Nester. — Der **kleinste Kolibri** (*T. minimus*), mit goldgrünlichem Gefieder, wird 3 Zm. lang, baut ein wallnußgroßes Nest und legt erbsengroße Eier; seine Heimat ist Brasilien.

(§. 131.) Sechste Familie. Spaltschnäbler.

Sie besitzen einen kurzen, dreieckigen, an der Spitze etwas gekrümmten, bis hinter die Augen gespaltenen Schnabel. (Fig. 187.)

Schwalbe. (Hirúndo.)

Die Schwalben sind Zugvögel, welche nur vom April bis August bei uns weilen. An ihrem Oberschnabel finden sich keine Schnurrborsten und die hintere Zehe ist zweigliederig. Sie sind die besten Flieger; sie trinken, fangen ihre Nahrung (nur Insekten) und sammeln Nestmaterial meist im Fluge.

a. Mit stark gegabeltem Schwanze und glänzend blauschwarzer Oberseite.

1. Die **Rauchschwalbe** (*H. rustica*), 17 Zm. lang, ist unten weißlich und an der Stirn und Kehle rostroth gefärbt; ihre Zehen sind nackt und ihr Nest befindet sich innerhalb der Gebäude.

2. Die **Hausschwalbe** (*H. urbica*), 13 Zm. lang, hat befiederte Zehen; ihr Gefieder ist oben blauschwarz und unten weiß; ihr Nest baut sie stets außerhalb der Gebäude.

Fig. 184. Hausschwalbe. (*Hirúndo urbica.*) $1/2$ der natürlichen Größe.

b. Mit schwach gegabeltem Schwanze und mäusegrauer Oberseite.

3. Die **Uferschwalbe** (*H. riparia*), 14 Zm. lang, ist unten weiß gefärbt; sie nistet in Uferlöchern und an steilen Bergabhängen.

Mauerschwalbe. (Cypselus.)

Fig. 185. Mauersegler. (*Cypselus apus.*) 20 Zm. lang.

Die **Mauerschwalbe oder der Mauersegler** (*C. apus*), 20 Zm. lang, hat dreigliedrige Zehen, braunschwarzes Gefieder mit weißer Kehle und sehr lange Flügel; sie fliegt sehr schnell, kann jedoch nicht von ebener Erde auffliegen; ihr Nest findet sich an Felsen und Mauern und wird immer von einem gummiartigen Leime, welchen sie mittelst der beiden großen Ohrspeicheldrüsen herstellt, überzogen. — Mit ihr ist die **Salangane** (*Collocalia*) verwandt, welche an den Küsten Ost- und Südasiens die eßbaren Vogelnester baut; sie soll hierzu Fischlaich, eine Tintenschnecke und Tangarten, welche sie dem Meere entnimmt, verwenden. Sie wird gegen 15 Zm. lang und hat eine dunkelbraune Ober- und eine hellere Unterseite.

Fig. 186.
Salangane. (*Collocalia.*) 10—15 Zm. lang.

Nachtschwalbe. (Caprimúlgus.)

Die **gemeine Nachtschwalbe, der Ziegenmelker oder Tagschläfer** (*C. europaeus*) unterscheidet sich von den vorigen durch die Schnurrborsten und den abgerundeten Schwanz; sie ist grau gefärbt, schwarz gefleckt und nährt sich nur von Insekten, welche sie in der Nacht fängt; am Tage sitzt sie schlafend zwischen Heidekraut; sie wird 30 Zm. lang.

Fig. 187. Kopf des Ziegenmelkers. (*Caprimúlgus europaeus.*) 1/2 der natürl. Größe.

(§. 132.) IV. Ordnung. Tauben. (Columbae.)

Ihr Schnabelgrund ist mit einer weichen Haut überzogen, in welcher die von einer bauchigen Schuppe bedeckten Nasenlöcher liegen. Sie nähren sich von Sämereien, trinken saugend und füttern die hülflosen, blinden Jungen aus ihrem Kropfe. Sie werden durch ihr Fleisch und ihren Mist (*Columbine*) nützlich. Zu den Tauben gehört nur eine Gattung:

Taube. (Colúmba.)

1. Die **wilde Taube** (*C. livia*), nistet in Felshöhlen Südeuropas und zeichnet sich durch die beiden schwarzen Querbänder auf den Flügeln aus. Sie ist die Stammmutter unserer zahmen Taube, welche in zahlreichen Abarten gezogen wird. (Brief-, Kropf-, Purzeltaube oder Tümmler, Trommel-, Hauben- und Schleiertaube etc.)

2. Die **Holztaube** (*C. oenas*), mit schwarzen Flecken auf den Flügeln, nistet in Baumhöhlen unserer Wälder; sie wird wie die vorige etwa 35 Zm. lang.

3. Die **Turteltaube** (*C. turtur*) bewohnt die Wälder Mittel- und Südeuropas und wird wie die folgende häufig als Hausthier gehalten. Sie gilt als Sinnbild der Zärtlichkeit.

Fig. 188. Kopf der Holztaube. (*Columba oenas.*)

4. Die **Lachtaube** (*C. risoria*) ist im wärmeren Asien und Afrika zu Hause.

5. Die **Wandertaube** (*C. migratoria*), die größte von allen Tauben, wird 40 Zm. lang, ist blaugrau gefärbt und schwarz gefleckt. Die mittleren Federn des keilförmigen Schwanzes haben eine schwärzliche Farbe, die seitlichen weiße Spitzen. In Schaaren, welche nach Millionen zählen, durchziehen die Wandertauben Nordamerika und verwüsten die Felder. Ihr Fleisch wird gegessen; die Schweine werden auf den Brutplätzen mit den aus den Nestern fallenden Eiern und Jungen gemästet.

B. Erdvögel.

(§. 133.) V. Ordnung. Hühnervögel. (Gallinae.)

Die Hühner haben kurze Gangbeine und kurze Flügel mit steifen Schwingen; ihr Flug ist schwerfällig; am Kopfe finden sich oft nackte Hautstellen. Die Hinterzehe steht meist höher als die vorderen. Sie trinken schöpfend und nähren sich von Körnern, Würmern und Insekten, welche sie mit ihren starken Beinen aus der Erde scharren; sie werden daher auch **Scharrvögel** genannt. Sie gewähren uns Nutzen durch wohlschmeckendes Fleisch und zahlreiche und große Eier.

Uebersicht der Familien der Hühnervögel.

Kopf ganz oder fast ganz befiedert; Hinterzehe berührt den Boden nur mit der Nagelspitze; sie fehlt auch zuweilen	I. Familie. Feldhühner.
Kopf oder Wangen nackt, meist mit Federbusch oder Hautlappen; Hinterzehe liegt mit dem ganzen Nagel auf.	II. Familie. Eigentliche Hühner.

(§. 134.) Erste Familie. Feldhühner.

Waldhuhn. (Tétrao.)

Fig. 189. Auerhahn. (*Tétrao urogállus.*) Ueber 1,5 M. lang.

Die Waldhühner haben befiederte Läufe, nackte Zehen, über jedem Auge einen nackten, rothwarzigen Streifen und keinen Sporn; sie sind schwer zähmbar. Die Männchen sind dunkler, die Weibchen dagegen heller gefärbt. — Der **Auerhahn** (*T. urogállus*) wird größer als ein Truthahn und hat einen abgerundeten Schwanz und Flügel ohne weiße Binde. Er bewohnt die Nadelwälder Asiens und Europas, nährt sich von Fichtensprossen, Knospen und Beeren; er kommt sehr vereinzelt vor und ist schwer zu schießen. — Der **Birkhahn** (*T. tetrix*), 60 Zm. lang, hat einen leierförmig gegabelten Schwanz und Flügel mit weißer Querbinde und bewohnt die Birkenwälder Nordeuropas; er nährt sich von Knospen, Beeren und Insekten.

Feldhuhn. (Perdix.)

Sie haben unbefiederte Zehen und Läufe. Das **Rebhuhn** (*P. cinérea*), 30 Zm. lang, ist aschgrau gefärbt mit dunklen Wellenlinien. Es bewohnt in Familien (Volk oder Kette) die Felder und Vorhölzer als Standvogel. — Die **Wachtel** (*P. cotúrnix*) wird 20 Zm. lang; die Männchen haben eine schwarzbraune und die Weibchen eine weißliche Kehle. Sie ist ein Zugvogel, welcher nur während der Wanderzeit gesellig ist und dann in großen Zügen nach dem Süden (Italien und Afrika) zieht. — Vergleiche §. 43.

(§. 135.) Zweite Familie. Eigentliche Hühner.

Hierher gehören sämmtliche Hühner unserer Hühnerhöfe. Die Männchen haben fast immer Sporne. Am Kopfe befinden sich fleischige Auswüchse; nur der Pfau und der Fasan machen eine Ausnahme.

Pfau. (Pávo.)

Der **gemeine Pfau** (*P. cristátus*), gegen 1,5 .M. lang, mit Federbusch auf dem Kopfe, aber ohne fleischige Auswüchse, lebt im nördlichen Indien wild. Das Männchen trägt sehr lange Bürzelfedern, welche am Ende einen spiegelnden Augenfleck zeigen und aufgerichtet oder ausgebreitet werden können. Hirn und Zungen sind die berühmten Leckereien auf den römischen Kaisertafeln.

Fasan. (Phasiánus.)

Die in Asien heimischen Fasanen werden bei uns ihres wohlschmeckenden Fleisches wegen in Fasanerien gezogen. Sie zeichnen sich durch den sehr langen und keilförmigen Schwanz aus, welcher aus zugespitzten, sich dachförmig deckenden Federn besteht. — Der **gemeine Fasan** (*P. colchicus*), mit rothbraunem Gefieder und grünblauem Kopfe und Halse, bewohnt den Kaukasus, wird 1 M. lang und soll durch den Argonautenzug aus Colchis nach Europa gebracht worden sein. — Der **Goldfasan** (*P. pictus*), mit scharlachrother Unterseite und goldgelbem Federbusch und der **Silberfasan** (*P. nycthémerus*), mit schwarzer Unterseite und Federbusch, stammen aus China und sind wenig kleiner als der vorige.

Truthahn. (Meleágris.)

Der **Truthahn** (*M. gallopávo*) hat einen unbefiederten Kopf und Hals und an der Stirn und unter dem Schnabel einen rothen Fleischlappen; er ist 1,5 M. lang und in Nordamerika heimisch. Das Schiff, welches ihn nach Europa brachte, fuhr zuerst nach Ostindien und dann nach Europa, weshalb man ihn für das Perlhuhn hielt und calcuttischen Hahn nannte. Sein Fleisch ist wohlschmeckend. Die Weibchen besitzen eine vorzügliche Brutfähigkeit; man benutzt sie, um Hühner-, Perlhühner- und Pfaueier ausbrüten zu lassen. Die Truthähne sind dumm und zänkisch und lassen sich durch rothe Gegenstände leicht zum „Kullern“ bringen. (Siehe Fig. 190.)

Fig. 190. Truthahn. *Meleágris gallopávo.*) Ueber 1,5 M. lang.

Perlhuhn. (Númida.)

Das **Perlhuhn** (*N. meleágris*) besitzt einen nackten Kopf und Vorderhals und trägt am Unterschnabel zwei nackte Hautlappen und bläulich graues Gefieder mit weißen Perlflecken. Dem Männchen fehlt der Sporn. Es wird 60 Zm. lang; sein Vaterland ist Afrika; in Amerika ist es verwildert.

Haushahn. (Gallus.)

Der **Haushahn** (*G. domesticus*), mit befiedertem Kopf und Halse, mit Hautkamm auf dem Scheitel und zwei Hautlappen am Unterschnabel, stammt vom **Bankivahahn** (*G. Bankiva*) ab, welcher in den Wäldern Javas und Sumatras lebt. — Vergleiche §. 13.

(§. 136.) VI. Ordnung. Laufvögel. (Cursóres.)

Sie besitzen meist lange Watbeine, stumpfe, gewölbte Flügel (Trappe), oder verkümmerte Flügel ohne steife Schwingen; die Beine sind kräftig und sehr geschickt zum Laufen; an den Füßen finden sich zwei oder drei Zehen. Sie sind sehr gefräßig und verschlingen Pflanzen- und Thierstoffe, auch Steine und andere unverdauliche Dinge.

Uebersicht der Familien der Laufvögel.

Beine lang, Füße zwei- bis dreizehig	Mit stumpfen, gewölbten Flügeln	I. Familie. Trappen.
	Mit verkümmerten Flügeln . .	II. Familie. Strauße.
Beine kurz, Füße vierzehig, Flügel verkümmert .		III. Familie. Dronten.

(§. 137.) Erste Familie. Trappen.

Sie bilden den Uebergang von den Hühnern zu den Watvögeln und erinnern durch den schwerfälligen Flug, Körper und Gefieder an die ersteren.

Die **große Trappe** (*Otis tarda*), 1 M. lang, ist oben rostroth gefärbt und schwarz gebändert; die Unterseite zeigt eine weiße Farbe; die Füße sind dreizehig. Sie bewohnt in kleinen Heerden die offenen Gegenden Mittel- und Südeuropas (Rußland, Ungarn und Dalmatien) und baut kein Nest, sondern legt die Eier auf den nackten Boden.

(§. 138.) Zweite Familie. Strauße.

Sie haben verkümmerte Flügel ohne steife Schwingen und Federn, deren Strahlen keine Häkchen besitzen, so daß sie keine zusammenhängende Fahne, sondern einen dunen- oder haarähnlichen Federbüschel darstellen; auch sind die Knochen mit Mark gefüllt. Die in größerer Zahl gelegten Eier werden meist von Männchen, zuweilen auch abwechselnd von Weibchen ausgebrütet; am Tage überlassen sie der Sonnenhitze das Brutgeschäft. Ihre Heimat ist die heiße Zone.

Strauß. (Strúthio.)

Der **afrikanische Strauß** (*S. camélus*), bis 2,4 M. hoch, mit nackten Beinen und zwei Zehen, bewohnt in kleinen Familien die Sandwüsten Afrikas; im Süden brütet meist das Männchen Tag und Nacht, im mittleren Afrika jedoch nur in der Nacht und überläßt die Eier am Tage der Sonne. Beim wilden Strauß sind die schönen, 1 M. langen, weißen Flügel- und Schwanzfedern meist beschmutzt und zerknickt; man hält den Strauß deßhalb in Afrika als Hausthier, um die Federn unverletzt zu erhalten. — Vergleiche §. 14.

Nandu. (Rhea.)

Der **amerikanische Strauß** (*R. americána*), 2 M. hoch, mit befiedertem Schenkel, Kopf und Hals und drei Zehen, ist graubraun gefärbt und bewohnt in kleineren Heerden die Pampas Brasiliens. Er läßt sich leicht zähmen; seine Federn dienen zu Fliegenwedeln und Sonnenschirmen, jedoch nicht zum Putz.

Der **neuholländische Strauß oder Emu** (*Dromaeus novae Hollandiae*), gegen 2 M. hoch, ist graubraun gefärbt und trägt Federn mit zwei Schäften aus einer Wurzel.

Der **indische Kasuar** (*Casuárius indicus*), gegen 2 M. hoch, mit schwarzem Gefieder, himmelblauem Halse und rothen Kehllappen, bewohnt die indischen Inseln; er trägt einen hornigen Helm auf dem Scheitel und besitzt doppelschäftige Federn, welche zerschlitzt sind und gefiedertem Pferdehaare gleichen.

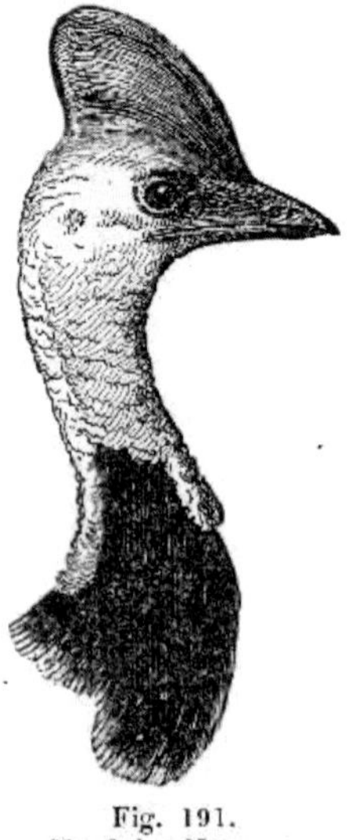

Fig. 191.
Kopf des Kasuars.

Fig. 192.
Fuß des Kasuars.

(§. 139.) Dritte Familie. Dronten.

Zu den Dronten gehört der **Dudu oder Dodo** (*Didus ineptus*) und der **Kiwi** (*Apterix australis*). Der Dudu lebte früher auf Madagascar und St. Mauritius und wurde 1679 durch Portugiesen und Holländer ausgerottet. Er erreichte Schwanengröße. — Der **Kiwi** Neuseelands geht gleichem Schicksale entgegen; er wird gegen 80 Zm. lang; er hat nur schlaffe Borstenfedern; Schwanz- und Flügelfedern fehlen.

Fig. 193. Dudu. (*Didus ineptus.*) Gegen 1 M. lang.

C. Wasservögel.

(§. 140.) **VII. Ordnung. Wat- oder Sumpfvögel.** (Grallatores.)

Sie besitzen lange Watbeine, welche in der Mitte des Körpers eingelenkt und so lang oder länger als der Rumpf sind; der Schwanz ist kurz; zwischen den Zehen befinden sich selten kleine Schwimmhäute. Sie bewohnen sumpfigen

Boden und waten tief ins Wasser (Watvögel), um ihre Nahrung: Würmer, Reptilien, Fische etc. zu suchen; sie finden sich bei uns als Zugvögel.

Uebersicht der Familien der Watvögel.

Schnabel kürzer oder wenig länger als der Kopf.	Schnabel hart . . .	I. Familie.	Wasserhühner.
	Schnabel an der Wurzel weich	II. Familie.	Regenpfeifer.
Schnabel zwei bis drei mal länger als der Kopf.	Schnabel an der Wurzel weich und biegsam	III. Familie.	Schnepfen.
	Schnabel hart . . .	IV. Familie.	Reiher.

§. 141. Erste Familie. Wasserhühner.

Ihr gerader oder etwas gebogener, harter Schnabel ist kurz oder wenig länger als der Kopf und seitlich zusammengedrückt. — Das schwarze **Wasserhuhn** (*Fúlica atra*) hat ein schieferschwarzes Gefieder und wird 40 Zm. lang; es ist ein nächtlicher Zugvogel, welcher keine Fische, wohl aber Insekten, Würmer und Schnecken frißt. — Der **graue Kranich** (*Grus cinérea*), mit aschgrauem Gefieder, rothwarzigem Hinterkopfe, schwarzer Kehle, mit langen, gekräuselten Bürzelfedern und langen, schwarzen Beinen, wird über 1 M. hoch und weilt bei uns vom Mai bis zum October; er liebt ebene Gegenden mit Sümpfen. Er wird durch Vertilgung von Insekten, Würmern und Mäusen sehr nützlich. Wenn er im Herbste nach dem Süden zieht, so fliegt die Schaar in hakenförmigen Reihen.

Fig. 194. Kopf des Kranichs. (*Grus cinérea.*)

(§. 142.) Zweite Familie. Regenpfeifer.

Ihr an der Wurzel weicher Schnabel ist wenig länger als der Kopf, dessen Stirn kugelig gewölbt erscheint. — Der bekannteste Vogel dieser Familie ist der **gemeine Kiebitz** (*Vanéllus cristátus*), 35 Zm. hoch; er trägt ein dunkelgrünes Gefieder; der Hals und Federbusch auf dem Kopfe sind schwarz. Er bewohnt unsere

Fig. 195. Gemeiner Kiebitz. (*Vanéllus cristátus.*) 35 Zm. hoch.

Wiesen im Sommer und nährt sich von Würmern, Insekten und Larven. Die wohlschmeckenden, schwarzgefleckten Eier werden gern gegessen. Er verdankt seinen Namen dem Rufe: Kibit.

(§. 143.) Dritte Familie. Schnepfen.

Ihr weicher, dünner und biegsamer Schnabel ist länger als der Kopf und dient ihnen als Tastwerkzeug.

Schnepfe. (Scólopax.)

Die Spitze des Oberschnabels überragt kolbenartig die des Unterschnabels. Die Schnepfen sind Zugvögel, welche im Norden brüten und im Herbste nach Afrika ziehen; sie streichen nur in der Morgen- und Abenddämmerung umher (Schnepfenstrich). Ihr Fleisch ist wohlschmeckend und ihr Magen- und Eingeweideinhalt (Mistkäfer und Eingeweidewürmer) wird als Delikatesse gegessen. Sie werden etwa 25—30 Zm. lang. — Die **Waldschnepfe** (*S. rusticola*) hat eine abgerundete Schnabelspitze und ein oben rostfarbenes Gefieder. — Die **Doppelschnepfe** (*S. major*) hat, wie die folgenden Arten, eine flachgedrückte Schnabelspitze; ihr Scheitel ist schwarzbraun gefärbt mit hellen Längsstreifen; ihre Flügeldeckfedern zeigen einen weißen Spitzenfleck. — Die **Bekassine** (*S. gallinágo*) besitzt auf den Flügeldeckfedern einen gelben Spitzenfleck. — Der **Moorschnepfe** (*S. gallínula*) fehlt der helle Längsstreif auf dem schwarzbraunen Scheitel.

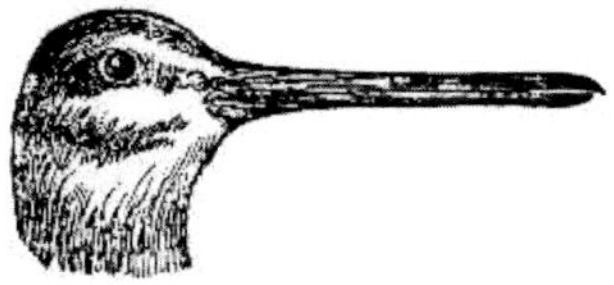

Fig. 196. Kopf der Moorschnepfe. (*Scólopax gallínula.*)

Kampfhahn. (Machétes.)

Der **Kampfhahn oder die Kampfschnepfe** (*M. pugnax*) hat ein sehr veränderliches, meist grauweißliches Gefieder. Die streitsüchtigen Männchen tragen einen Halskragen, welcher beim Kampfe sich emporsträubt. Er bewohnt feuchte Wiesen.

(§. 144.) Vierte Familie. Reiher.

Ihr an der Wurzel harter Schnabel ist gerade, gekrümmt, kahn- oder spatelförmig und stets länger als der Kopf.

Ibis. (Ibis.)

Der **geheiligte Ibis** (*Ibis religiósa*), 60 Zm. hoch, hat einen langen, abwärts gebogenen Schnabel und ein weißes Gefieder; nur der nackte Kopf und Hals, die Schwanzspitze, die Beine und der Schnabel sind schwarz; er lebt nur von Würmern und Weichthieren und wurde deshalb von den alten Aegyptern verehrt und einbalsamirt.

Fig. 197. Geheiligter Ibis. (*Ibis religiósa.*) 60 Zm. hoch.

Storch. (Cicónia.)

Die Störche haben einen geraden, nach vorn verschmälerten, sehr langen Schnabel. — Der **weiße Storch** (*C. alba*), mit weißem Kopfe und Halse, schwarzem Schwanze, schwarzen Schwingen, rothem Schnabel und rothen Füßen, nistet auf Gebäuden und nährt sich von Fröschen, Schlangen, Mäusen, Insekten, Eiern und Vögeln; er gehört mehr zu den schädlichen Vögeln. — Der **schwarze Storch** (*C. nigra*) trägt ein schwärzliches Gefieder; nur die Unterseite ist weiß gefärbt; er nistet nur auf Bäumen und ist in Deutschland selten. — Vergleiche §. 44. — Der **Marabu** (*C. Marabu*) ist etwas größer als die vorigen, bewohnt Indien und trägt ein aschgraues Gefieder mit schwarzblauen Schwingen und Schwanz. Die Schwanzdeckfedern sind kostbar und werden als Schmuck getragen.

Reiher. (Ardea.)

Die Reiher haben einen geraden, seitlich zusammengedrückten Schnabel, welcher kürzer ist als bei den Störchen. — Der **gemeine Reiher** (*A. cinérea*), mit bläulichgrauem Gefieder, schwärzlichem Federbusche und langen, herabhängenden Halsfedern, erreicht die Größe eines Storches. Er bewohnt das mittlere Europa, überwintert in Italien und nährt sich von Fischen, kleinen Vögeln und Insekten. — Der **Rohrdommel** (*A. stelláris*) fehlen die langen Halsfedern; ihr Gefieder ist rostgelb mit braunen Flecken. Sie findet sich im nördlichen Europa, nährt sich von Fischen und Fischlaich und läßt in der Nacht ein brüllendes Geschrei hören.

Fig. 198. Kopf des Fischreihers. (*Ardea cinérea.*)

(§. 145.) **VIII. Ordnung. Schwimmvögel.** (Natatóres.)

Ihre Beine sind meist kürzer als der kahnförmig gestaltete Rumpf und mehr nach hinten eingelenkt; die drei Zehen des Schwimmfußes oder die eine des Ruderfußes sind mit einer ganzen Schwimmhaut verbunden oder an den Zehen befinden sich Hautlappen. Das dichte Gefieder wird zum Schutze gegen die Nässe mit Fett gesalbt, welches sie aus den Fettdrüsen des Schwanzes mit dem Schnabel entnehmen. Zur Brutzeit entfernen einige Schwimmvögel die Federn vom Bauche, um damit die Nester auszupolstern und damit die Eier an den federlosen Stellen besser erwärmt werden können. Sie sind über die ganze Erde verbreitet, leben auf oder an dem Wasser, nähren sich von anderen Thieren und gewähren durch Fleisch, Eier, Federn und Mist (Guano) einen großen Nutzen.

Uebersicht der Familien der Schwimmvögel.

a. Schnabel am Innenrande mit Querblättchen oder Zähnchen			I. Familie.	Zahnschnäbler oder Enten.
b. Schnabel ohne Querblättchen.				
Mit Ruderfüßen, d. h. mit vier nach vorn gerichteten Zehen			II. Familie.	Ruderfüßer oder Pelekane.
Mit drei nach vorn gerichteten Zehen.	Flügel und Schwanz lang		III. Familie.	Möven.
	Flügel und Schwanz kurz	Hinterzehe frei, mit lappenartigem Anhange	IV. Familie.	Taucher.
		Hinterzehe fehlt	V. Familie.	Alken.

(§. 146.) Erste Familie. Zahnschnäbler oder Enten.

Ihr Schnabel erreicht die Kopflänge, zeigt am Innenrande Querblättchen und ist von einer weichen Wachshaut bekleidet. Sie nähren sich meist von Pflanzenstoffen und Würmern.

Fig. 199. Gemeiner Flamingo, auf dem Neste brütend. (*Phoenicópterus ruber.*) 1,6 M. hoch.

Flamingo.
(Phoenicópterus.)

Der **gemeine Flamingo** (*P. ruber*), mit rosenrothem Gefieder, schwarzen Schwingen und rothen Beinen, erreicht eine Höhe von 1,6 M.; er bewohnt die Küsten des Mittelmeeres. Sein langer, dicker Schnabel ist in der Mitte kahnförmig gebogen. Er nährt sich von Würmern, Fischen und Weichthieren und brütet auf dem hohen Schlammneste reitend.

Schwan. (Cygnus.)

Der Schnabel der Schwäne ist in seiner ganzen Länge fast von gleicher Breite und an der Wurzel höher als breit.

1. Der **stumme, zahme oder Höckerschwan,** 1,5 M. lang, (*C. olor*), hat auf dem gelbrothen Schnabel an der Wurzel einen schwarzen Höcker. Er besucht im Frühlinge die deutschen Ostseeküsten, nistet an denselben oder im Norden und wird auch gern auf Teichen gehalten. — Vergleiche §. 15.

2. Dem **wilden oder Singschwan** (*C. musicus*) fehlt der Höcker auf dem schwefelgelben Schnabel. Er brütet nur im höchsten Norden (Lappland und Spitzbergen) und wohnt im Winter in Nordafrika. Sein Geschrei wird durch die Silben „Killklii" und „Ang" übersetzt. Es klingt rauh und gellend in der Nähe; vielleicht wird es wohlklingender, wenn man es von vielen Schwänen aus größerer Entfernung vernimmt. Er wird 1,5 M. lang.

3. Der **schwarze Schwan** (*C. atrátus*) bewohnt Australien; er hat ein schwarzes Gefieder und einen carminrothen Schnabel.

Gans. (Anser.)

Der Schnabel der Gänse ist nach vorn verschmälert und am Grunde höher als breit. — Die **graue oder wilde Gans** (*A. cinéreus*), gegen 1 M. lang, hat ein graues Gefieder und einen gelben Schnabel. Sie bewohnt Nord- und Mitteleuropa und ist die Stammmutter unserer **Hausgans** (*A. doméstícus*).

Ente. (Anas.)

Der Schnabel der Enten ist an der Spitze eben so breit oder breiter als am Grunde, und hier breiter als hoch. Auf den Deckfedern der Flügel finden sich meist glänzende Farben, welche den sogenannten Spiegel bilden.

1. Die **wilde Ente** (*A. boschas*) hat einen blauen Spiegel mit weißer Einfassung, einen grün schillernden Kopf und Hals und ein weißes Halsband; die mittleren Schwanzfedern sind zurückgeschlagen. Sie brütet bei uns und ist die Stammmutter unserer Hausente. — Vergleiche §. 45.

2. Die **Krickente** (*A. crecca*) ist kleiner und bei uns ebenso häufig wie die vorige; das Männchen trägt einen goldgrünen Halsstreifen.

3. Die **Eiderente oder Eidergans** (*A. mollíssima*) erreicht die Größe der wilden Ente und bewohnt den hohen Norden (Norwegen, Spitzbergen, Grönland etc.). Ihr Balg wird zu Kleidern gebraucht und ihr Fleisch gegessen. Besonders kostbar sind ihre Dunen, welche aus den Nestern genommen werden. — Vergleiche §. 45.

(§. 147.) Zweite Familie. Ruderfüsser oder Pelekane.

Die vier nach vorn gerichteten Zehen sind durch eine ganze Schwimmhaut verbunden und die Flügel sind lang, schmal und spitz. Sie leben nur von Fischen.

Der **Pelekan oder die Kropfgans** (*Pelecánus onocrótalus*), über 1 M. lang mit weißem Gefieder und schwarzen Schwingen, trägt am Unterkiefer einen unbefiederten Kehlsack. Er wohnt am kaspischen Meere.

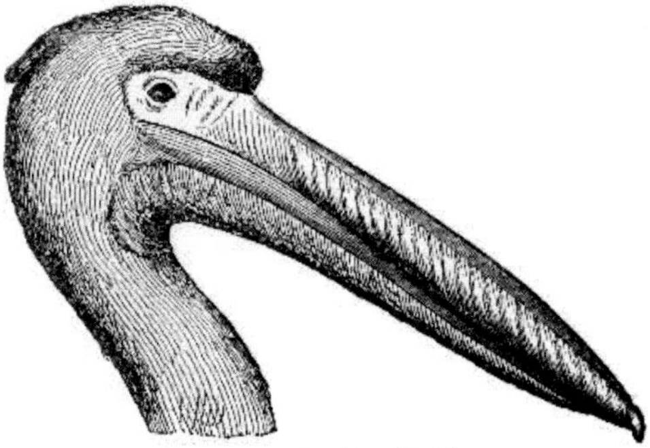

Fig. 200. Kopf des Pelekans.
(*Pelecánus onocrótalus.*)

Fig. 201.
Fuß des Pelekans.

Der **Fregattenvogel** (*Tachýpetes aquila*), über 1· M. lang, trägt ein schwarzes Gefieder. Er wohnt zwischen den Wendekreisen und fischt auf dem Meere, d. h. er entfernt sich 20—100 Meilen von der Küste. Er wird von den Schiffern „Schneider“ genannt, weil er beim Fliegen den gabelförmigen Schwanz öffnet und schließt.

(§. 148.) Dritte Familie. Möven oder Langflügler.

Die Möven haben drei nach vorn gerichtete Zehen, welche durch eine Schwimmhaut verbunden sind, und lange Flügel und einen langen Schwanz. Sie sind äußerst gewandte Flieger, welche ihre Beute im Fluge ergreifen.

Der **kleine Sturmvogel** (*Procellária pelagica*), erreicht Schwalbengröße, hat einen hakenförmig gebogenen Schnabel und ein dunkelschwarzes Gefieder. Während des heftigsten Sturmes läuft er mit Leichtigkeit über die Wogen und fängt die Beute, welche an die Oberfläche getrieben wird.

Der **Albatroß** (*Diomedéa éxulans*) wird größer als ein Schwan und klaftert 3 M. Er trägt ein meist weißes Gefieder und hat schwarze Flügel. Er findet sich auf dem atlantischen Ocean zwischen Afrika und Südamerika.

Die **Möven** haben einen seitlich zusammengedrückten Schnabel, welcher sich an der Spitze abwärts krümmt. — Die **schwarzköpfige oder Lachmöve** (*Larus ridibúndus*), 40 Zm. lang, hat einen rothen Schnabel und rothe Beine, einen schwarzen (im Sommer) oder weißen Kopf (im Winter) und graues Gefieder. Ihr Geschrei ist einem Gelächter ähnlich. Sie bewohnt die deutschen Küsten; ihre Eier werden gegessen.

(§. 149.) Vierte Familie. Taucher.

Ihre Flügel und ihr Schwanz sind kurz und die Hinterzehe zeigt einen breiten, lappenartigen Anhang. Sie sind Süßwasservögel, welche sehr gut tauchen.

Der **Haubentaucher** (*Pódiceps cristátus*), 50 Zm. lang, mit gespaltenen Schwimmfüßen, hat eine schwarzbraune Haube und einen rothbraunen Halskragen, welcher schwarz gesäumt ist. Er bewohnt Seen und Teiche Südeuropas.

(§. 150.) Fünfte Familie. Alken.

Sie unterscheiden sich von den Tauchern durch die fehlende Hinterzehe. Bei den Pinguinen sind die vier Zehen nach vorn gerichtet, von welchen drei durch eine Schwimmhaut verbunden werden.

Die **dumme Lumme** (*Uria troile*) erreicht Entengröße und ist oben sammetbraun und unten weiß gefärbt; sie bewohnt das nördliche Eismeer und ist gegen den Menschen äußerst harmlos. Das Weibchen legt nur ein Ei. Die Eier und Jungen werden gegessen.

Der **Riesen-Pinguin** (*Aptenódytes patagónica*) hat sehr kurze Flügel, welche nur mit schuppigen Federn bedeckt sind, und ein oben schiefergraues und unten weißes Gefieder. Er kann nicht fliegen, benutzt aber beim Schwimmen die Flügel zum Rudern. Er wird etwa 1 M. hoch und lebt auf der Südspitze Amerikas und im südlichen Eismeere. Die dichten Federpelze und das Fleisch finden Verwendung.

(§. 151.) **III. Klasse. Reptilien.** (Reptilia.)

Die Reptilien haben rothes, kaltes Blut (4—5° C.), athmen durch Lungen, seltener durch Kiemen, und legen pergamenthäutige oder in Schleim gehüllte Eier; sie besitzen vier oder keine Beine und sind mit Panzern, Schildern oder Schuppen bedeckt oder nackt.

Die Schildkröten gehen; die Krokodile gehen schwerfällig und schwimmen geschickt; schneller gehen die Eidechsen; die Schlangen kriechen durch die Bewegung ihrer Rippen, und die Frösche hüpfen.

Die Schildkröten besitzen statt der Zähne auf den Kieferrändern scharfe Hornscheiden, die Krokodile eingekeilte Zähne (wie bei den Säugethieren) und die Schlangen auf den Kiefern festgewachsene Zähne, welche jedoch nicht zum Zerkleinern der Nahrung, sondern nur zum Festhalten dienen. Alle Reptilien verschlingen ihre Nahrung, welche sie nur dem Thierreiche entnehmen, ganz.

Die Reptilien bewohnen die ganze Erde mit Ausnahme der Polarzone; einige leben nur auf dem Lande, andere nur im Wasser, einige jedoch auf dem Lande und im Wasser; letztere sind beidlebig, d. h. echte Amphibien. Die Reptilien der kälteren Zonen halten einen Winterschlaf und die der heißen Zone einen Sommerschlaf; die ersteren erwachen mit Zunahme der Wärme und die letzteren, sobald die Regenzeit eintritt.

Die Reptilien werden durch Vertilgung von Mäusen und Insekten, durch die eßbaren Eier und das Schildpatt nützlich. Krokodile, Riesen- und Giftschlangen werden durch ihre Größe oder durch ihr Gift schädlich; die meisten Reptilien sind unschädlich und machen nur einen unangenehmen Eindruck durch die geringe Temperatur ihres Körpers, den unheimlichen Aufenthalt und das Lauernde in ihrem Wesen. Die geistigen Fähigkeiten sind äußerst gering.

Von den etwa 1600 bekannten Arten bewohnen $^8/_9$ die heiße Zone, nur wenige gehen bis in die kalte Zone.

Vergleiche §. 278, 288, 292, 295 und 298.

Mit Rücksicht auf ihre Bedeckung werden die Reptilien in Schuppenreptilien (mit Panzern, Schuppen oder Schildern) und Nackthäuter getheilt.

Uebersicht der sechs Ordnungen der Reptilien.

A. Schuppenreptilien.

Ohne Zähne			I. Ordnung.	Schildkröten.
Mit Zähnen.	Mit Schwimmhäuten		II. Ordnung.	Krokodile.
Mit Zähnen.	Ohne Schwimmhäute.	Ohne Beine; Unterkiefer durch eine Knorpelmasse verbunden	III. Ordnung.	Schlangen.
Mit Zähnen.	Ohne Schwimmhäute.	Mit vier Beinen, selten fußlos; Unterkiefer verwachsen	IV. Ordnung.	Eidechsen.

B. Nackthäuter.

Ohne Schwanz	V. Ordnung.	Frösche.
Mit Schwanz	VI. Ordnung.	Molche.

A. Schuppenreptilien.

(§. 152.) **I. Ordnung. Schildkröten.** (Testudináta.)

Ihr Körper ist kurz und breit und wird vom mehr oder weniger gewölbten Rücken- und platten Brustpanzer eingeschlossen. Die Verbindung beider erfolgt durch eine Knorpelmasse, welche entweder stets weich bleibt oder auch verknöchert. Beide Schilder bilden eine Kapsel, welche nur vorn und hinten Oeffnungen zum Durchlassen des Kopfes, der vier Füße und des Schwanzes hat. Die Kiefern sind zahnlos. Der Rückenpanzer besteht aus einem Knochenpanzer, welcher von fünf Rücken-, je vier Seiten- und elf Randschildern bedeckt ist; zuweilen tritt noch ein Nacken- und Schwanzschild hinzu. Der Brustpanzer wird meist von zwölf Schildern bedeckt. Diese Hornschilder oder Platten bilden das sogenannte Schildpatt.

Die Schildkröten sind langsame Thiere, welche, wenn ihnen das Gehirn genommen wird, noch sechs Monate lang umherkriechen. Die Landschildkröten nähren sich von Pflanzen, die übrigen von Pflanzen, Würmern und Weichthieren; alle können sehr lange hungern (ein halbes bis sechs Jahre). Die Weibchen legen in selbst gegrabene Löcher Eier mit kalkig pergamentartiger Schale, um welche sie sich nicht weiter kümmern. Eier und Fleisch werden gegessen. — Vergleiche §. 278.

Uebersicht der Familien der Schildkröten.

Mit gleich langen Beinen.	Mit unbeweglichen Zehen	I. Familie.	Landschildkröten.
	Mit beweglichen Zehen	II. Familie.	Süßwasserschildkröten.
Mit längeren Vorderbeinen und flossenartigen Füßen		III. Familie.	Seeschildkröten.

(§. 153.) Erste Familie. Landschildkröten.

Sie können ihren Kopf und ihre Füße ganz zwischen die Panzer ziehen; der Rückenpanzer ist hoch gewölbt und die Zehen sind unbeweglich.

Die **griechische Schildkröte** (*Testúdo graeca*) wird gegen 30 Zm. lang und hat ein gelbliches, schwarz geflecktes Rückenschild, sie bewohnt das südöstliche Europa.

(§. 154.) Zweite Familie. Süßwasserschildkröten.

Sie können ihren Kopf und ihre Füße nicht oder nur wenig zurückziehen; der Rückenpanzer ist ziemlich flach, und die beweglichen Zehen sind durch Schwimmhäute verbunden.

Die **europäische Sumpfschildkröte** (*Emys europaea*), 25—30 Zm. lang, trägt schwarze Rückenplatten mit strahlenförmig gestellten gelben Punkten und gelbe Platten auf dem Brustpanzer. Sie bewohnt Mitteleuropa und findet sich auch in den Havelseen bei Potsdam und in den masurischen Seen der Provinz Preußen. — Vergleiche §. 16.

(§. 155.) Dritte Familie. Seeschildkröten.

Sie können Kopf und Füße nicht zurückziehen; der Rückenpanzer ist flach, und die Füße sind flossenartig.

Fig. 202. Echte Karette. (*Chelónia imbricáta.*) 1 M. lang.

Karettschildkröte. (Chelonia.)

1. Die **Riesenkarette** (*Ch. Midas*) wird über 2 M. lang und 400 Kilogramm schwer; ihr Rückenpanzer ist herzförmig; die grünlichen Schilder desselben decken sich nicht ziegeldachartig. Sie bewohnt die Meere der Tropen; ihr Fleisch wird gegessen, ihr Fett dient zum Brennen und der Rückenpanzer dient als Badewanne.

Die **echte Karette** (*Ch. imbricáta*) wird nur 1 M. lang und 100 Kilogramm schwer. Die gelben Schilder des Rückenpanzers decken sich ziegeldachartig. Sie hat mit der vorigen dieselbe Heimat. Ihr Fleisch ist schlecht, die Eier sind dagegen schmackhaft; sie liefert das beste Schildpatt (1—4 Kilogramm), aus welchem durch Erweichen und Pressen Kunstgegenstände (Dosen, Kämme etc.) gemacht werden. (Siehe Fig. 202.)

(§. 156.) II. Ordnung. Krokodile. (Crocodilina.)

Der lang gestreckte Körper ist nur an einzelnen Stellen mit einer weichen Haut, zum größten Theil jedoch mit Knochenschildern bedeckt. Die Krokodile haben vier Beine, eingekeilte Zähne und eine angewachsene Zunge.

Sie bewohnen die Gewässer der Tropen, nähren sich von Säugethieren und werden dem Menschen durch ihre Größe gefährlich. Die hartschaligen Eier überlassen sie der Sonnenwärme zum Ausbrüten.

Uebersicht der Familien der Krokodile.

Mit breiter Schnauze.	Hinterfüße mit halber oder nur angedeuteter Schwimmhaut . . .	I. Familie. Alligatoren.
	Hinterfüße mit ganzer Schwimmhaut . . .	II. Familie. Eigentliche Krokodile.
Mit schmaler Schnauze		III. Familie. Gaviale.

(§. 157.) Erste Familie. Alligatoren.

Die Alligatoren haben eine hechtförmige Schnauze und an den Hinterfüßen eine halbe oder nur angedeutete Schwimmhaut.

Der **Hechtkaiman** (*Alligátor lucius*), fast 5 M. lang, bewohnt den Missisippi und ist den Thieren, welche ans Wasser kommen, um zu trinken, äußerst gefährlich.

Der **Brillenkaiman** (*A. sclerops*), über 3 M. lang, wird wenig gefürchtet; er ist ein Bewohner Südamerikas.

(§. 158.) Zweite Familie. Eigentliche Krokodile.

Die Krokodile haben eine breite, rüsselförmig verlängerte Schnauze und an den Hinterfüßen eine ganze Schwimmhaut.

Das **Nilkrokodil** (*Crocodílus vulgaris*), bis 6 M. lang, bewohnt jetzt nur noch die Seen, Flüsse und Sümpfe Innerafrikas. — Vergleiche §. 17.

(§. 159.) Dritte Familie. Gaviale.

Sie besitzen eine schmale, fast walzenrunde Schnauze und Hinterfüße mit ganzen Schwimmhäuten.

Fig. 203. Gangeskrokodil. (*Rhamphóstoma gangeticum.*) 6 M. lang.

Der **Gangesgavial** (*Rhamphóstoma gangeticum*), 6 M. lang, wird von den Indiern göttlich verehrt. Im heiligen Krokodilteiche bei Kuraschi (Indien) werden fünfzig Stück gehalten, welche dem Rufe des Wärters willig folgen.

(§. 160.) **III. Ordnung. Schlangen.** (Ophidia.)

Der lang gestreckte, walzenrunde Körper der Schlangen ist oben mit Schuppen und unten mit Schildern bedeckt; ihnen fehlen Augenlider, Brustbeine und Gliedmaßen. Die Zahl der Wirbel beträgt gegen 300 und die der Rippen 250 (Fig. 204). Die sehr bewegliche Zunge ist weit hervorstreckbar und vorn gespalten; sie dient nur als Tastorgan und wird beim Schlucken und Beißen in eine Scheide gezogen. Die beiden Unterkieferäste sind vorn durch Knorpel verbunden und hinten nicht eingelenkt, wodurch

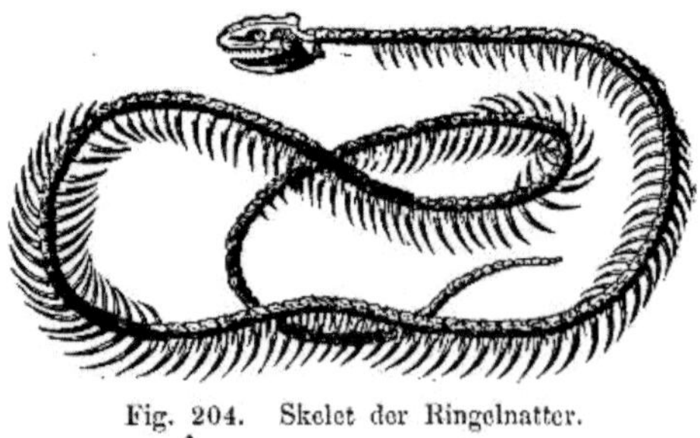

Fig. 204. Skelet der Ringelnatter.

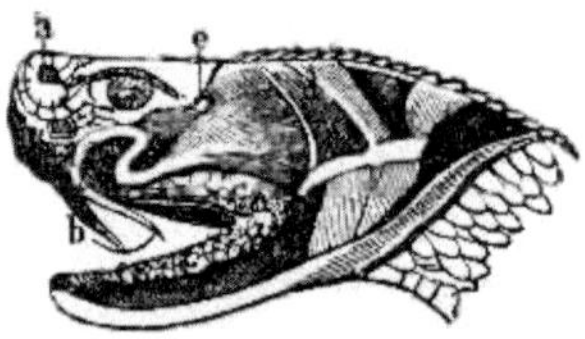

Fig. 205. Giftapparat der Klapperschlange. *a.* Nasenöffnung; *b.* Giftzähne; *c.* Speicheldrüsen; *d.* Schläfenmuskeln; *e.* Giftdrüse.

ein Verschlingen größerer Thiere ermöglicht wird. Die Zähne sind angewachsen, entweder derb und außen gefurcht oder hohl. Die hohlen oder Giftzähne (Fig. 205) sind durch eine Lücke von den derben Zähnen getrennt und stehen im Oberkiefer. Durch den Kanal des Giftzahnes tritt die giftige Flüssigkeit, welche in einer Drüse bereitet wird, in die vom Zahn gemachte Wunde. Das Gift tödtet nur, wenn es in das Blut warmblütiger

Thiere gelangt und ist je nach Art der Schlange, der Jahreszeit und der Menge in seinen Wirkungen verschieden.

Die Schlangen häuten sich mehrmals im Jahre und legen lederartige Eier oder bringen lebendige Junge zur Welt; ihre Nahrung besteht nur aus lebenden Thieren, welche sie ganz hinunterschlucken; sie können sehr lange die Nahrung entbehren. Ihre Heimat ist die gemäßigte und heiße Zone; in ersterer halten sie einen Winterschlaf und in letzterer verharren sie während des Sommers in Erstarrung.

Uebersicht der Familien der Schlangen.

Mit derben Zähnen	I. Familie. Giftlose Schlangen.
Mit derben, mit derben und gefurchten und mit hohlen Giftzähnen . . .	II. Familie. Giftschlangen.

Fig. 206. Riesenschlange. (*Boa constrictor.*) 3—5 M. lang.

(§. 161.) Erste Familie. Giftlose Schlangen.

Ihnen fehlen die hohlen Gift- und die gefurchten derben Zähne.

Riesenschlange. (Boa.)

Die Riesenschlangen haben am Grunde des Greifschwanzes, mit welchem sie sich an Bäumen festhalten, zwei Sporen oder Fußstummel und unten am Schwanze Halbringe.

1. Die **Riesen-, Königs- oder Abgottsschlange** (*B. constrictor*) ist chokoladenbraun gefärbt und 3—5 M. lang; ihr Rücken trägt einen dunklen Längsstreifen, welcher aus unregelmäßig schwärzlichen und blassen Flecken besteht. Sie bewohnt Südamerika, klettert geschickt und greift nie Menschen an.

2. Die **Anakonda** (*B. scytale*) ist oben schwärzlich und unten blaßgelb gefärbt; der Rücken trägt zwei Reihen runder, schwarzer Flecken. Sie ist die größte Schlange (10 M. lang), bewohnt Brasilien und lauert am Wasser den Thieren auf.

Der **getigerte Schlinger** (*Python tigris*) wird in Menagerien häufig als *Boa constrictor* gezeigt; er unterscheidet sich von derselben durch die unten am Schwanze befindlichen paarigen Schilder, die isabellgelbe Farbe und die großen braunen Flecken auf dem Rücken. Seine Heimat ist Ostindien und Java.

Ringelnatter. (Tropidonótus.)

Der **Ringelnatter oder gemeinen Natter** (*T. natrix*) fehlen die Fußstummel; auf ihrem Kopfe finden sich zwei Nasen-, zwei vordere und drei hintere Augenschilder. Sie wird über 1 M. lang, ist stahlgrau gefärbt, trägt auf dem Rücken zwei Reihen schwärzlicher Flecken und auf dem

Fig. 207. Ringelnatter. (*Tropidonótus natrix.*) Ueber 1 M. lang.

schwarzen Bauche weiße Seitenflecken. Sie wird an den beiden weißlichen, schwarz gesäumten, mondförmigen Flecken am Hinterkopfe leicht erkannt. Sie bewohnt Europa und Westasien.

(§. 162.) Zweite Familie. Giftschlangen.

Sie besitzen derbe, derbe und gefurchte und hohle Giftzähne.

Klapperschlange. (Crótalus.)

Die **südamerikanische Klapperschlange** (*C. horridus*) ist 2 M. lang, graubraun gefärbt und hat weißlich gesäumte, schwarzbraune Rautenflecken auf dem Rücken. Am Ende ihres Schwanzes befinden sich in einander steckende Hornringe, welche eine Klapper bilden; die Zahl der Ringe nimmt

Fig. 208. Nordamerikanische Klapperschlange. (*Crótalus durissus.*) 2 M. lang.

mit den Jahren zu. — Die **nordamerikanische Klapperschlange** (*C. duríssus*) hat einen schwarzen Schwanz und weißlich gesäumte, schwärzliche Querbinden auf dem Rücken. Der Biß beider Schlangen ist äußerst gefährlich und tödtet nach kurzer Zeit.

Kreuzotter. (Pélias.)

Die **Kreuzotter oder Giftviper** (*P. berus*) ist die einzige Giftschlange Deutschlands, welche unsere Wälder bewohnt. Sie wird nicht über 60 Zm. lang; man erkennt sie leicht am schwarzen Zickzackbande des Rückens, neben welchem jederseits eine Reihe kleiner Flecken hinläuft, und der schwärzlichen, kreuzförmigen Zeichnung des Kopfes. — Vergleiche §. 18.

Brillenschlange. (Naja.)

Die Brillenschlangen können die vorderen Rippen nach vorn bewegen, wodurch der Hals schildförmig ausgedehnt wird.

Die **Hut- oder Brillenschlange** (*N. tripúdians*), über 1 M. lang, mit schwarzer, brillenförmiger Zeichnung auf dem Halse, bewohnt Ostindien und Java; sie wird gezähmt und abgerichtet, nachdem ihr die Giftzähne ausgebrochen wurden. — Der **ägyptischen Brillenschlange, Aspis oder Schlange der Kleopatra** (*N. Haje*), gegen 2 M. lang, fehlt die brillenförmige Zeichnung. Durch einen Druck im Nacken verfällt sie in einen Starrkrampf und wird dann steif wie ein Stock. Die Königin Kleopatra soll sich durch sie vergiftet haben.

Die giftigen Seeschlangen bewohnen ausschließlich den stillen und indischen Ocean und erreichen nicht die Länge von 2 M.

Fig. 209. Brillenschlange. (*Naja tripudians.*) Ueber 1 M. lang.

(§. 163.) **IV. Ordnung. Eidechsen.** (Sauria.)

Die Eidechsen haben einen lang gestreckten, mit Schuppen und Schildern bedeckten Körper (§. 46) und vier Gliedmaßen; nur der Blindschleiche fehlen die Beine (Fig. 212); ihre Unterkiefer sind fest mit einander verwachsen und ihre Zähne angewachsen. Die Zunge ist verschieden gebildet.

Die Eidechsen bewohnen die gemäßigte und heiße Zone; in letzterer sind sie besonders verbreitet. Ihre Nahrung besteht aus Insekten und Würmern, wodurch sie nützlich werden. Die pergamentartigen Eier bleiben sich selbst überlassen.

Uebersicht der Familien der Eidechsen.

Zunge lang.	Zunge dünn, zweispitzig und weit hervorstreckbar	I. Familie.	Spaltzüngler.
	Zunge an der Spitze verdickt und klebrig	II. Familie.	Wurmzüngler.
Zunge kurz.	Zunge dick und fleischig	III. Familie.	Dickzüngler.
	Zunge an der Spitze verschmälert und hinten dick	IV. Familie.	Kurzzüngler.

(§. 164.) Erste Familie. Spaltzüngler.

Ihre lange Zunge ist dünn, zweispitzig und weit hervorstreckbar. Der lange Schwanz zeigt wirtelförmige Schuppen.

Eidechse. (Lacérta.)

Die **gemeine oder flinke Eidechse** (*L. ágilis*) hat wie die übrigen Eidechsen einen langen und leicht abbrechbaren Schwanz, welchen sie leicht erneuert. Sie ist graugrün gefärbt und hat eine bräunliche Rückenbinde nebst weißen Flecken. Der Bauch ist beim Männchen grünlich und beim Weibchen weißlich gefärbt. — Die **Perleidechse** (*L. ocelláta*) ist schön grün gefärbt und hat an den Seiten blaue, schwarz eingefaßte Flecken. Sie bewohnt Spanien und Südfrankreich. — Etwas kleiner ist die **grüne Eidechse** (*L. viridis*); sie trägt auf dem schön grün gefärbten Rücken kleine schwarze Schuppen. Ihre Heimat ist Mittel- und Südeuropa. — Vergleiche §. 46.

(§. 165.) Zweite Familie. Wurmzüngler.

Ihre lange Zunge ist an der Spitze verdickt, rund, weit ausstreckbar und klebrig; sie besitzen einen Kletterschwanz und Kletterfüße.

Chamäleon. (Chamaeleon.)

Das **gemeine Chamäleon** (*Ch. africánus*), 45 Zm. lang, hat einen helmförmigen Kopf und gewöhnlich eine stahlgraue Farbe. Der Farbenwechsel (von Orange durch Gelbgrün bis Blaugrün) wird durch die Umgebung, das Licht und das Aufblähen des Körpers bedingt. Bei lebhaften Erregungen werden die unter der Haut liegenden Farbschichten verschieden ausgebreitet

Fig. 210. Gemeines Chamäleon. (*Chamaeleon africánus.*) 45 Zm. lang.

und bewirken durch eine mehr oder weniger tiefe Lage die Farbenveränderung. (Aehnlich ändert der Mensch seine Gesichtsfarbe.) Es lebt von Insekten, welche es mit der pfeilschnell hervorstreckbaren Zunge fängt. Jedes Auge kann unabhängig vom andern bewegt werden. Es lebt in Südafrika und Spanien und wird auch zum Fliegenfangen in Zimmern gehalten.

(§. 166.) Dritte Familie. Dickzüngler.

Die kurze Zunge ist dick, fleischig und am Ende mit Warzen besetzt.

Der **grüne Drache** (*Draco viridis*) hat zu beiden Seiten des Rumpfes eine über den falschen Rippen ausgespannte Flughaut, welche ihm beim Springen als Fallschirm dient. Er wird 30 Zm. lang und lebt auf Java.

Der **Leguan** (*Iguána tuberculáta*) ist im tropischen Amerika gemein; er wird über 1 M. lang, ist blaugrün gefärbt, hat einen Kehlsack und auf dem Rücken einen Kamm, welcher aus spitzen Hornplatten besteht.

(§. 167.) Vierte Familie. Kurzzüngler.

Die kurze Zunge ist an der Wurzel dick und vorn verschmälert. (Die Skinke haben vier, die Doppelschleichen nur zwei Hinterbeine und der Blindschleiche fehlen die Beine.)

Blindschleiche. (Anguis.)

Die **Blindschleiche oder Bruchschlange** (*A. fragilis*), 30—35 Zm. lang, hat einen schlangenähnlichen, glänzend kupferbraunen, unten schwärzlichen Körper, dem die Beine fehlen; unter der Haut finden sich jedoch Ansätze von Schulterblättern und Becken, welche die Schlangen nicht besitzen. (Vergleiche Fig. 211.) Die jungen Blindschleichen haben auf dem Rücken drei schwarze Streifen, welche mit dem zunehmenden Alter undeutlicher werden. Ihr Schwanz, welcher mehr als die Hälfte der Körperlänge beträgt, bricht leicht ab und ersetzt sich bald wieder. Die Blindschleichen bringen lebendige Junge zur Welt. (Siehe Fig. 212.)

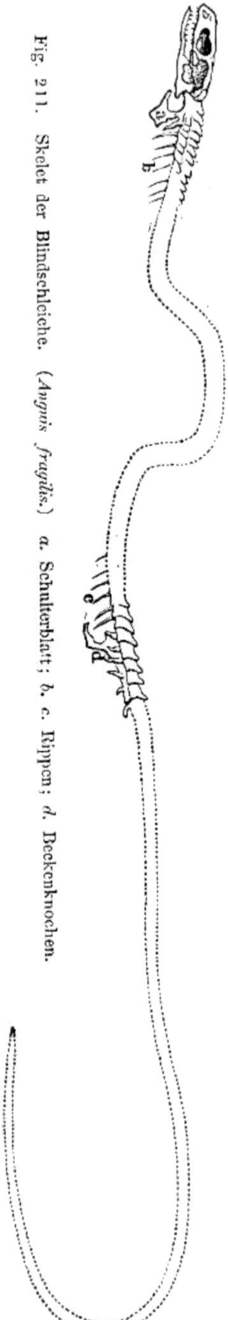

Fig. 211. Skelet der Blindschleiche. (*Anguis fragilis.*) *a.* Schulterblatt; *b. c.* Rippen; *d.* Beckenknochen.

B. Nackthäuter.

(§. 168.) V. Ordnung. Frösche. (Ecaudata.)

Die Frösche haben einen kurzen, breiten, schwanzlosen Körper, eine nackte, schuppenlose, klebrig feuchte Haut und keine Rippen; sie pflanzen sich durch Eier fort, welche entweder Klumpen (bei den Fröschen) oder Schnüre (bei den Kröten) bilden.

Fig. 212. Blindschleiche. (*Anguis fragilis.*) 30—35 Zm. lang.

Die Jungen (Kaulquappen oder Froschlarven) sind fischähnlich, leben nur im Wasser und athmen durch Kiemen. Die weitere Entwickelung ergiebt sich aus Fig. 70.

Fast alle Frösche haben eine weite Stimmlade mit Kehlblasen und Schallhöhlen, wodurch sie zum Hervorbringen ihrer lauten Stimme befähigt werden. Sie bewohnen die gemäßigte und heiße Zone. In der kalten Jahreszeit halten sie einen Winterschlaf. Ihre Nahrung besteht aus Insekten und Würmern; sie sind daher nützliche Thiere.

Uebersicht der Familien der Frösche.

Mit Zunge.	Mit langen Hinterbeinen.	Mit glatter Haut.	Mit Saugscheiben an den Zehen . .	I. Familie.	Laubfrösche.
Mit Zunge.	Mit langen Hinterbeinen.	Mit glatter Haut.	Ohne Saugscheiben	II. Familie.	Wasserfrösche.
Mit Zunge.	Mit langen Hinterbeinen.	Mit warziger Haut		III. Familie.	Unken.
Mit Zunge.	Hinterbeine wenig länger als die Vorderbeine			IV. Familie.	Kröten.
Ohne Zunge				V. Familie.	Zungenlose.

(§. 169.) Erste Familie. Laubfrösche.

Sie haben eine vorn angewachsene Zunge, eine glatte Haut, Saugscheiben an der Spitze der Zehen und lange Hinterbeine mit halber Schwimmhaut; sie hüpfen.

Der **Laubfrosch** (*Hyla arbórea*), 3—4 Zm. lang, bewohnt Süd-, Mitteleuropa und Afrika. Nach der Laichzeit ist er bräunlich gefärbt und bekommt erst nach mehreren Häutungen das schöne Grün. — Vergleiche §. 19.

(§. 170.) Zweite Familie. Wasserfrösche.

Sie unterscheiden sich von den vorigen durch die fehlenden Saugscheiben.

Frosch. (Rana.)

Die Frösche haben an den Hinterfüßen eine ganze Schwimmhaut.

1. Der **Wasserfrosch oder der grüne Frosch** (*R. esculénta*), 8 Zm. lang, hat eine grüne Farbe mit drei gelben Längsstreifen und schwarzen Flecken. Nur die kleinen Männchen besitzen an jeder Seite des Kopfes eine Schallblase, durch welche sie ihren Gesang hervorbringen. Der Wasserfrosch bewohnt die stehenden Gewässer Europas, Afrikas und Japans; die Hinterschenkel werden gegessen. — Vergleiche §. 47.

2. Der **Grasfrosch** (*R. temporária*), eben so lang, ist gelb- oder rothbraun gefärbt und schwarz gefleckt; er lebt mehr auf dem Lande und quakt weniger. Die Jungen kriechen nach heftigem Regen aus dem Wasser ans Land oder aus ihren Schlupfwinkeln hervor, so daß sie die Sage vom Froschregen veranlaßt haben. Die Hinterschenkel werden gegessen. Im Winter liegen die Frösche erstarrt, tief in Schlamm gebettet. — Vergleiche §. 47.

3. Der **Brüll- oder Ochsenfrosch** (*R. mugiens*) wird 20 Zm. und mit ausgestreckten Hinterbeinen 45 Zm. lang; er bewohnt den Osten Nordamerikas und springt über 1 M. hohe Zäune. Sein Geschrei ist ungemein laut.

(§. 171.) Dritte Familie. Unken.

Sie haben eine nur am Rande freie Zunge und eine warzige Haut. — Die **Unke** (*Bombinátor igneus*) lebt in ganz Europa in stehenden Gewässern, wird 4 Zm. lang und ist oben grau oder bräunlich gefärbt. Die schwarzblaue Unterseite zeigt gelbe Flecken.

(§. 172.) Vierte Familie. Kröten.

Ihre Haut ist sehr warzig, und ihre Hinterbeine sind wenig länger als die Vorderbeine; sie kriechen.

Fig. 213. Graue Kröte. (*Bufo cinereus.*) ½ der natürlichen Größe.

Kröte. (Bufo.)

Sie haben an den Hinterfüßen eine halbe Schwimmhaut, sondern durch die Hautdrüsen eine scharfe, aber nicht giftige Feuchtigkeit ab und nähren sich von Schnecken, Raupen, Käfern, wodurch sie uns nützlich werden. — Die **graue Kröte** (*B. cinereus*), — grau oder rothbraun gefärbt, bis 10 Zm. lang (siehe Fig. 213), — die **Kreuzkröte** (*B. calamita*), — graugrünlich gefärbt, mit gelbem Rückenstreifen, 8 Zm. lang, — und die **grüne Kröte** (*B. viridis*), — weißlich gefärbt mit sammetgrünen Rückenflecken und rothen Warzen, 10 Zm. lang, — bewohnen Mittel- und Südeuropa.

(§. 173.) Fünfte Familie. Zungenlose.

Die **Pipa oder Wabenkröte** (*Pipa dorsígera*), 20 Zm. lang, hat einen plattgedrückten, warzigen, schwarzbraunen Körper, kleine Augen und an jedem Mundwinkel einen kleinen Lappen; sie bewohnt Guinea und Brasilien. Das

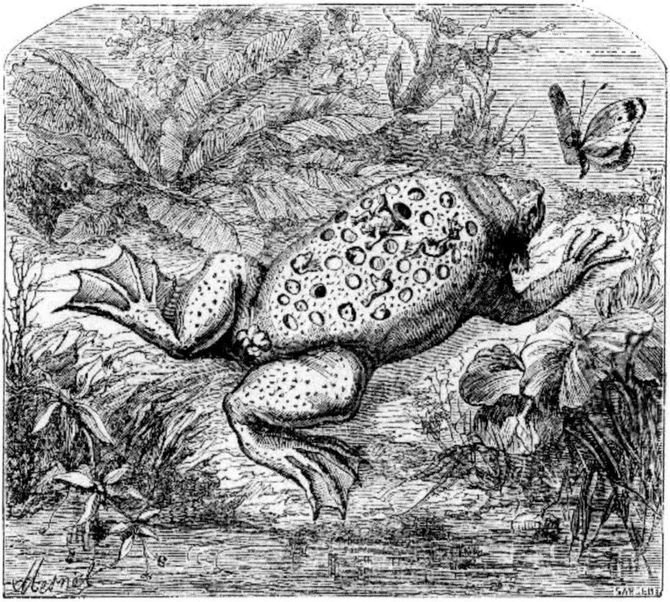

Fig. 214. Pipa. (*Pipa dorsígera.*) 20 Zm. lang.

Männchen streicht dem Weibchen die Eier auf den Rücken; hier bilden sich sechseckige Zellen, in welchen die junge Pipa ihre Verwandlung durchmacht; dann sprengt sie die Zelle und verläßt diese.

(§. 174.) **VI. Ordnung. Molche.** (Caudata.)

Mit den Fröschen stimmen sie in Bezug auf ihre Entwickelung überein, nur daß sich die Vordergliedmaßen zuerst bilden; sie unterscheiden sich von denselben dadurch, daß sie einen geschwänzten, eidechsenartigen Körper besitzen. — Sie nähren sich von Insekten.

Uebersicht der Familien der Molche.

Nach der Verwandlung ohne Kiemen . . . I. Familie. Salamander.

Stets mit Kiemen oder Kiemenspalten und mit Lungen . . . . II. Familie. Fischmolche.

(§. 175.) Erste Familie. Salamander.

Der **gefleckte oder Feuersalamander** (*Salamándra maculáta*) erreicht die Größe einer Eidechse, ist schwarz gefärbt mit hochgelben, großen Flecken, hat einen walzigen Schwanz und ist in bergigen Gegenden häufig. Wenn er gereizt wird, so spritzt er aus den Hautdrüsen eine nicht giftige Feuchtigkeit, welche ihn auch befähigt, über glühende Kohlen wegzukriechen; unverbrennlich ist er aber keineswegs.

Fig. 215. Gefleckter Salamander. (*Salamándra maculáta.*)
½ der natürlichen Größe.

Der **Wassersalamander oder Wassermolch** (*Triton cristátus*) hat einen seitlich zusammengedrückten Schwanz und körnige Haut, ist schwarzbraun gefärbt mit schwärzlichen Flecken und weißen Punkten an den Seiten. Der gezähnte Hautkamm des Männchens schrumpft nach der Laichzeit wieder zusammen. — Der **kleine Wassermolch** (*T. taeniátus*) mit gelbem Bauche, olivenfarbigem, dunkel geflecktem Rücken, hat eine glatte Haut. — Beide Salamander bewohnen Teiche und Pfützen. — Vergleiche §. 48.

(§. 176.) Zweite Familie. Fischmolche.

Der **Olm** (*Proteus anguinus*), fleischroth gefärbt, 30 Zm. lang, behält die Kiemen und athmet durch diese und durch Lungen. Er bewohnt nur

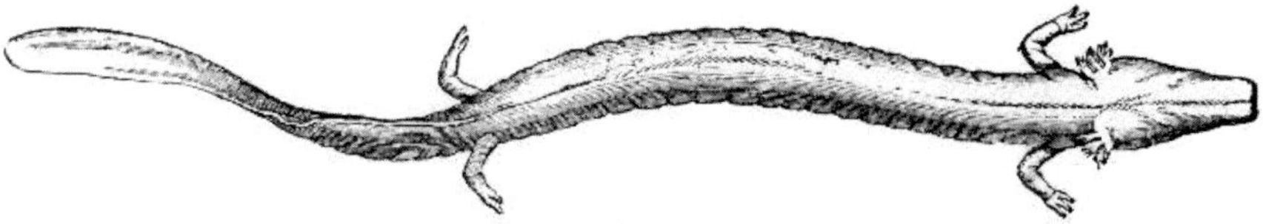

Fig. 216. Olm. (*Proteus anguinus.*) 1/4 der natürlichen Größe.

die unterirdischen Gewässer Krains; wird er dem Lichte ausgesetzt, so verändert er seine Farbe und wird meist blauschwarz.

(§. 177.) IV. Klasse. Fische. (Pisces.)

Die Fische haben rothes, kaltes Blut (4—5 ° C.), athmen durch Kiemen, seltner durch Lungen und Kiemen (§. 295) und legen meist weichschalige, kleine Eier (Rogen); sie besitzen statt der Beine Flossen und sind selten ganz nackt, meist jedoch mit Schuppen oder Schildern bedeckt.

Ihr Skelet besteht entweder aus Knochen (Knochenfische) oder bleibt ganz oder theilweise knorpelig (Knorpelfische.)

Die Flossen führen, je nach Stellung und Beschaffenheit verschiedene Namen. Sie bestehen aus einer Haut, welche zwischen Knochenstrahlen ausgespannt ist. Die paarigen Flossen, Brust- und Bauchflossen (Fig. 217, *f* und *e*), entsprechen den Vorder- und Hintergliedmaßen. Die unpaarigen Flossen heißen: Rücken- (*a* und *b*), Schwanz- (*c*) und Afterflosse (*d*). Der Barsch hat zwei Rückenflossen. Die Schwanzflosse dient als Hauptfortbewegungsorgan und die übrigen Flossen werden zum Steuern gebraucht.

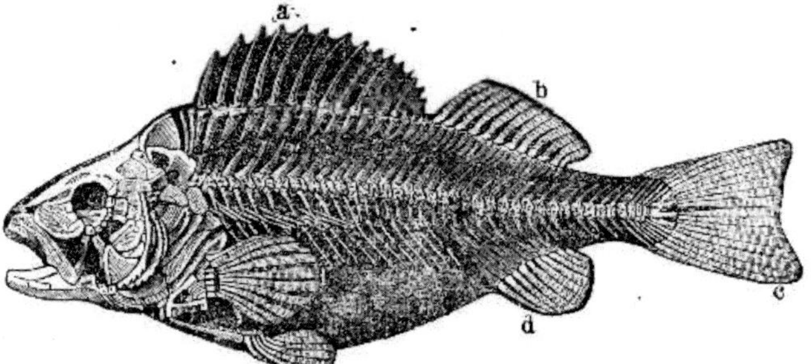

Fig. 217. Skelet des gemeinen Flußbarsches.
a. Erste Rückenflosse; *b.* zweite Rückenflosse; *c.* Schwanzflosse; *d.* Afterflosse; *e.* Bauchflosse; *f.* Brustflosse.

Der Beschaffenheit nach unterscheidet man Stachelflossen (Fig. 219), — aus ungegliederten, steifen Strahlen bestehend, — Weichflossen (Fig. 224), — aus gegliederten Strahlen bestehend, welche sich in weiche Aeste theilen — und Fettflossen (§. 49), welchen die stützenden Strahlen fehlen.

Die Schwimmblase hat eine sehr verschiedene Gestalt und dient dazu, ein beliebiges Steigen und Sinken im Wasser zu bewerkstelligen. Sie ist mit Sauerstoff und Stickstoff oder nur mit Sauerstoff gefüllt; sie fehlt Schollen und Flundern.

Die Sinnesorgane sind nur sehr unvollkommen entwickelt; der Tastsinn liegt in den Lippen und den Bartfäden; die Augen sind ohne Lider; das Ohr besteht nur aus Vorhof und Bogengängen; ihre Nasenlöcher sind nach dem Rachen fast immer verschlossen; ihre Zunge ist mit einer harten Haut bekleidet oder mit Zähnen besetzt und wenig zum Schmecken geeignet.

Die Eier, den Laich oder Rogen legen die Fische an geschützte Stellen; die Zahl derselben ist ungemein verschieden. Im Rogen des Härings sind 30—40,000, in dem des Karpfens 700,000, in dem des Störs 1,400,000 und in dem des Kabeljau 13,000,000 Eier enthalten. Im gesammten Thierreiche kommt eine annähernd so große Zahl von Eiern nirgend vor; wenn dessenungeachtet die Zahl der Fische nicht zu-, sondern abnimmt, so muß berücksichtigt werden, daß kaum aus einem von 100 Eiern ein Junges hervorschlüpft und daß die Fische die zahlreichsten Feinde haben. Keine zweite Thierklasse dient so allgemein als Nahrungsmittel, wie dies bei den Fischen der Fall ist; außerdem sind Seevögel, Robben, Eisbären und eine große Zahl von Fischen auf Fischnahrung angewiesen. Der Hauptgrund für die Abnahme der Fische liegt in der Abnahme der Oberfläche der stehenden Gewässer; diese sind die Pflanzschulen und Speisekammern vieler Fische.

Mit Ausnahme der Karpfen, welche auch Pflanzenkost genießen, sind die übrigen Fische auf Wasserthiere angewiesen; letzteren dient die Pflanzenwelt, die Grundlage der thierischen Schöpfung, zur Nahrung. Der Fischreichthum eines Gewässers ist daher von seinem Pflanzenreichthum abhängig.

Die Fische bewohnen die Gewässer der ganzen Erde, doch hat jede Zone besondere Formen; der größte Theil findet sich im Meere in der Nähe der Küsten. Man kennt 8000 lebende Arten, von denen 850 den europäischen Meeren angehören. — Vergleiche §. 278, 288, 292, 295 und 298.

Uebersicht der fünf Ordnungen der Fische.

a. Mit Lungen und Kiemen		I. Ordnung. Lungenfische.
b. Mit Kiemen		
Skelet knochig.	Die vorderen Strahlen der Rückenflosse oder die ganze erste Rückenflosse aus ungegliederten Strahlen bestehend	II. Ordnung. Stachelflosser.
	Die Rückenflosse aus gegliederten und sich theilenden Strahlen bestehend	III. Ordnung. Weichflosser.
Skelet knorpelig.	Kiemen am äußeren Rande frei	IV. Ordnung. Freikiemer.
	Kiemen am äußeren Rande mit der Haut verwachsen	V. Ordnung. Haftkiemer.

(§. 178.) I. Ordnung. Lungenfische. (Dipnoï.)

Die Lungenfische bilden den Uebergang von den Reptilien zu den Fischen. Sie sind mit Schuppen bedeckt, haben knorpelige Kiemenbogen und athmen durch Lungen. Ihre Nasenlöcher öffnen sich in die Mundhöhle, und ihre Wirbelsäule bildet ein Knorpelrohr.

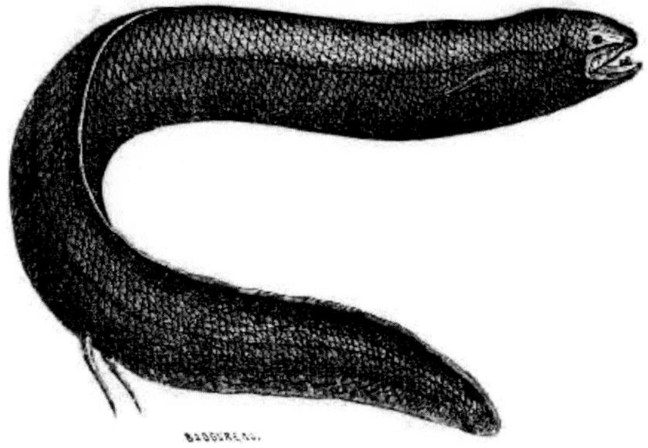

Fig. 218. Molchfisch. (*Lepidosiren paradoxa.*) 1 M. lang.

Der **Schuppenmolch oder Molchfisch** (*Lepidosiren paradoxa*) lebt in Sümpfen und Gräben am Amazonenstrom, wird gegen 1 M. lang und ist graubraun gefärbt.

Der **Kleinflosser oder Schlammfisch** (*Protópterus annectens*) zeigt auf dunkelbraunem Grunde rundliche Flecken von grauer Färbung; er wird 60 Zm. lang und bewohnt die Flüsse Senegambiens; sobald im Sommer das Wasser zurücktritt, bleiben die Kleinflosser im Schlamme zurück; sie stellen ein Schlammgehäuse her, in welchem sie vier bis sieben Monate, ohne Nahrung zu sich zu nehmen, liegen bleiben. In diesem Zustande athmen sie durch die Lunge und werden so vielfach an die Thiergärten Europas versandt.

(§. 179.) II. Ordnung. Stachelflosser. (Acanthopterygii.)

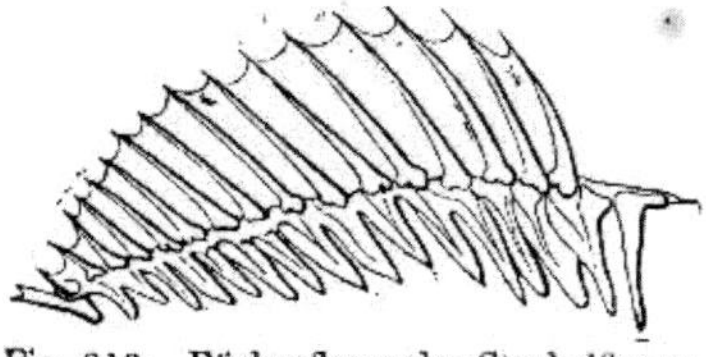

Fig. 219. Rückenflosse der Stachelflosser.

Sie sind Knochenfische, deren Rückenflosse ganz oder zum Theil aus einfachen, ungegliederten, steifen Stachelstrahlen besteht; zuweilen fehlt sogar die Haut zwischen den Strahlen. — (Fig. 219.)

Uebersicht der Familien der Stachelflosser.

Ohne freie Stachelstrahlen vor den Rückenflossen.	Mit rauhen Schuppen und Kiemen	I. Familie. Barsche.
	Mit glatten oder körnigen Schuppen	II. Familie. Makrelen.
Mit freien Stachelstrahlen vor den Rückenflossen		III. Familie. Stichlinge.

(§. 180.) Erste Familie. Barsche.

Der **Flußbarsch** (*Perca fluviatilis*), 45 Zm. lang, zeigt eine gelbgrüne Färbung mit sechs bis sieben schwärzlichen Querbinden und hat zwei, durch eine Haut verbundene Rückenflossen. Die Schwanz- und die paarigen Flossen sind röthlich gefärbt. Er ist ein Raubfisch unserer Gewässer, welcher schmackhaftes Fleisch liefert. — (Fig. 217.)

Der **Sander oder Zant** (*Luciopérca sandra*), bis 1 M. lang, ist bleigrau gefärbt mit vielen dunklen Querbinden. Die beiden Rückenflossen sind nicht verbunden; er bewohnt die großen Seen und Flüsse Deutschlands und Ungarns.

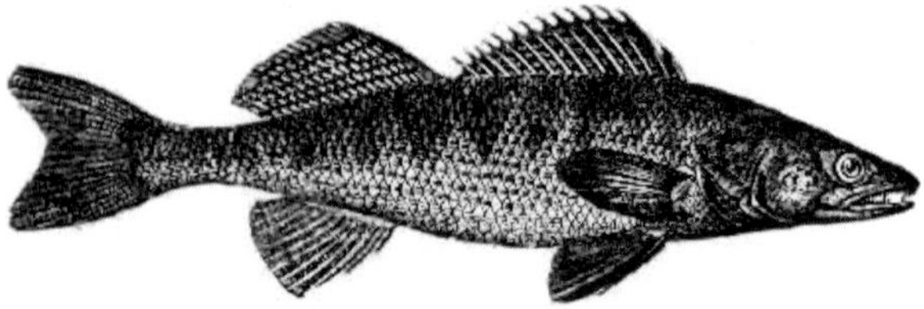

Fig. 220. Sander. (*Luciopérca sandra.*) Bis 1 M. lang.

Der **Kaulbarsch** (*Acerína cernua*), 16 bis 20 Zm. lang, zeigt eine olivengrüne Färbung mit schwärzlichen Punkten am Körper und den Flossen. Er hat nur eine Rückenflosse und lebt in Flüssen und Seen Nord- und Mitteleuropas.

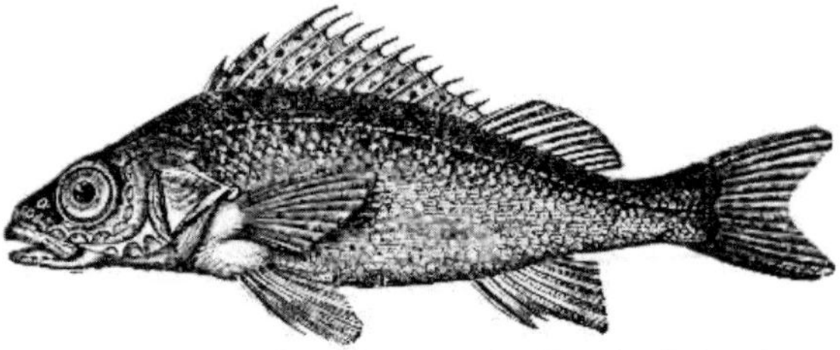

Fig. 221. Kaulbarsch. (*Acerína cernua.*) 16—20 Zm. lang.

(§. 181.) Zweite Familie. Makrelen.

Der **Tunfisch** (*Scomber thynnus*), bis 5 M. lang, ist oben bläulich und unten weiß gefärbt; hinter After- und Rückenflosse befinden sich neun bis zehn falsche Flossen; die beiden Rückenflossen stoßen zusammen. Er findet sich in allen europäischen Meeren, ganz besonders im Mittelmeer in ungeheurer Menge; sein schmackhaftes Fleisch verdirbt schnell und wird dann der Gesundheit schädlich.

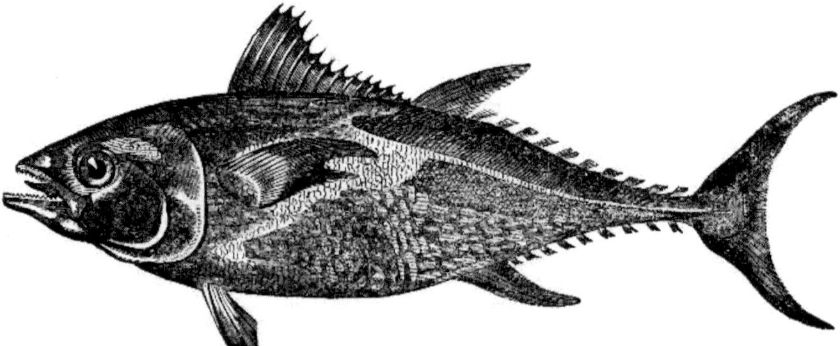

Fig. 222. Tunfisch. (*Scomber thynnus.*) Bis 5 M. lang.

Die **Makrele** (*S. scombrus*), 60 Zm. lang, unterscheidet sich vom vorigen durch die schwärzlichen Querbinden, die nicht zusammenstoßenden Rücken-

Fig. 223. Gemeine Makrele. (*Scomber scombrus.*) 60 Zm. lang.

flossen und die fünf falschen Flossen. Auch er liefert ein schmackhaftes, weichliches Fleisch, welches schnell verdirbt. Er findet sich in der Nord- und Ostsee sehr häufig.

(§. 182.) Dritte Familie. Stichlinge.

Der **gemeine Stichling** (*Gasteróstеus aculeátus*), 8 Zm. lang, hat vor der Rückenflosse drei freie Stacheln und statt der Bauchflossen zwei Stacheln. — Der **kleinste Stichling** (*G. pungitius*), nur 4 Zm. lang, ist der kleinste Süßwasserfisch Deutschlands. Vor der Rückenflosse stehen acht bis zehn Stacheln. — Vergleiche §. 20.

Zu den Stachelflossern gehört noch das **Seepferdchen** (*Hippocámpus brevirόstris*), 16 Zm. lang, welches bräunlich gefärbt ist und das Mittelmeer bewohnt. Sein Kopf ist dem eines Pferdes ähnlich und der Körper nimmt nach dem Tode eine ∾-förmige Gestalt an.

(§. 183.) **III. Ordnung. Weichflosser.** (Malacopterygii.)

Sie sind Knochenfische, deren Flossen aus gegliederten, sich ästig theilenden, biegsamen Strahlen besteht; nur zuweilen ist der erste und zweite Strahl der Rückenflosse hart und ungegliedert.

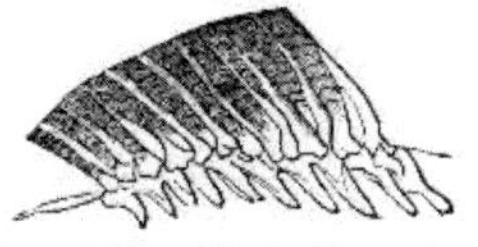

Fig. 224. Rückenflosse der Weichflosser.

Nach der Stellung oder dem Vorhandensein der Bauchflossen unterscheidet man Bauchweichflosser, — Bauchflossen hinter den Brustflossen, — Kehlweichflosser, — Bauchflossen unter den Brustflossen — und Kahlbäuche, — ohne Bauchflossen.

Uebersicht der Familien der Weichflosser.

a. Bauchweichflosser.

Haut nackt	I. Familie. Welse.
Haut mit Schuppen bekleidet; mit Fettflosse hinter der Rückenflosse	II. Familie. Lachse.

Haut mit Schuppen bedeckt; ohne Fettflosse.		Rückenflosse meist über der Afterflosse	III. Familie.	Hechte.
	Rückenflosse fast in der Mitte des Körpers.	Schwimmblase aus zwei Theilen bestehend .	IV. Familie.	Karpfen.
		Schwimmblase einfach . . .	V. Familie.	Häringe.

b. Kehlweichflosser.

Ohne Saugscheibe.	Körper symmetrisch .	VI. Familie.	Schellfische.
	Körper unsymmetrisch	VII. Familie.	Schollen oder Seitenschwimmer.
Mit Saugscheibe		VIII. Familie.	Schildfische.

c. Kahlbäuche.

Körper schlangenförmig, ohne Bauchflosse	IX. Familie.	Aale.

a. Bauchweichflosser.

(§. 184.) Erste Familie. Welse.

Sie sind Flußfische, welche keine Schuppen, wohl aber Bartfäden besitzen. Der **gemeine Wels** (*Silúrus glanis*), gegen 2 M. lang und bis 150 Kilogramm schwer, ist oben olivengrün und unten weißgelblich gefärbt. Er hat

Fig. 225. Gemeiner Wels. (*Silúrus glanis.*) Gegen 2 M. lang.

zwei lange und vier kurze Bartfäden und eine kleine Rückenflosse, hält sich gern im Schlamme großer Flüsse auf und ist ungemein gefräßig. Seine Blase liefert Leim und sein Fleisch wird gern gegessen.

Der **Zitterwels** (*Malapterúrus electricus*) bewohnt die Flüsse Afrikas, wird gegen 1 M. lang und ist grau gefärbt und schwarz gefleckt. Er besitzt statt der Rückenflosse eine Fettflosse und die Fähigkeit, schwache elektrische Schläge auszutheilen; der elektrische Apparat liegt unter der Haut in der ganzen Länge des Körpers.

(§. 185.) Zweite Familie. Lachse.

Sie sind Fluß- und Meerbewohner, welche Schuppen und eine Fettflosse hinter der Rückenflosse besitzen. Ihr Fleisch wird sehr geschätzt.

Lachs. (Salmo.)

Ihre Kiefern, Gaumen, Schlundknochen und ihre Zunge sind mit Zähnen bedeckt; ihre Fettflosse steht über der Afterflosse.

1. Der **große Lachs oder Salm** (*S. salar*), 1—2 M. lang, hat einen blaugrauen Rücken, silberglänzende Seiten, einen weißlichen Bauch und ist im Frühlinge unregelmäßig braun gefärbt. — Vergleiche §. 49.
2. Die **Lachs- oder Meerforelle** (*S. trutta*), gegen 1 M. lang, bewohnt die Nord- und Ostsee; sie unterscheidet sich vom Lachs durch die Flecken, welche von helleren Kreisen eingefaßt werden.
3. Die **Teich- oder Bachforelle** (*S. fário*), 40—60 Zm. lang, wird an den rothen und schwarzen Flecken, welche von einem blauen Rande eingefaßt werden, erkannt. Sie bewohnt klare Gebirgsgewässer. — Vergleiche §. 49.

(§. 186.) Dritte Familie. Hechte.

Sie sind wohlschmeckende Süßwasser- und Meerraubfische, denen die Fettflosse fehlt und deren Rückenflosse meist über der Afterflosse steht.

Der **gemeine Hecht** (*Esox lúcius*), 1—2 M. lang, ist unser gefräßigster

Fig. 226. Springfisch oder fliegender Häring. (*Exocoetus exiliens*) 30 Zm. lang.

Süßwasserfisch, welcher nach Wohnort und Alter verschieden gefärbt erscheint. Der Bauch ist weiß und nebst Rücken-, After- und Schwanzflosse schwärzlich gefleckt. — Vergleiche §. 21.

Der **fliegende Häring oder Springfisch** (*Exocoetus exiliens*), 30 Zm. lang, ist oben blau und unten silberweiß gefärbt, hat eine große Schwimmblase und sehr verlängerte Brust- und Bauchflossen; letztere sind weit nach hinten gerückt. Er bewohnt das Mittelmeer und macht von seinem Flugvermögen Gebrauch, wenn er von Raubfischen und Delphinen verfolgt wird; er erhebt sich 1—2 M. hoch und fliegt 100—150 M. weit; hierbei wird er oft die Beute der Seevögel oder fällt auf die Schiffe. Sein Fleisch ist wohlschmeckend. — Der **Hochflieger** (*E. volitans*) unterscheidet sich vom vorigen durch die kürzeren Bauchflossen, welche vor der Mitte des Bauches stehen. Er ist der gemeinste fliegende Fisch südlich vom Aequator.

(§. 187.) Vierte Familie. Karpfen.

Sie sind wohlschmeckende Süßwasserfische, denen die Fettflosse fehlt und deren Rückenflosse fast in der Mitte des Körpers steht. Die Schwimmblase wird durch eine Einschnürung in zwei Theile getheilt. Sie nähren sich von Pflanzen- und Thierstoffen.

Karpfen. (Cyprínus.)

Ihre Rückenflosse, welche mit einem bis zwei Stacheln versehen ist, übertrifft die Afterflosse an Länge.

1. Der **gemeine Karpfen** (*C. carpio*), bis 1 M. lang und mit vier Bartfäden, ist in Südeuropa heimisch, oben bläulich olivengrün und an den Seiten gelblich gefärbt. Er ist das Hausthier unter den Fischen, seiner leichten Vermehrung und seines wohlschmeckenden Fleisches wegen. Die Galle dient zum Färben. — Vergleiche §. 50.

2. Die **Karausche** (*C. carássius*) hat keine Bartfäden und einen hochgewölbten Rücken. — Vergleiche §. 50.

3. Der **Goldfisch** (*C. auratus*) stammt aus China und Japan; er ist in der Jugend schwärzlich und später goldgelb oder silberweiß gefärbt; (Silberfisch).

Die **gemeine Schleihe** (*Tinca vulgaris*), 50 Zm. lang, ist oben dunkelgrün und unten gelblich gefärbt. Sie unterscheidet sich von den Karpfen durch die stachellose und kurze Rücken- und abgestutzte Schwanzflosse; sie hat zwei Bartfäden.

Von den Weißfischen (mit gabliger Schwanzflosse) sind die **Plötze** (*Leuciscus erythrophthálmus*) — alle Flossen roth, Rückenflosse zwölfstrahlig — und der **Rothflosser oder das Rothauge** (*L. rutilus*) — Augenring roth, Rückenflossen dreizehnstrahlig — bemerkenswerth; beide werden gegen 30 Zm. lang.

Der **Blei oder Brassen** (*Abramis brama*), — die stachellose Rückenflosse ist klein und kürzer als die lange Afterflosse, — hat einen eiförmigen Körperumriß, ist oben olivengrün, an den Seiten gelblich gefärbt und wird 40—60 Zm. lang.

Der **Schlammpeitzger oder Wetterfisch** (*Cobitis fossilis*) und die **gemeine Schmerle** (*C. barbatula*) haben einen aalförmigen, schleimigen Körper. Ersterer ist schwarzbraun (mit rothgelben Streifen) und unten gelb gefärbt; er

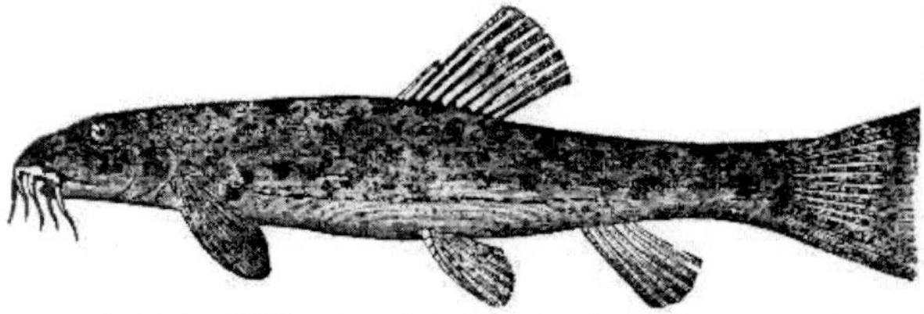

Fig. 227. Schmerle. (*Cobitis barbatula.*) 10 Zm. lang.

wird bis 30 Zm. lang, hat zehn Bartfäden und wühlt bei Aenderung des Wetters den Schlamm auf. Er bewohnt schlammige Teiche und Flüsse; sein Fleisch ist unschmackhaft. — Die Schmerle ist dunkelgrün gefärbt und braun punktirt, hat sechs Bartfäden und wird 10 Zm. lang. Sie lebt in klaren Gebirgsbächen unter Steinen; ihr Fleisch ist wohlschmeckend.

(§. 188.) Fünfte Familie. Häringe.

Sie sind wohlschmeckende Meerfische, denen die Fettflosse fehlt und deren Rückenflosse in der Mitte des Körpers steht. Die Schwimmblase ist einfach.

Häring. (Clúpea.)

Die Häringe haben einen zurücktretenden Oberkiefer und sägeartig hervortretende Schuppen an der Bauchkante.

1. Der **Häring** (*C. haréngus*), 30 Zm. lang, ist oben blaugrün und an den Seiten silberweiß gefärbt, hat röthlich gefleckte Kiemendeckel und im Munde überall Zähne. Die Afterflosse zählt siebenzehn Strahlen. — Vergleiche §. 51.

2. Die **Sprotte** (*C. sprattus*), 10—12 Zm. lang, unterscheidet sich vom vorigen durch die einfarbigen Kiemendeckel und die achtundzwanzigstrahlige Afterflosse; sie bewohnt Nord- und Ostsee. (Kieler Sprotten: geräuchert.)

3. Die **Sardine oder der Pilchard** (*C. sardína s. pilchárdus*) bewohnt die englischen, französischen und spanischen Küsten; sie unterscheidet sich von den vorigen durch die nur im Oberkiefer befindlichen, leicht abfallenden Zähne. Die 10 Zm. lange Sardine des Mittelmeeres und der 25 Zm. lange Pilchard des atlantischen Oceans sind nur locale Varietäten einer Art. — Vergleiche §. 51.

Die **Anchovis oder Sardelle** (*Engraulis encrasícholus*), 15 Zm. lang, hat einen vorstehenden Oberkiefer und keine sägeartige Bauchkante. Sie ist oben bläulich, nach unten weißlich und am Kopfe goldig gefärbt. Sie bewohnt den atlantischen Ocean und besonders das Mittelmeer, wo sie in solchen Massen gefangen wird, daß oft ein Zug 3—400000 Stück liefert. Die gesalzenen Fischchen heißen Sardellen, die eingelegten Anchovis.

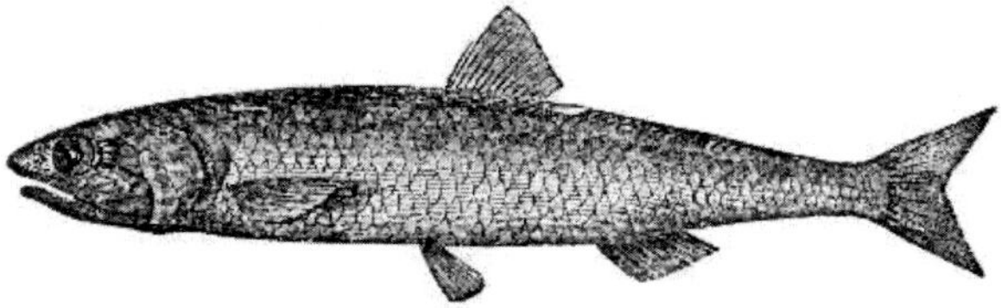

Fig. 228. Anchovis. (*Engraulis encrasícholus.*) 15 Zm. lang.

b. Kehlweichflosser.

(§. 189.) Sechste Familie. Schellfische.

Sie sind Meerraubfische, deren lang gestreckter Körper symmetrisch gebaut ist.

Schellfisch. (Gadus.)

Die Schellfische besitzen drei Rücken- und zwei Afterflossen.

1. Der **gemeine Schellfisch** (*G. aeglefinus*), 50 Zm. lang, ist oben bräunlich, an den Seiten silberweiß gefärbt und hat eine ausgeschnittene Schwanzflosse. Er bewohnt die Nordsee und geht nicht in die Ostsee.

2. Der **Kabeljau** (*G. morrhua*), bis über 1 M. lang, ist grau gefärbt und gelb gefleckt. Er hat eine abgestutzte Schwanzflosse, gleich lange Kiefern und bewohnt die Meere der nördlichen Halbkugel. — Vergleiche §. 52.

3. Der **Dorsch** (*G. callarias*) ist kleiner als der vorige und hat einen längeren Oberkiefer. Er lebt in der Nord- und Ostsee. — Vergleiche §. 52.

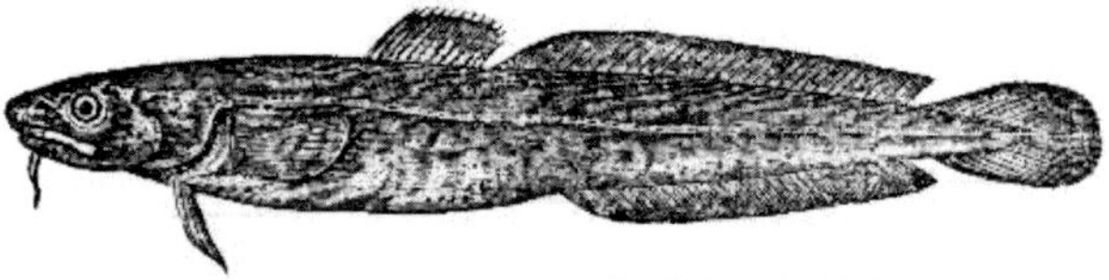

Fig. 229. Quappe. (*Lota vulgaris.*) Bis 1 M. lang.

Die **Quappe oder Aalraupe** (*Lota vulgaris*), bis 1 M. lang, ist gelblich und braun marmorirt und ein Süßwasserfisch; sie hat eine After- und zwei Rückenflossen. Das Fleisch und die große Leber sind wohlschmeckend.

(§. 190.) Siebente Familie. Schollen oder Seitenschwimmer.

Sie sind wohlschmeckende Meerfische, deren stark zusammengedrückter, rautenförmiger Körper unsymmetrisch gebaut ist, d. h. beide Augen liegen auf einer Seite. Die Schwimmblase fehlt. Sie schwimmen so, daß der Körper wagerecht liegt, die Augen nach oben gerichtet. Die Augenseite ist dunkler, die andere weißlich gefärbt.

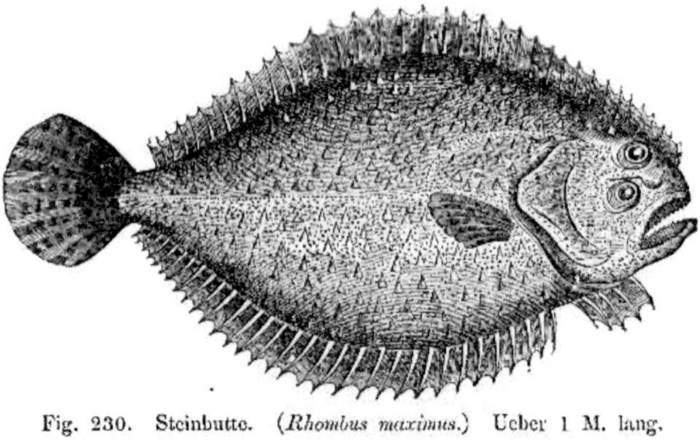

Fig. 230. Steinbutte. (*Rhombus maximus.*) Ueber 1 M. lang.

Scholle. (Platéssa.)

Die **gemeine Scholle** (*P. vulgaris*) hat rothgelbe Flecken auf schwärzlichem Grunde und der **Flunder** (*P. flesus*) gelbe oder schwärzliche Flecken auf dunkelbraunem Grunde. Beide werden 50—60 Zm. lang, haben stumpfe Zähne und bewohnen Nord- und Ostsee. — Vergleiche §. 53.

Der **größte Steinbutt** (*Rhombus maximus*), über 1 M. lang, ist auf der braunen Augenseite mit spitzen Kieselschildern (und keinen Schuppen) bedeckt. Die Augen liegen links; die Zähne sind spitz. Er bewohnt die Nord- und Ostsee und liefert sehr wohlschmeckendes Fleisch. (Siehe Fig. 230.)

(§. 191.) Achte Familie. Schildfische.

Sie sind wenig schmackhafte Meerbewohner, welche eine Saugscheibe auf dem flachen Kopfe besitzen.

Der **kleine Schiffshalter** (*Echenëis rémora*), bis 30 Zm. lang, hat einen rundlichen Körper und eine ausgeschnittene Schwanzflosse. Seine eiförmige Saugscheibe wird durch aufrichtbare Querfalten in Felder getheilt; mittelst derselben saugt er sich an Haifische und Schiffe. Er kann, da er nur kleine Flossen und keine Schwimmblase hat, nur schlecht schwimmen.

c. Kahlbäuche.

(§. 192.) Neunte Familie. Aale.

Sie sind Süßwasser- und Meerbewohner mit schlangenartigem, schleimigem Körper; die sehr kleinen Schuppen liegen in der dicken Haut; die Bauchflosse fehlt.

Aal. (Anguilla.)

Der **Flußaal** (*A. vulgaris*), bis 1,5 M. lang, ist dunkelgrün gefärbt; seine Rückenflosse beginnt weit hinter der Brustflosse und ist mit Schwanz- und Afterflosse verwachsen. Er bringt nicht lebendige Junge zur Welt — Aristoteles glaubte, er entstände aus dem Schlamme, — sondern vermehrt sich durch Eier, welche jedoch so klein sind, daß sie nur durch das Mikros-

Fig. 231. Flußaal. (*Anguilla vulgaris.*) 1,5 M. lang.

kop erkannt werden können. Wie die Lachse in die Flüsse gehen, um zu laichen, so wandern die Aale ins Meer, um den Laich abzusetzen, und die Jungen steigen dann schaarenweise in die Flüsse. Er bewohnt die Flüsse Mitteleuropas mit Ausnahme derjenigen, welche ins schwarze Meer münden.

Die **Muräne** (*Gymnothórax muraena*), gegen 1 M. lang, ist chocoladenbraun und gelblich marmorirt; sie ist sehr schmackhaft und bildete eine Lieblingsspeise der alten Römer, welche sie mit dem Fleische ihrer Sklaven mästeten.

Zitteraal. (Gymnótus.)

Der **Zitteraal** (*G. electricus*), bis 2 M. lang, ist rothbraun gefärbt, gelb gefleckt und schenkeldick. Er bewohnt Teiche, Seen und Flüsse im nördlichen Südamerika und ist der gefürchtetste und gefährlichste unter den elektrischen Fischen. Das elektrische Organ liegt auf der unteren Körperseite. Seine Schläge sind so gewaltig, daß selbst größere Thiere durch sie getödtet werden; die übrigen Fische fliehen die Nähe des furchtbaren Thieres. Zu seinem Fange jagt man Pferde und Maulthiere in das Wasser. „Schlangenartig sieht man die Aale auf dem Wasser schwimmen und sich unter den Bauch der Pferde drängen. Von diesen erliegen viele der Stärke unsichtbarer Schläge. Mit gesträubter Mähne, schnaubend, wilde Angst im funkelnden Auge, fliehen andere das tobende Ungewitter. Aber die Indianer, mit langen Bambusstäben bewaffnet, treiben sie in die Mitte des Wassers zurück. Allmählich läßt die Wuth des ungleichen Kampfes nach. Wie entladene Gewitterwolken zerstreuen sich die ermüdeten Fische. Sie bedürfen einer langen Ruhe und einer reichlichen Nahrung, um einzusammeln, was sie an elektrischer Kraft verschwendet haben. Schwächer und schwächer erschüttern ihre Schläge. Vom Geräusch der stampfenden Pferde erschreckt, nahen sie sich furchtsam dem Ufer, wo sie durch Harpunen verwundet und mit dürrem, nichtleitendem Holze auf die Steppe gezogen werden." (Humboldt.)

Fig. 232. Zitteraal. (*Gymnótus electricus.*) Bis 2 M. lang.

(§. 193.) IV. Ordnung. Freikiemer. (Eleutherobranchii.)

Sie sind Knorpelfische mit Kiemen, welche am Außenrande frei und beweglich bleiben; sie haben auf jeder Seite nur eine mit einem Kiemendeckel versehene Kiemenspalte. Ihr Skelet ist in der Jugend knorpelig und verknöchert erst im späteren Alter.

Uebersicht der Familien der Freikiemer.

Ohne Bauchflossen und mit schmelzartigem Ueberzuge auf den Kinnladen	I. Familie. Nacktzähner.
Mit Bauchflossen und ohne eigentliche Kiefernknochen und Zähne.	II. Familie. Störe.

(§. 194.) Erste Familie. Nacktzähner.

Sie sind sonderbar gestaltete Bewohner wärmerer Meere, deren Fleisch keinen Werth hat. Ihr kugeliger Körper ist häufig mit Stacheln besetzt oder rauh. Ein großer, häutiger Sack an der Kehle (Vormagen) befähigt die meisten, eine große Menge Luft aufzunehmen und sich ballenartig aufzublähen; hierdurch verlieren sie das Gleichgewicht und treiben, auf dem Rücken liegend, auf der Wasseroberfläche umher.

Fig. 233. Klumpfisch (*Orthagoriscus mola*); oben rechts. Stachelbauch (*Tetrodon hispidus*); unten links.

Der **Klumpfisch oder der schwimmende Kopf** (*Orthagoriscus mola*), über 1 M. lang, ist weißlich gefärbt und mit rauher Haut bedeckt; er gleicht einem abgeschnittenen Kopfe und bewohnt das Mittelmeer. Er kann sich nicht aufblähen; die Seiten und der Unterleib leuchten. (Mondfisch.)

Der **Stachelbauch** (*Tetrodon hispidus*), gegen 60 Zm. lang; er ist bläulichgrau gefärbt und gleicht im aufgeblähten Zustande einer Stachelkugel; er lebt an der nordafrikanischen Küste und im Nile.

(§. 195.) Zweite Familie. Störe.

Sie sind Meerbewohner mit spindelförmigem Körper, welche zur Laichzeit in die Flüsse steigen. Ihr Skelet bleibt knorpelig und ihr Kopf ist gepanzert.

Stör. (Acipénser.)

Die Störe haben einen mit Knochenschildern bedeckten Körper, von welchen die größeren meist fünf Längsreihen bilden; ihre Schnauze ist verlängert, und der Mund liegt unterhalb derselben und zwar gerade unter den Augen; zwischen Schnauzenspitze und dem Munde hängen vier Bartfäden.

1. Der **gemeine Stör** (*A. sturio*), 2—6 M. lang, hat eine abgerundete Schnauze und zwischen den fünf Reihen Knochenschildern noch größere und kleinere Knochenkerne; er bewohnt Nord- und Ostsee. — Vergleiche §. 54.

2. Der **Sterlet oder der kleine Stör** (*A. ruthénus*), bis 1 M. lang, hat eine pfriemenförmige Schnauze; er bewohnt nur das schwarze und kaspische Meer. — Vergleiche §. 54.

3. Der **Hausen** (*A. huso*), 2—8 M. lang, hat eine spitze Schnauze und kleinere Schilder, welche im Alter verschwinden und zwischen denen

sich kleine oder keine Knochenspitzen befinden. Er lebt im kaspischen und schwarzen Meere und geht in die Donau (bis Wien). Sein Fleisch ist weniger schmackhaft als das des Störs; er liefert aber vorzüglichen Caviar und guten Hausenblasenleim.

(§. 196.) **V. Ordnung. Haftkiemer.** (Plectobranchii.)

Sie sind Knorpelfische mit am Außenrande festgewachsenen Kiemen; sie haben auf jeder Seite fünf bis sieben Kiemenlöcher ohne Deckel; (selten nur ein Kiemenloch).

Uebersicht der Familien der Haftkiemer.

Maul quer unter der hervorragenden Schnauze. (Quermäuler.)	Körper spindelförmig	I. Familie. Haifische.
	Körper meist platt, scheibenförmig . . .	II. Familie. Rochen.
Maul rund, am Ende des drehrunden Körpers		III. Familie. Rundmäuler.

(§. 197.) Erste Familie. Haifische.

Sie sind Meerbewohner mit spindelförmigem Körper, welcher mit zahlreichen Knochenstücken bedeckt ist; die Brustflossen stehen hinter dem Kopfe und die fünf Kiemenspalten liegen an den Halsseiten. Sie bringen lebendige Junge zur Welt.

Der **gemeine Haifisch oder Menschenfresser** (*Squalus carchárias*), 3 bis 9 M. lang, bewohnt den atlantischen Ocean und das Mittelmeer. Er hat eine platte Schnauze; die erste Rückenflosse steht zwischen Bauch- und Brustflossen. — Vergleiche §. 22.

Der **Hammerfisch** (*Sphyrna zygaena*), über 3 M. lang, hat einen jederseits hammerförmig verlängerten Kopf; an den Verlängerungen sitzen die Augen. Er ist äußerst gefährlich; er bewohnt den atlantischen Ocean und das Mittelmeer. Das übelriechende Fleisch wird nicht gegessen.

(§. 198.) Zweite Familie. Rochen.

Sie sind Meerbewohner mit meist flachem, scheibenförmigem Körper. Die Brustflossen verwachsen meist mit dem Kopf zu einer Scheibe. Der meist dünne, peitschenförmige Schwanz ist mit Stacheln besetzt. Die Augen und die Spritzlöcher liegen auf der Oberseite und die fünf Kiemenspalten und das Maul auf der Unterseite des Kopfes. Mit Ausnahme der Gattung *Raja* bringen alle lebendige Junge zur Welt. Diese sind viereckig und mit vier Fäden versehen; sie heißen Seemäuse.

Der **gemeine Sägefisch** (*Pristis antiquórum*), 3—5 M. lang, bewohnt alle Meere. Die Schnauze verlängert sich zu einem bis 2 M. langen, sägeförmigen Fortsatz, welcher beiderseits mit achtzehn bis vierundzwanzig eingekeilten Zähnen versehen ist. Die Säge ist für ihn eine furchtbare Waffe. (Siehe Fig. 234.)

Fig. 234. Sägefisch. (*Pristis antiquórum.*) 3—5 M. lang.

Zitterrochen. (Torpédo.)

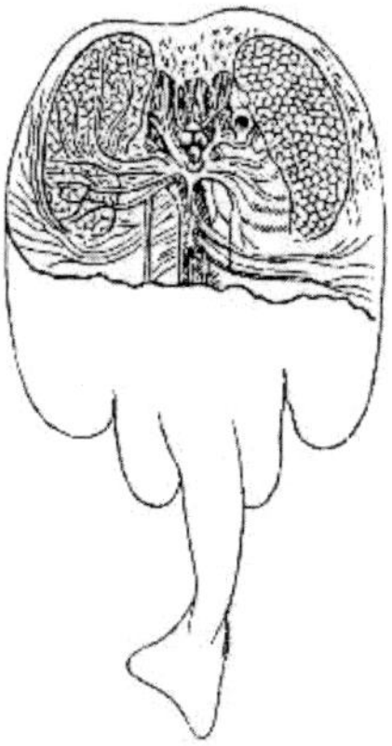

Fig. 235. Zitterrochen. (*Torpédo.*)

Die Zitterrochen haben einen fast kreisrunden Körper mit dickem, fleischigem Schwanze und zwei Spritzlöcher vor den Augen. Das elektrische Organ der Zitterrochen ist in Fig. 235 oben freigelegt; es besteht aus mehr als 400 Säulchen, von denen jedes aus drei bis vier Millionen Blättchen mit gallertartigen Zwischenräumen zusammengesetzt ist und von einer sehnigen Haut umschlossen wird. Die positive Bewegung im Organe geht bei den Zitterrochen vom Bauche zum Rücken, beim Zitterwelse vom Kopfe zum Schwanze und beim Zitteraale vom Schwanze zum Kopfe. Durch diesen Apparat können die Zitterrochen heftige elektrische Schläge austheilen und ihren Raub betäuben. Sie bewohnen den atlantischen Ocean und das Mittelmeer.

1. Der **marmorirte Zitterrochen** (*T. marmorata*), gegen 80 Zm. lang, ist rothgelb gefärbt und dunkel marmorirt; ihm fehlen die Augenflecken.

2. Der **augenfleckige Zitterrochen** (*T. ocellata*), über 1 M. lang, ist ebenso gefärbt und hat auf der Oberseite fünf schöne blaue Augenflecken.

Der **Glattrochen** (*Raja batis*), 1 M. lang, besitzt einen rautenförmigen und mit Stacheln besetzten Körper. Er bewohnt die Nordsee und hat schmackhaftes Fleisch.

(§. 199.) Dritte Familie. Rundmäuler.

Sie sind Süßwasser- und Meerbewohner mit rundem Saugmaule und drehrundem Körper, welcher fast nackt und mit einer schleimigen Haut bedeckt ist; sie sind die unvollkommensten Wirbelthiere, denn sie besitzen statt der Wirbelsäule einen mit Gallertmasse ausgefüllten, biegsamen Knorpelstreifen. Ihnen fehlt die Schwimmblase.

Lamprete. (Petromýzon.)

Sie besitzen zwei Rückenflossen, jederseits sieben Kiemenlöcher und ein trichterförmiges, rundes Saugmaul, in welchem auf mehreren Stufen starke dreieckige Zähne stehen. Mit den fleischigen Lippen saugen sie sich an ihre

Opfer und bohren sich durch Hülfe der mit Zähnen besetzten Zunge bis in die Eingeweide.

1. Das **gemeine Neunauge oder die Pricke** (*P. fluviatilis*), 30—40 Zm. lang, ist oben grünlich, an den Seiten gelblich und unten weißlich gefärbt. Sie bewohnt Bäche und Flüsse; das Fleisch ist sehr wohlschmeckend. — Der sogenannte **Querder** (*Ammocoetes branchialis*) ist die Larve des Neunauges.

Fig. 236. Neunauge. (*Petromyzon fluviatilis.*) 30—40 Zm. lang.

2. Die **große Lamprete** (*P. marinus*), bis gegen 2 M. lang, ist grünlich gefärbt und gelb und braun marmorirt. Sie lebt in den europäischen Meeren, besonders häufig in der Nordsee und steigt im Frühlinge in die Elbe und in den Rhein. Das Fleisch wird sehr geschätzt.

(§. 200.) Zweiter Kreis. Gliederthiere. (Arthrozoa.)

Die Gliederthiere haben meist weißes Blut und einen aus Gliedern oder Ringen zusammengesetzten Körper, welcher (mit Ausnahme der Würmer) von einer festen, aus Horngewebe oder aus einer kalkartigen Masse bestehenden Hülle umgeben wird; diese bildet ein äußeres Hautskelet. Ihr Körper besteht meist aus Kopf, Brust und Hinterleib; die Brust oder das Kopfbruststück trägt die Gliedmaßen. Die Wasserbewohner athmen durch Kiemen, die Luftbewohner durch Tracheen, seltener durch Lungen. Sie pflanzen sich durch Eier fort und machen bis zu ihrer vollständigen Entwickelung eine mehr oder minder zusammengesetzte Verwandlung oder Metamorphose durch.

(§. 201.) **V. Klasse. Insekten oder Sechsfüßler.**
(Insecta, Hexapoda.)

Die Insekten oder Sechsfüßler sind Gliederthiere mit weißem Blute, mit sechs gegliederten Beinen und meist zwei oder vier Flügeln; sie athmen durch Luftröhren oder Tracheen und erleiden eine Verwandlung. Ihr Körper besteht höchstens aus dreizehn Abschnitten, von denen der erste (Fig. 237, *a*) stets den Kopf, die drei folgenden (*b*, *c* und *d*) das Bruststück (Brustkasten), die übrigen den Hinterleib (*f*) bilden.

Am Kopfe befinden sich die Freßwerkzeuge, Fühler und Augen. — Die Freßwerkzeuge bestehen in ihrer einfachsten Form: 1. aus der Oberlippe (Fig. 238, *f*); diese stellt eine Platte dar, welche den Mund von oben deckt; 2. aus den Oberkiefern oder Freßzangen (*e*), welche sich zangenartig gegenüberstehen und die Nahrung mit zerkleinern helfen; 3. aus den Unterkiefern oder Kinnladen (*b*), an welchen sich den Fühlern ähnliche

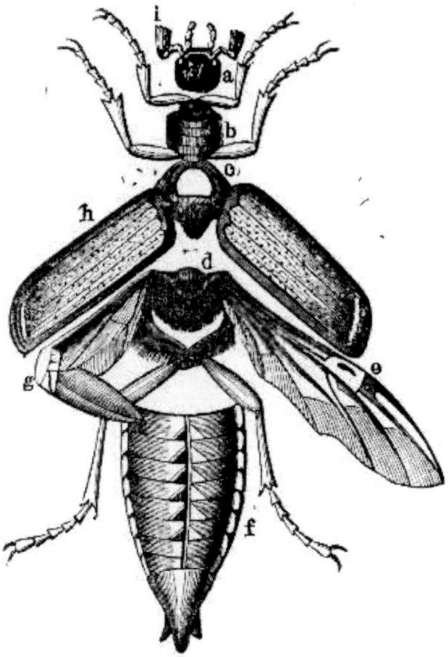

Fig. 237. Hautskelet des Maikäfers.
a. Kopf; *b.* Vorderbrust; *c.* Mittelbrust; *d.* Hinterbrust; *e.* Hinter- oder Unterflügel; *f.* Hinterleib; *g.* der gefaltete Hinterflügel; *h.* Vorder- oder Oberflügel (Flügeldecken); *i.* Fühler.

Fig. 238.
Kopf der Honigbiene, von vorn gesehen; vergrößert.
a. Fühler; *b.* Unterkiefer; *c.* Zunge; *d.* Lippentaster; *e.* Oberkiefer; *f.* Oberlippe.

Tastorgane, die Kiefertaster, befinden; (in Fig. 238 stehen dieselben zwischen den Oberkiefern *e* und den Unterkiefern *b*); 4. aus der Unterlippe; diese schließt den Mund von unten und sitzt an der Kehle; sie besteht in der Regel aus der Zunge (*c*), welche mit zwei seitlichen Lippentastern (*d*) versehen ist. (Bei der Honigbiene stehen zwischen der Zunge *c* und den Lippentastern *d* die Seitenlappen der Zunge, von welchen in Fig. 238 nur der eine dargestellt ist.)

Die Freßwerkzeuge heißen: 1. kauend oder beißend, wenn die einzelnen Theile beweglich sind; (Käfer, Netz- und Geradflügler); ist dies mehr oder weniger nicht der Fall, so heißen sie: 2. leckend, wenn Unterkiefer und Unterlippe stark verlängert sind (Hautflügler; Fig. 238); 3. saugend, wenn sich die Unterkiefer zu einem Saugrüssel umgestalten (Schmetterlinge); 4. stechend, wenn sich die Unterlippe zu einem Schöpfrüssel (Zweiflügler) oder Schnabel (Halbflügler) verlängert.

Die Fühler (Fig. 239, *a*) sind Tast- und Geruchsorgane; sie bestehen immer aus mehreren Gliedern und haben eine sehr verschiedene Gestalt; sie heißen borsten-, faden-, schnur-, kammförmig, gesägt, gezähnt, gekniet etc.

Die Augen sind einfach und zusammengesetzt; die letzteren, von denen nur immer zwei vorhanden sind, bestehen aus mehreren Tausend hohlen Kegeln, welche mit ihren Spitzen unten zusammenlaufen und mit ihren sechseckigen Grundflächen (Facetten) bis an die Oberfläche des Auges reichen; sie heißen auch Netzaugen. Die zwei bis drei einfachen Augen oder

Arbeitsplan.

e.

Donnerstag.	Freitag.	Sonnabend.

beit.

Nebenaugen sind kleiner und nicht facettirt; sie stehen auch auf dem Scheitel und fehlen Käfern und Schmetterlingen.

Die Brust oder das Bruststück (Fig. 237, *c*) besteht aus drei Ringen, der Vorder- (Fig. 237, *b*), der Mittel- (*b*) und Hinterbrust (*c*). Jeder Ring trägt an der untern Fläche ein Beinpaar und auf der oberen Fläche finden sich an der Mittel- und Hinterbrust die Flügel. — Die Beine bestehen aus dem Schenkel (Fig. 237, *e*), dem Schienbein (*f*) und dem Fuß (*g*); letzterer ist aus Gliedern zusammengesetzt, deren letztes meist zwei Krallen und oft zwei Sauglappen trägt. — Die Vorderflügel (Fig. 237, *h*) sind zuweilen pergamentartig (bei Wanzen und Geradflüglern) oder hornig (bei den Käfern) und heißen dann Flügeldecken. Die häutigen Flügel sind nackt (Hautflügler) oder mit Staub bedeckt (Schmetterlinge). Die nackten Flügel werden von Adern oder Rippen durchzogen und dienen zur Aufnahme von Tracheen und Adern; sind die Tracheen mit Luft gefüllt, so verleihen sie den Flügeln beim Fliegen die Spannkraft. Maikäfer können nicht sogleich fliegen, wenn sie die Flügel entfalten, sondern müssen erst die Tracheen mit Luft füllen.

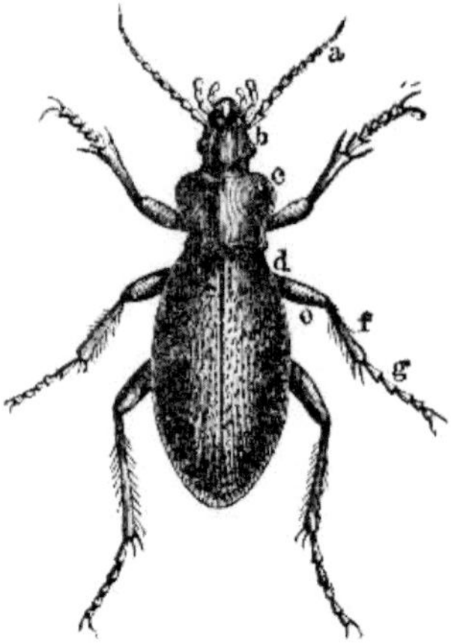

Fig. 239. Lederlaufkäfer. (*Carabus coriaceus.*)
a. Fühler; *b.* Kopf; *c.* Bruststück; *d.* Hinterleib; *e.* Schenkel; *f.* Schienbein; *g.* Fuß.

Der Hinterleib besteht meist aus neun Ringen und endet mit Borsten, Stacheln, Legeröhren, Zangen etc.

Die Athmung erfolgt durch Tracheen oder Luftröhren, welche spaltenförmige Eingänge (*stigmata*) besitzen; diese sind an unbehaarten Raupen deutlich zu beobachten.

Mit Ausnahme der flügellosen Insekten, welche als fertiges Insekt aus dem Eie hervorgehen, erleiden alle eine Verwandlung oder Metamorphose, indem sie vier Lebensperioden, als Ei, Larve, Puppe und vollkommenes Insekt durchlaufen.

Aus den Eiern kriechen die Larven, welche lang gestreckten Würmern ähnlich sehen. Die Larven nennt man, wenn sie kopf- und beinlos sind: Maden (Fliegen), — wenn sie einen Kopf und sechs Beine haben: eigentliche Larven oder Engerlinge (viele Käfer), — wenn sie einen Kopf und mehr als sechs, aber weniger als achtzehn Beine haben: Raupen (Schmetterlinge) — und Afterraupen, wenn sie meist mit zweiundzwanzig Beinen versehen sind (Blattwespen). Die Larven sind sehr gefräßig, häuten sich gewöhnlich viermal und verwandeln sich dann in eine Puppe (Nymphe), aus welcher das vollkommene Insekt schlüpft. Die Larven sind ungemein gefräßig und nehmen so viel Nahrungsstoff zu sich, daß einzelne wenige Stunden nach dem Ausschlüpfen um das Zwanzigfache ihres Gewichtes schwerer geworden sind. Während des Puppenlebens erfolgt die Vollendung der inneren Organisation des vollkommenen Insekts; jetzt sprengt letzteres die Hülle, erhärtet an der Luft und ist im Stande sich fortzupflanzen. Nur die Arbeiter oder Geschlechtslosen der Termiten, Bienen und Ameisen sind unfähig, sich fortzupflanzen.

Die Metamorphose heißt eine vollkommene, wenn die Puppe nicht frißt, wohl aber ruht, und Larve und Puppe dem vollkommenen Insekt sehr unähnlich sind, — die Verwandlung heißt eine unvollkommene, wenn die Puppe oder Nymphe frißt, sich bewegt, und Larve und Puppe dem vollkommenen Insekt ziemlich ähnlich sind.

Hinter dem Eingange der Luftröhren an der Brust haben einige Insekten Häutchen, welche durch die ein- und ausströmende Luft in tönende Schwingungen versetzt werden. Der Maikäfer bringt ein knarrendes Geräusch durch Reibung der Vorder- und Mittelbrust hervor. Stimmorgane besitzen Singzirpen (am Hinterleibe) und die Heuschrecken (am Grunde der Vorderflügel).

Ueberall, wo sich organische Wesen vorfinden, leben Insekten; die größte Zahl bewohnt die Tropen; die Zahl der Arten wird auf 100,000 geschätzt. Ihre Nahrung entnehmen sie dem Thier- und Pflanzenreiche. Sie würden durch ihre ungemein starke Vermehrung und große Zahl sehr schädlich werden, hätte nicht die Natur durch insektenfressende Säugethiere, Vögel, Reptilien, Fische und durch Schmarotzerpilze ihrer Verbreitung Einhalt gethan.

Die Honigbiene (Wachs und Honig), der Pflasterkäfer (spanisches Fliegenpflaster), die Ameise (Ameisenspiritus), die Cochenille und Gummilacklaus (Farbstoffe) und der Seidenspinner (Seide) gewähren uns unmittelbaren Nutzen; noch größer ist der mittelbare Nutzen, indem die Insekten den allgemeinen Stoffwechsel befördern, — sie verzehren faulende Thier- und Pflanzenstoffe und dienen den oben genannten Thieren oder auch anderen Insekten zur Nahrung, — und durch Uebertragung des Blütenstaubes aus der einen in die andere Blüte wesentlich die Befruchtung der Pflanzen befördern. — Vergleiche §. 295 und 298.

Uebersicht der sieben Ordnungen der Insekten.

A. Insekten mit beißenden oder leckenden Freßwerkzeugen.

Flügel ungleichartig.	Vorderflügel hornig, Hinterflügel häutig, spärlich geadert und längs und quer gefaltet . . .	I. Ordnung.	Käfer.
	Vorderflügel pergamentartig, Hinterflügel häutig, reichlich geadert und meist fächerartig gefaltet	II. Ordnung.	Geradflügler.
Flügel gleichartig.	Flügel häutig, spärlich ästig geadert	III. Ordnung.	Hautflügler.
	Flügel häutig, meist von vielen Adern durchzogen	IV. Ordnung.	Netzflügler.

B. Insekten mit saugenden und stechenden Freßwerkzeugen.

Mit zwei Flügeln	V. Ordnung.	Zweiflügler.
Mit meist vier Flügeln; mit meist spiralig eingerolltem Saugrüssel und vier Flügeln; Verwandlung vollkommen .	VI. Ordnung.	Schmetterlinge.

Mit meist vier Flügeln; mit gegliedertem Schnabel und meist mit vier oder zwei Flügeln; Verwandlung unvollkommen	VII. Ordnung. Halbflügler.

A. Insekten mit beißenden oder leckenden Freßwerkzeugen.

(§. 202.) **I. Ordnung. Käfer.** (Coleoptera.)

Die Käfer haben hornige Vorder- und häutige, spärlich geaderte und in der Ruhe längs und quer gefaltete Hinterflügel, beißende Mundtheile und eine bewegliche Vorderbrust; sie erleiden eine vollkommene Verwandlung. Die sechsbeinigen Larven der Käfer heißen Engerlinge, die bein- und kopflosen Larven aber Maden.

Uebersicht der wichtigsten Familien der Käfer.

a. Fünfzehige Käfer. Alle Füße mit fünf Gliedern.

Mit Laufbeinen.	Vorderflügel den ganzen Hinterleib bedeckend.	Fühler an der Spitze nicht verdickt.	Fühler faden- oder borstenförmig, elfgliederig	I. Familie.	Laufkäfer.
			Fühler gesägt . .	II. Familie.	Sägehörner.
		Fühler an der Spitze verdickt.	Die letzten Fühlerglieder blattartig .	III. Familie.	Blatthörner.
			Die letzten Fühlerglieder keulenförmig verdickt . .	IV. Familie.	Keulenhörner.
	Vorderflügel nicht die Hälfte des Hinterleibes bedeckend			V. Familie.	Kurzflügler.
Mit breiten, bewimperten Schwimmbeinen				VI. Familie.	Schwimmkäfer.

b. Ungleichzehige Käfer. Die beiden vorderen Fußpaare mit fünf, das dritte mit vier Gliedern.

Kopf vom Halsschilde bedeckt	VII. Familie.	Schwarzkäfer.
Kopf frei, nach hinten verengt	VIII. Familie.	Hals- oder Pflasterkäfer.

c. Vierzehige Käfer. Alle Füße mit vier Gliedern.

Kopf rüsselförmig verlängert	IX. Familie.	Rüsselkäfer.
Kopf dick und kurz	X. Familie.	Holzfresser.

d. Dreizehige Käfer. Alle Füße dreizehig.

Körper halbkugelig	XI. Familie.	Kugelkäfer.

a. Fünfzehige Käfer.

(§. 203.) Erste Familie. Laufkäfer.

Sie und ihre Larven sind langbeinig, laufen sehr schnell, leben ausschließlich von thierischen Stoffen (Aas und Insekten) und werden dadurch sehr nützlich.

Der **Lederlaufkäfer** (*Cárabus coriaceus*), — vergleiche Fig. 239 — wird 3 Zm. lang, ist schwarz gefärbt und hat verworren gerunzelte Vorderflügel. Er lebt in unseren Wäldern.

(§. 204.) Zweite Familie. Sägehörner.

Sie haben gesägte oder gekämmte Fühler und leben meist auf blühenden Pflanzen.

Der **gemeine Leuchtkäfer** (*Lampyris splendídula*) ist über 1 Zm. lang und braun gefärbt; die gelbgefärbten Weibchen oder Johanniswürmchen haben statt der Flügeldecken zwei kleine Schuppen und sind um Johannis häufig zwischen Gräsern und unter Hecken zu finden; die Männchen, mit zwei durchsichtigen Mondflecken auf dem Halsschilde, fliegen zu dieser Zeit lustig in der Luft umher. Die Käfer, wie auch die Larven leuchten. Das Leuchtorgan befindet sich unten an den letzten Hinterleibsringen und besteht aus Platten, welche von Tracheen und Nerven reichlich durchzogen werden. Die Leuchtkraft steigert sich beim Fluge und scheint demnach von dem durch die Tracheen herbeigeführten Sauerstoff abhängig zu sein. — Der bei uns etwas seltener vorkommende **Nachtleuchtkäfer** (*L. noctilúca*) wird etwas größer. Die Männchen haben ein graugelbes Halsschild mit dunkler Scheibe.

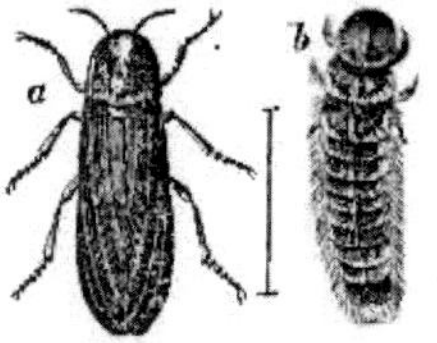

Fig. 240. Nachtleuchtkäfer. (*Lampyris noctilúca.*) *a.* Männchen. *b.* Weibchen.

Der **gemeine Klopfkäfer, die Todtenuhr oder der Trotzkopf** (*Anobium pértinax*) erreicht die Größe eines Roggenkorns, ist pechbraun oder schwärzlich gefärbt und fein behaart. Bei der leisesten Berührung stellt er sich hartnäckig todt und bewegt sich selbst beim Aufspießen nicht. Das beim Nagen verursachte Picken hat ihm den Namen T o d t e n u h r verschafft. Seine Larven verwandeln das Holz der Stubengeräthe und der alten Weiden in Wurmmehl. — Der **Brotkäfer** (*A. paníceum*), etwa 3 Mm. lang, ist rothbraun gefärbt. Er verwüstet Herbarien und findet sich im Brote und Schiffszwieback.

(§. 205.) Dritte Familie. Blatthörner.

Die letzten drei bis sieben Fühlerglieder sind platt und stellen eine aus Blättern gebildete Keule (Fig. 242) oder einen Kamm dar (Fig. 243). Die langbeinigen Larven leben im Miste, faulenden Holze oder werden den Laubbäumen sehr schädlich.

Der **Roßkäfer** (*Scarabaeus stercorárius*) ist ein Mistkäfer, welcher sich im Sommer und Herbst auf Wegen und Viehweiden im Pferde- und Kuhmist

Fig. 241. Mistkäfer. (*Scarabaeus stercorárius.*) Natürliche Größe.

sehr häufig findet und oft von unzähligen Käfermilben geplagt wird. Er wird bis 2,5 Zm. lang, ist oben schwarzglänzend und gewölbt und unten stahlblau und platt; seine Vorderflügel sind punktirt gefurcht.

Maikäfer.
(Melolóntha.)

Der **gemeine Maikäfer** (*M. vulgaris*), gegen 3 Zm. lang, hat braunroth gefärbte Flügeldecken, ein kurz behaartes Halsschild und dreieckige, weiße Flecken am Hinterleibe. Die Männchen besitzen eine sieben- und die Weibchen eine kürzere, sechsblättrige Fühlerkeule. — Vergleiche §. 23.

Mit dem Maikäfer verwandt sind: Die **Juni- oder Brachkäfer** (*Rhizotrógus solstitiális*), 1,7 Zm. lang, hellgelb und langbehaart, — und die **Julikäfer** (*Anomala Julii*); bis 2 Zm. lang, Körper sehr gewölbt und sehr veränderlich in der Farbe; Vorderflügel braungelb.

Fig. 242. Gemeiner Maikäfer. (*Melolóntha vulgaris.*) Natürliche Größe. (Oben Männchen; unten Weibchen.)

Hirschkäfer. (Lucánus.)

Der **Hirschkäfer oder Feuerschröter** (*L. cervus*), der größte europäische Käfer, erreicht mit dem langen, geweihähnlichen Oberkiefer eine Länge von 6—7 Zm.; beim Weibchen ist der Oberkiefer viel kürzer. Die Fühler sind geknickt und die Fühlerkeulen kammförmig. Seine Farbe ist matt schwarz und die der Flügeldecken kastanienbraun. Er lebt in Eichenwäldern; man findet ihn im Juni an den Eichen, deren Saft er mit der pinselförmigen Zunge leckt. Die Larven leben in Eichenstämmen oder in Eichenmulm. — (Siehe Fig. 243.)

(§. 206.) Vierte Familie. Keulenhörner.

Die letzten Fühlerglieder sind keulenförmig verdickt; Käfer und Larven fressen Thier- und Pflanzenstoffe.

Fig. 243. Hirschkäfer. (*Lucánus cervus.*) Natürliche Größe. Männchen und Larve (links); Weibchen und Puppe (rechts).

Todtengräber. (Necrophorus.)

Der **gemeine Todtengräber** (*N. vespillo*), 2 Zm. lang, ist schwarz gefärbt und hat zwei gelbrothe Querbinden auf den Vorderflügeln. — Vergleiche §. 56.

(§. 207.) Fünfte Familie. Kurzflügler.

Ihre Vorderflügel sind kürzer als der Hinterleib. Sie sind gewandte Insektenräuber und werden dadurch nützlich.

Der **behaarte Staubkäfer** (*Staphylínus hirtus*), 2 Zm. lang, hat einen schwarzen, behaarten Körper. Kopf, Halsschild und die drei letzten Hinterleibsringe sind goldgelb behaart. Er findet sich im Kuhdünger.

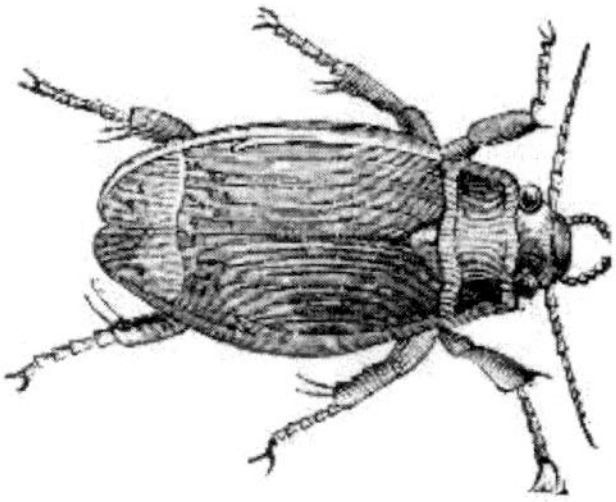

Fig. 244. Gelbrand. (*Dyticus marginalis.*) Natürliche Größe.

(§. 208.) Sechste Familie. Schwimmkäfer.

Sie haben einen flachen Körper und breite, bewimperte Beine, leben nebst den Larven im Wasser, schwimmen sehr geschickt, fliegen Abends umher und fressen Fischlaich, kleine Fische und Insekten.

Der **Gelbrand** (*Dyticus marginális*), 3 Zm. lang, hat einen eiförmigen, oben schwarzgrünen und unten gelben Körper; die Flügeldecken sind gelb gerandet. Er wird den Fischen schädlich.

b. Ungleichzehige Käfer.

(§. 209.) Siebente Familie. Schwarzkäfer.

Sie leben im Dunkeln, haben eine dunkle Färbung, perlschnurförmige Fühler und einen vom Halsschilde bedeckten Kopf.

Fig. 245. Mehlkäfer. (*Tenébrio molitor.*) Natürliche Größe.

Der **Mehlkäfer** (*Tenébrio molitor*), 2 Zm. lang, ist oben pechschwarz und unten rothbraun gefärbt. Die gelblichen Larven, die als Nachtigallenfutter bekannten Mehlwürmer (Fig. 246), halten sich in Mehlvorräthen auf.

Fig. 246. Mehlkäferlarve. Natürliche Größe.

(§. 210.) Achte Familie. Hals- oder Pflasterkäfer.

Sie haben einen nach hinten verengten Kopf und weiche Flügeldecken. Die Käfer fressen Blätter; sie enthalten einen scharfen, blasenziehenden Stoff.

Maiwurm. (Meloë.)

Der **Maiwurm oder Oelkäfer** (*M. proscarabaeus*), über 2 Zm. lang, ist blauschwarz gefärbt; die Flügeldecken sind runzelig und erreichen beim Weibchen nicht die Länge des Hinterleibes; die Hinterflügel fehlen. Er hält sich im Mai auf Grasplätzen auf und sondert bei jeder Berührung aus den Gelenken der Beine einen öligen, blasenziehenden Saft ab. Die Weibchen legen gegen 1000 Eier in selbstgegrabene Gruben, welche sie verschütten. Die Larven, welche nach drei Wochen auskriechen, suchen honighaltende Blüten auf. Diese werden von Bienen und Wespen besucht; an letztere hängen sich die Larven und lassen sich in die Bienen- und Wespennester tragen und nähren sich von dem Honig. Hier machen sie als Larven drei Entwickelungformen durch.

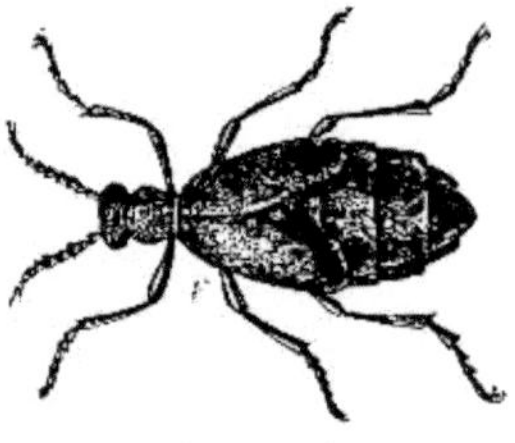

Fig. 247. Maiwurm. (*Meloë proscarabaeus.*) Natürliche Größe.

Pflasterkäfer. (Lytta.)

Der **Pflaster- oder Blasenkäfer oder die spanische Fliege** (*L. vesicatoria*), 2 Zm. lang, ist gelbgrün gefärbt, hat schwarze Fühler und Vorderflügel, welche den Hinterleib bedecken, verbreitet einen stark betäubenden Geruch und lebt im Juni auf Eschen, spanischem Flieder und Liguster, welche er fast entblättert. Er liefert pulverisirt den Stoff zum bekannten spanischen Fliegenpflaster (*Cantharidin*), welcher, innerlich angewandt, Thiere tödtet.

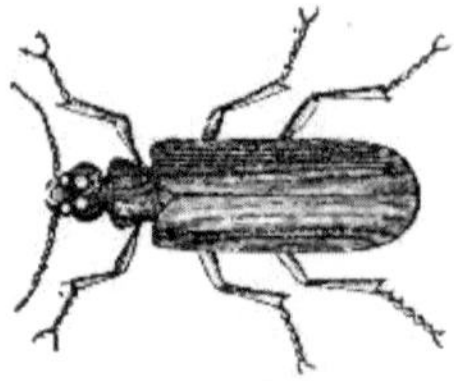

Fig. 248. Spanische Fliege. (*Lytta vesicatoria.*) Natürliche Größe.

c. Vierzehige Käfer.

(§. 211.) Neunte Familie. Rüsselkäfer.

Ihr Kopf ist rüsselförmig verlängert; sie leben, wie auch die bein- und augenlosen Larven, von Pflanzen.

Der **Erbsenkäfer** (*Bruchus pisi*), 4 Mm. lang, ist eirund, schwärzlich gefärbt und hat einen kurzen, breiten, schnauzenförmigen Rüssel. Die Eier werden von den Weibchen in junge Erbsenhülsen gelegt, in welchen sich die Made in den Samen bohrt; nachdem sie denselben ausgehöhlt hat, verpuppt sie sich. (Er wurde 1875 aus Rußland in größter Menge mit Erbsen nach Königsberg eingeführt.)

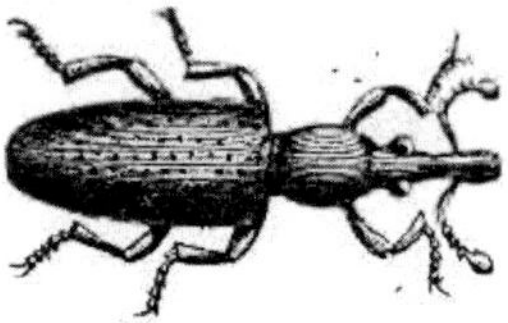

Fig. 249. Schwarzer Kornwurm. (*Calándra granaria.*) Fünfzehnfach vergrößert.

Der **Getreiderüsselkäfer oder der schwarze Kornwurm** (*Calándra granaria*), 4 Mm. lang, ist braun gefärbt und hat rostrothe Beine und Fühler. Die Weibchen legen in die Getreidekörner ein Ei, und die weißliche Larve frißt den Inhalt des Kornes auf. Er findet sich in Getreidevorräthen sehr häufig.

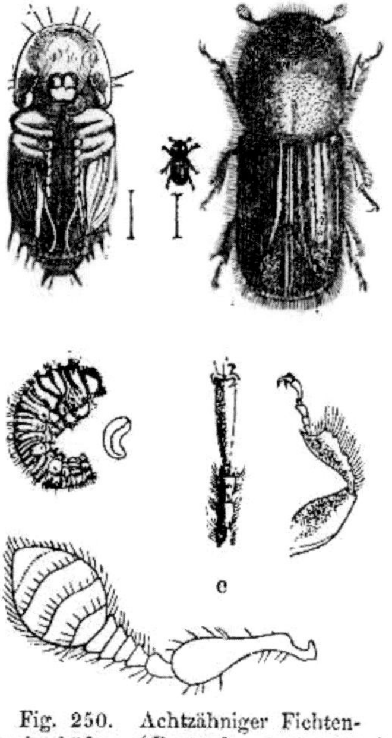

Fig. 250. Achtzähniger Fichtenborkenkäfer. (*Bostrychus typographus.*) Oben rechts: der Käfer in natürlicher Größe und vergrößert; oben links: die Puppe, vergrößert; unten: ein Fühler; in der Mitte rechts: ein Bein; *c*. Fuß; und links: die Larve in natürlicher Größe und vergrößert.

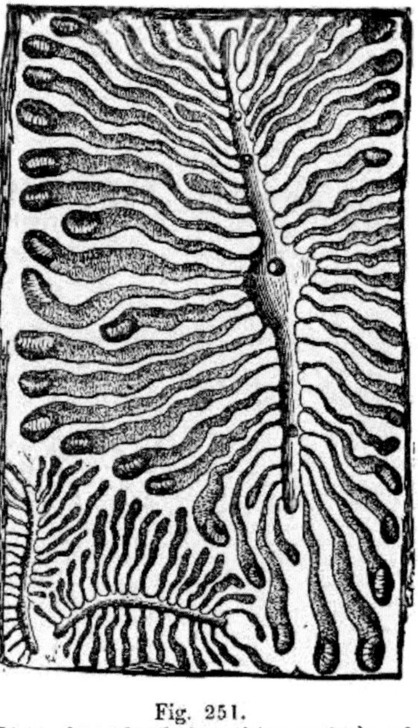

Fig. 251. Gänge des achtzähnigen (oben rechts) und des sechszähnigen Fichtenborkenkäfers (unten links).

(§. 212.) Zehnte Familie. Holzfresser oder Borkenkäfer.

Sie haben einen kurzen und dicken Kopf und kurze, geknicte Fühler, welche mit einem Endknopfe versehen sind. Sie sind die schädlichsten Forstinsekten, denn sie bohren Gänge unter der Rinde, in deren Vertiefungen die Eier abgesetzt werden; die auskriechenden Larven vergrößern diese Gänge und richten so in Nadelwäldern großen Schaden an.

Der **achtzähnige Fichtenborkenkäfer oder Linnés Buchdrucker** (*Bostrychus typographus*), 5 Mm. lang, ist lang behaart und schwärzlich gefärbt; an den abschüssigen Stellen seiner Flügeldecken befinden sich je vier Zähne. Er vernichtet ganze Fichtenwälder und dient besonders Spechten und Meisen zur Nahrung. In seiner Gesellschaft findet sich meist auch der **sechszähnige Fichtenborkenkäfer oder Kupferstecherborkenkäfer** (*B. chalcographus*), dessen Gänge etwas schmäler sind. (Fig. 251.)

d. Dreizehige Käfer.

(§. 213.) Elfte Familie. Kugelkäfer.

Sie haben einen halbkugelig gewölbten Körper, welcher unten flach ist; sie leben auf Pflanzen und werden durch Vertilgung von Blattläusen nützlich.

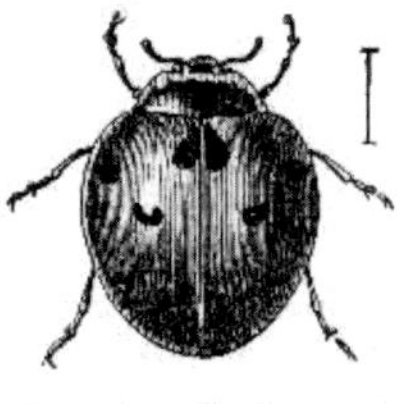

Fig. 252. Marienkäfer. (*Coccinélla septempunctata.*) 7—8 Mm. lang.

Der **Marienkäfer, Siebenpunkt, das Sonnenkälbchen oder der Sonnenkäfer** (*Coccinélla septempunctata*) wird gegen 7 Mm. lang und hat rothe Flügeldecken mit sieben schwarzen Punkten; er ist in den Sommermonaten überall auf Pflanzen zu finden. Er spritzt bei der Berührung einen gelben, nach Opium riechenden Saft aus den Beingelenken.

(§. 214.) II. Ordnung. Geradflügler. (Orthoptera.)

Sie haben pergamentartige Vorder- und häutige Hinterflügel, welche reichlich geadert und meist fächerartig gefaltet sind. Die beißenden Freßwerkzeuge und die Beine sind kräftig, und die Hinterbeine oft zu Sprungbeinen verlängert. Die Verwandlung ist eine unvollkommene.

Uebersicht der Familien der Geradflügler.

a. Läufer; mit gleich langen Beinen.

Mit einer Zange am Hinterleibe . . I. Familie. Ohrwürmer.

Mit zwei Borsten am Hinterleibe . II. Familie. Schaben.

b. Springer; mit langen Hinterbeinen.

Füße dreigliedrig.	Mit langen Fühlern .	III. Familie.	Grabheuschrecken.
	Mit kurzen Fühlern .	IV. Familie.	Feldheuschrecken.
Füße viergliedrig		V. Familie.	Laubheuschrecken.

a. Läufer.

(§. 215.) Erste Familie. Ohrwürmer.

Ihre Vorderflügel sind kurz und ihre Hinterflügel längs und quer gefaltet; am Hinterleibe befindet sich eine Zange. Sie gehören zu den lichtscheuen, nächtlichen Thieren.

Fig. 253. Ohrwurm. (*Forficula auricularia.*) Natürliche Größe.

Der **gemeine Ohrwurm** (*Forficula auricularia*), bis 2 Zm. lang, ist braun gefärbt. Er lebt am Tage in der Erde unter Steinen und Baumrinden, fliegt in der Dämmerung umher und nährt sich von reifen, süßen Früchten und andern Pflanzenstoffen. Da er besondere Vorliebe für dunkle Orte hat, so kann er in Papiertuten, Rohrstengeln, Schweinsklauen und in mit Moos gefüllten, umgestülpten Blumentöpfen leicht gefangen werden; zuweilen kriecht er auch in die Ohröffnungen der Menschen, ohne dafür eine besondere Neigung zu zeigen. Am liebsten hält er sich in Nelken- und Georginenblüten auf.

(§. 216.) Zweite Familie. Schaben.

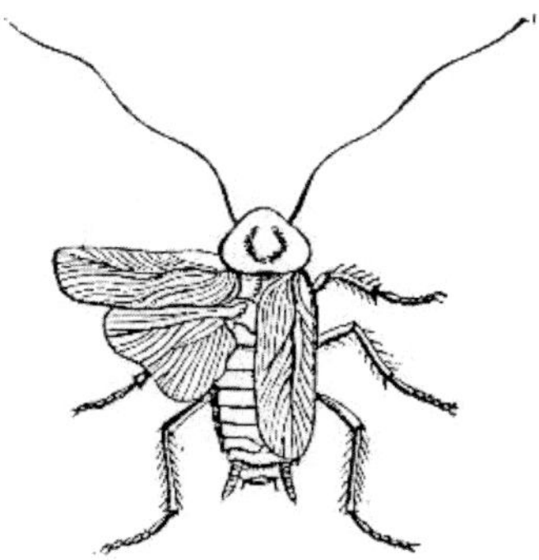

Fig. 254. Schwarzbraune Schabe. (*Blatta orientalis.*) Wenig vergrößert.

Sie haben am Hinterleibe zwei gegliederte Borsten; die Vorderflügel sind groß, können jedoch nebst Hinterflügeln den Weibchen und zuweilen auch den Männchen fehlen. Sie gehören zu den lichtscheuen, nächtlichen Thieren, welche in Küchen, Bäckereien und Magazinen oft recht lästig werden.

Die **deutsche Schabe** (*Blatta germanica*), 15 Mm. lang, ist gelblich gefärbt; sie bewohnt unsere Wälder und wird auch in Küchen und Brauereien sehr lästig.

Die **schwarzbraune Schabe** (*B. orientalis*), 25 Mm. lang, ist schwarzbraun gefärbt, stammt aus Vorderasien und ist bei uns in den Küchen sehr unangenehm; ihre Eier befinden sich in einem bohnenförmigen Cocon.

b. Springer.

(§. 217.) Dritte Familie. Grabheuschrecken.

Sie haben lange Fühler, dreigliedrige Füße und leben in selbst gegrabenen Erdhöhlen. Die Männchen zirpen, indem sie die Flügeldecken an einander reiben.

Grylle. (Achéta.)

1. Die **Feldgrylle** (*A. campestris*), 2 Zm. lang, ist schwarzbraun gefärbt, hat kurze Hinterflügel und wie das Heimchen eine Legeröhre und keine Grabfüße; sie wohnt auf trockenen Feldern und nährt sich von Pflanzenwurzeln.

2. Das **Heimchen oder die Hausgrylle** (*A. domestica*), 2 Zm. lang, gelblichgrau gefärbt und mit schwarzbraun geflecktem Kopfe, hat längere Hinterflügel; sie lebt in Küchen und Bäckereien und nährt sich von Brot, Mehl und Getreide.

Fig. 255. Heimchen oder Hausgrylle. (*Achéta domestica.*) Natürliche Größe.

Maulwurfsgrylle. (Gryllotálpa.)

Die **Maulwurfsgrylle** (*G. vulgaris*), 5 Zm. lang, ist braun gefärbt und ohne Legeröhre; sie besitzt breite, zum Graben eingerichtete Grabfüße. Das

Fig. 256. Maulwurfsgrylle. (*Gryllotálpa vulgáris.*) Natürliche Größe. (Unten: Eier in der Höhle; auf der Erde und in der oberen Höhle: Junge auf verschiedenen Entwickelungsstufen.)

Weibchen gräbt im Mai eine tonnenförmige Höhle und legt in dieselbe gegen 100 Eier, aus welchen bald die Jungen hervorschlüpfen; diese gleichen einer Ameisengesellschaft. Sie häuten sich mehrmals und erhalten erst im nächsten Frühlinge Flügel. (Fig. 256.) Neueren Beobachtungen zufolge soll sie den Pflanzen weniger schädlich sein durch Abnagen der Wurzeln, als durch das Durchwühlen der Erde; sie frißt auch Engerlinge, Würmer und ihre eigene Brut.

(§. 218.) Vierte Familie. Feldheuschrecken.

Sie haben dreigliedrige Füße und kurze Fühler, welche nicht die halbe Körperlänge erreichen. Beide Geschlechter zirpen, indem sie den gezähnten Innenrand der langen Hinterschenkel an den Flügeldecken reiben.

Wanderheuschrecke. (Acridium.)

Die **Wanderheuschrecke** (*A. migratórium*), 5 Zm. lang, hat einen grünlich oder bräunlich gefärbten Körper und am Grunde gelbliche Flügel mit braunen Flecken und Bändern. Ihr Vaterland ist die Tartarei; sie kommt

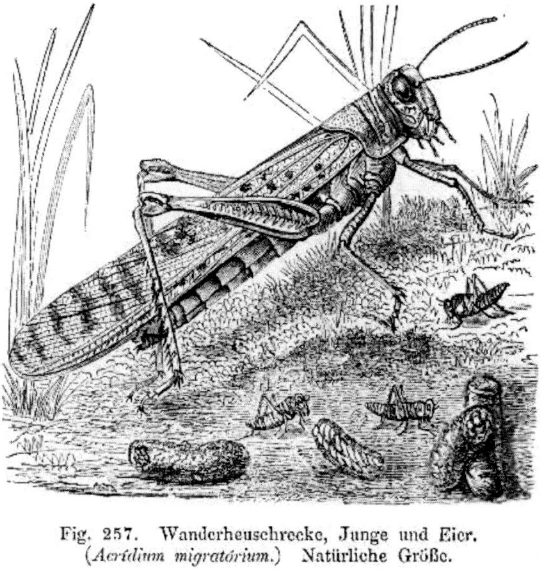

Fig. 257. Wanderheuschrecke, Junge und Eier. (*Acrídium migratórium.*) Natürliche Größe.

in ungeheuren Schwärmen nach Ost- und Südeuropa und vereinzelt auch nach Deutschland, alles Grüne verzehrend.

(§. 219.) Fünfte Familie. Laubheuschrecken.

Sie haben viergliedrige Füße und sehr lange Fühler; die Weibchen besitzen eine lange, säbelförmige Legescheide und die Männchen einen Singapparat; letzterer wird durch eine Trommelhaut unter dem rechten Flügel gebildet, welche durch eine Querader von der Form eines §-Zeichens in tönende Schwingungen versetzt wird.

Heuschrecke. (Locústa.)

1. Die **grüne Heuschrecke, Säbelheuschrecke oder großes Heupferdchen** (*L. viridissima*), 25 Zm. lang, ist grün und ungefleckt und hat Flügeldecken, welche noch ein mal so lang als der Hinterleib sind; die Legescheide des Weibchens ist gerade und von der Länge des Hinterleibes. Sie ist in ganz Europa häufig und sehr gefräßig, lebt aber stets vereinzelt.

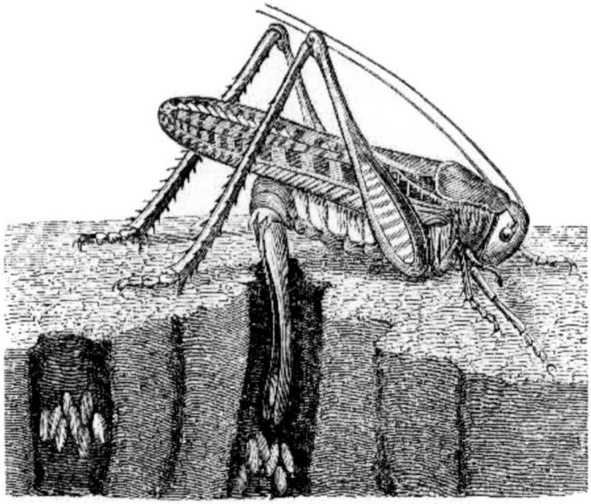

Fig. 258. Warzenbeißer. (*Locústa verrucívora.*) Natürliche Größe.

2. Die **braune Heuschrecke oder der Warzenbeißer** (*L. verrucívora*) ist etwas kleiner als die vorige und hat grünliche, braun gefleckte Vorderflügel, welche länger als der Hinterleib sind, beim Weibchen aber kaum die Mitte der etwas gebogenen Legescheide erreichen. — Der ätzende Saft, den sie beim Beißen in die Wunde fließen läßt, soll zur Vertilgung der Warzen beitragen, weshalb sie den Namen Warzenbeißer erhalten hat.

(§. 220.) III. Ordnung. Hautflügler. (Hymenóptera.)

Sie besitzen vier gleichartige, häutige, spärlich von ästigen Adern durchzogene Flügel, von denen die vorderen größer als die hinteren sind, und leckende Freßwerkzeuge (Fig. 238). Die Weibchen haben entweder eine Legeröhre oder einen Wehr- oder Giftstachel. Die Verwandlung ist eine vollkommene; die Larven sind entweder Maden oder Afterraupen.

Durch die Schärfe ihres Instinktes in Bezug auf die Unterbringung ihrer Eier, durch Brutpflege und Verbindung zu Thierstaaten zeichnen sich die Hautflügler besonders aus.

Uebersicht der Familien der Hautflügler.

a. Mit Legeröhre.

Hinterleib mit der Brustbreite verwachsen		I. Familie. Blattwespen.
Hinterleib gestielt.	Flügel mit viel verzweigten Adern	II. Familie. Schlupfwespen.
	Flügel mit wenigen Adern .	III. Familie. Gallwespen.

b. Mit Wehrstachel.

Erstes Fußglied der Hinterbeine walzig . IV. Familie. Raubwespen.

Erstes Fußglied der Hinterbeine zusammengedrückt . . . . V. Familie. Blumenwespen.

a. Mit Legeröhre.

(§. 221.) Erste Familie. Blattwespen.

Ihre Larven (Afterraupen) haben achtzehn bis zweiundzwanzig Beine und fressen nur Pflanzen; sie werden oft sehr schädlich und durch die Schlupfwespen, welche ihre Eier in die Afterraupen legen, vertilgt. Aeußerst schädlich sind die **Kiefernblattwespen** (*Tenthrédo pini*), welche oft ganze Kiefernwälder vernichten, und die **Rapsblattwespe** (*T. spinárum*), auf weißen Rüben und Raps; letztere ist röthlichgelb gefärbt und etwa 4 Mm. lang.

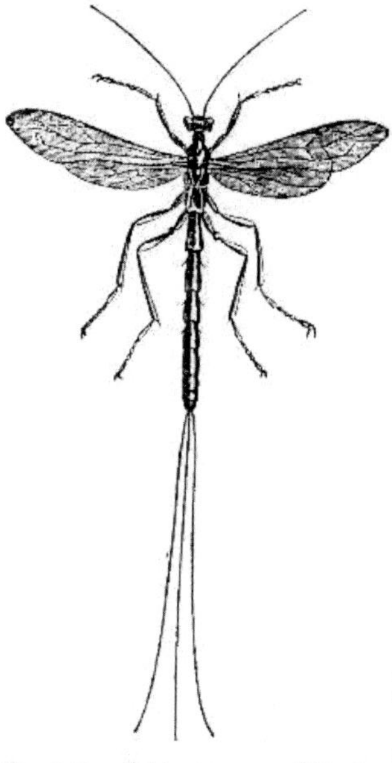

Fig. 259. Schlupfwespe. (*Pimpla manifestátor.*) Natürliche Größe.

(§. 222.) Zweite Familie. Schlupfwespen.

Die Weibchen der Schlupfwespen legen ihre Eier in die Insekten, von welchen keine Entwickelungsstufe verschont bleibt. Die auskriechenden, bein-, fühler- und augenlosen Larven nähren sich vom Wirthe und vernichten ihn; zuweilen erliegt die Larve des Insektes nicht gleich und entwickelt sich zur Puppe, aus welcher dann die Schlupfwespe hervorbricht, nachdem ihre Larve den Wirth verzehrt hat. Die Schlupfwespen gehören daher zu den nützlichen Thieren und tragen mit dazu bei, daß das Gleichgewicht in der Ausbreitung der Insekten keine Störung erleide. Besonders nützlich machen sich die Schlupfwespen, welche die Raupe und Puppe des schädlichen Kiefernspinners anbohren. Die nebenbei abgebildete Schlupfwespe (Fig. 259) legt ihre Eier in die Larven und Puppen verschiedener Käfer. Sie hat einen schwarzen Körper und rothbraune Beine und ist die größte Art.

(§. 223.) Dritte Familie. Gallwespen.

Die Weibchen stechen Blätter und Knospen an, lassen in die Wunde einen ätzenden Saft und die Eier gleiten; hierdurch erfolgt ein Andrang der Säfte nach der verwundeten Stelle und es bilden sich die sogenannten Gallen, welche auf den verschiedenen Pflanzen ungemein verschieden in Farbe und Gestalt sind. — Die Gallen an Eichen, Rosen, Mohn und Brombeeren verursachen **echte Gallwespen**, an Weiden und Pappeln **Blattwespen** und an Buchen, Linden und Kiefern die **Gallmücken**; letztere gehören zu den Zweiflüglern.

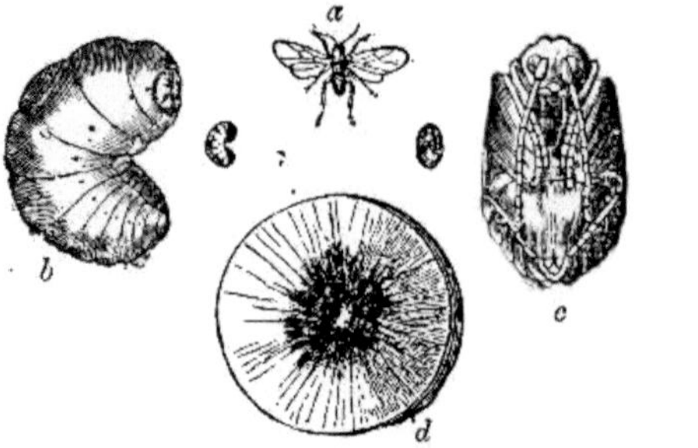

Fig. 260. Eichenblattgallwespe. (*Cynips quercus folii.*) *a.* die Gallwespe, *b.* Made und *c.* Puppe; vergrößert und in natürlicher Größe. *d.* Gallapfel, durchschnitten; natürliche Größe.

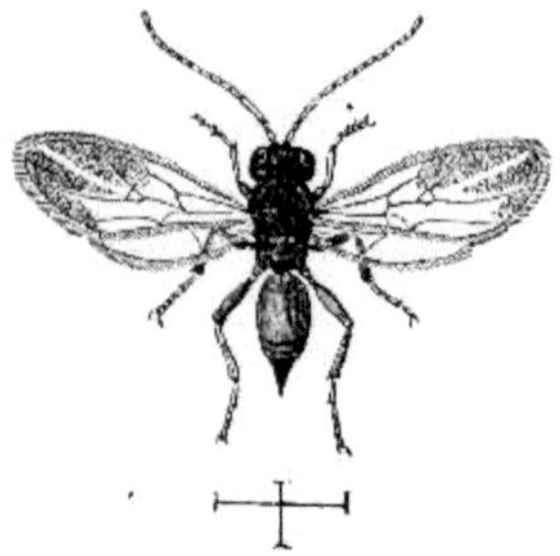

Fig. 261. Rosengallwespe. (*Rhodites rosae.*) 6—7 Mm. lang.

Die **Eichenblattgallwespe** (*Cynips quercus folii*) mit glänzend schwarzem Hinterleibe und roth gestreiftem Halsschilde ist schwarzbraun und wird etwa 4 Mm. lang. Sie bewirkt die gewöhnlichsten Gallen, welche man häufig auf der Unterseite der Eichenblätter findet. Diese Gallen sind von der Größe der Kirschen, grün oder rothbackig, weich, saftig und bergen in ihrer Mitte in einer Höhlung die beinlose Larve. — Auf der Färbereiche Kleinasiens lebt die **Färbergallwespe** (*C. tinctória*), durch deren Stich die Galläpfel entstehen, welche zum Schwarzfärben und zu schwarzer Tinte gebraucht werden; diese enthalten Gallussäure und Gerbstoff.

Die schwarz gefärbte **Rosengallwespe** (*Rhodítes rosae*) verursacht an Rosensträuchern die wie mit Moos bewachsenen Rosengallen oder Schlafäpfel.

Fig. 262. Schlafapfel (der Rosengallwespe).

b. Mit Wehrstachel.

(§. 224.) Vierte Familie. Raubwespen.

Das erste Fußglied der Hinterbeine ist walzig, nicht behaart und verbreitert. Die fußlosen Larven nähren sich von Insekten und Spinnen oder von süßen Pflanzenstoffen.

Wespe. (Vespa.)

Die Wespen haben Vorderflügel, welche sie in der Ruhe der Länge nach falten, so daß die innere Hälfte unter der äußeren liegt. — Ihre Gesellschaften bestehen aus Männchen, Weibchen und Arbeitern; die Weibchen und Arbeiter

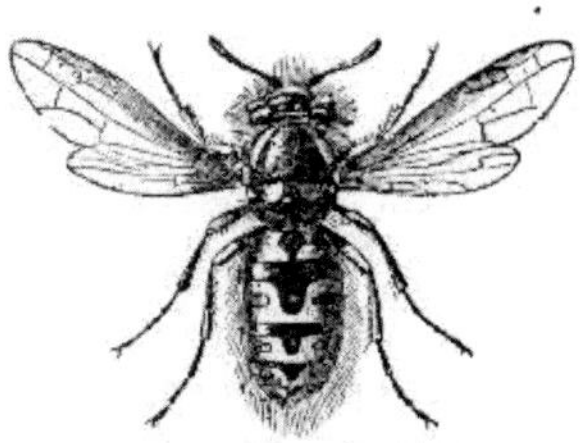

Fig. 263. Gemeine Wespe. (*Vespa vulgáris.*) Natürliche Größe.

zernagen Holz, aus welchem sie mit ihrem klebrigen Speichel löschpapierartige Nester an Blättern, Baumzweigen, hohlen Bäumen etc. bauen. Fleisch, Insekten, süße Früchte und Säfte bilden ihre Nahrung.

Die **gemeine Hornisse** (*V. crabro*), 3,5 Zm. lang, ist schwarz gefärbt und am Hinterleibe braungelb geringelt; sie nistet nur an Eichen, entrindet Eschen und nützt durch Vertilgung von Kornwürmern. — Die **gemeine Wespe** (*V. vulgáris*), etwas kleiner als die vorige, ist am Hinterleibe citronengelb geringelt; ihr Nest hat Aehnlichkeit mit einem Kohlkopfe und findet sich unter Dächern und in der Erde. — Der Stich beider Wespen wird sehr gefürchtet; sie stechen jedoch nur dann, wenn sie gereizt werden.

Ameise. (Formíca.)

Die Ameisen haben gekniete, nach außen etwas verdickte Fühler und statt des Stachels eine Blase, in welcher sich Ameisensäure befindet; sie leben in größeren Gesellschaften, welche aus ungeflügelten Arbeitern oder Geschlechtslosen, und aus geflügelten Männchen und Weibchen bestehen. Die Männchen haben immer und die Weibchen nur zur Paarungszeit Flügel; letztere knicken die Flügel selbst ab oder verlieren sie, da dieselben leicht abfallen. — Vergleiche §. 24.

Zu den roth gefärbten Arten gehört die **rothe oder gemeine Ameise** (*F. fusca*), gegen 1 Zm. lang. Sie baut in unsern Nadelwäldern kegelförmige Nester. — Die ebenso lange **blutrothe Ameise** (*F. sanguínea*) nistet in hohlen Bäumen und unter Steinen; sie ist ebenso häufig wie die vorige.

Zu den schwarz gefärbten Arten gehören die **braune Waldameise** (*F. rufa*) und die **schwarze Ameise** (*F. nigra*); erstere bewohnt die Wälder, letztere, die gemeinste aller Ameisen, Felder, Wiesen und Wälder.

Fig. 264. Braune Waldameise; Weibchen. (*Formíca rufa.*) Doppelte Größe.

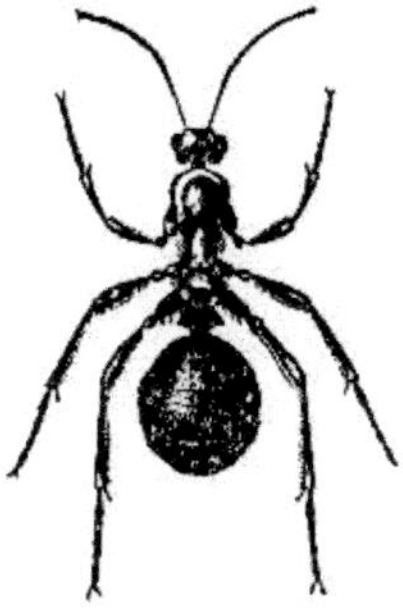

Fig. 265. Braune Waldameise; Arbeiter. (*Formíca rufa.*) Doppelte Größe.

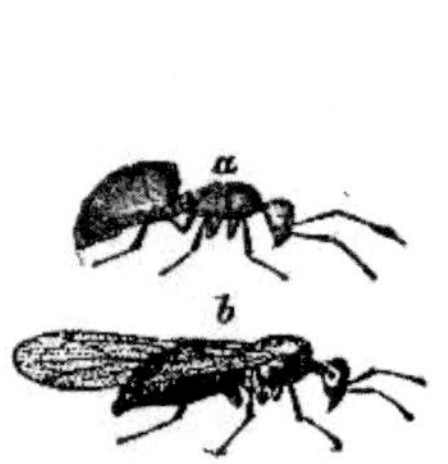

Fig. 266. Gelbe Ameise. (*Formíca flava.*) *a.* Arbeiter; *b.* Männchen. Sechsfache Größe.

Die **gelbe Ameise** (*F. flava*), mit schwarzen Augen, ist die kleinste Art; sie wird 2—3 Mm. lang.

(§. 225.) Fünfte Familie. Blumenwespen.

Das erste Fußglied der Hinterbeine ist verbreitert und auf der Innenseite bürstenförmig behaart; die Fühler sind gekniet, der Leib ist zottig behaart und der Giftstachel mit Widerhaken versehen.

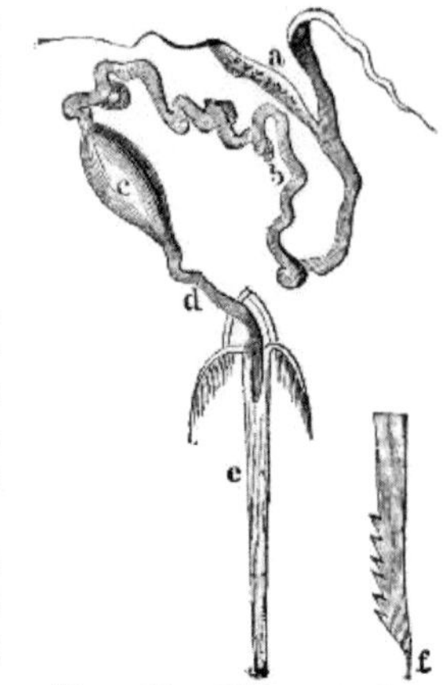

Fig. 267. Giftapparat der Biene. Stark vergrößert. *a.* Giftdrüsen; *b.* Gang nach der Sammelblase *c*; *d.* Ausflußkanal; *e.* Stachel in der Scheide; *f.* Spitze des Stachels außerhalb der Scheide.

Biene. (Apis.)

Die **Honigbiene** (*A. mellifica*), gegen 2 Zm. lang, ist schwärzlich gefärbt und bräunlich grau behaart. (Vergleiche Fig. 238.) — Die Bienen zeichnen sich durch die größte Ordnungsliebe, Reinlichkeit, Fleiß, Kunsttrieb und ein streng monarchisches System aus. — Vergleiche §. 57.

Nur Weibchen und Arbeiter haben einen Stachel (Fig. 267), welcher meist beim Stechen in der Wunde zurück bleibt oder beim Losreißen den Bauch so beschädigt, daß der Tod erfolgt. Durch Entfernung des Stachels aus der Wunde und Bestreichen der verwundeten Stelle mit Salmiakgeist wird der Schmerz gemildert.

Eine größere Zahl der Arbeiter, d. h. der unentwickelten Weibchen, sind W a c h s b i e n e n;

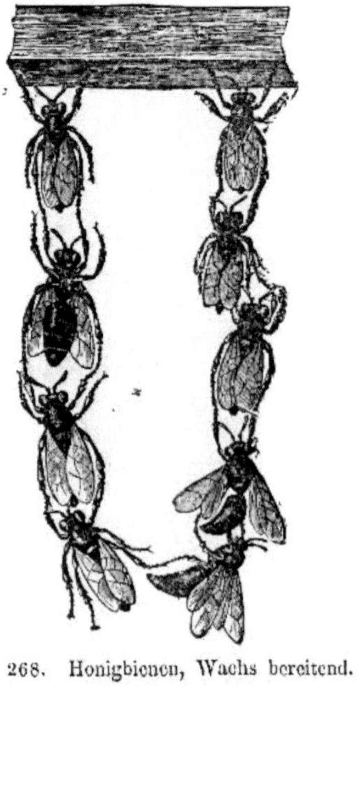

Fig. 268. Honigbienen, Wachs bereitend.

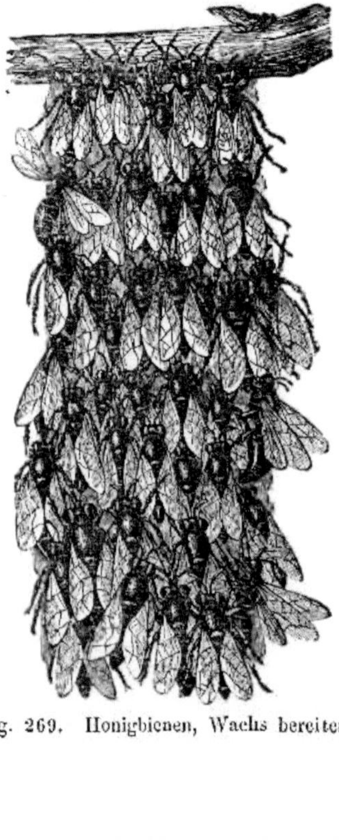

Fig. 269. Honigbienen, Wachs bereitend.

diese können aus ihrer Nahrung (Honig oder Zucker) bei ruhiger Verdauung Wachs bereiten. Zu diesem Zwecke dient ein zweiter, von Ringen umgebener Magen. In diesen Ringen wird das Wachs erzeugt und in Schüppchen oder Blättchen durch die Hinterleibsringe geschwitzt. Um die Verdauungsarbeit der Wachsbildung zu fördern, hängen sich die Wachsbienen zu einer wenigstens vierundzwanzigstündigen Ruhe in Guirlanden (Fig. 268) oder in größeren Klumpen (Fig. 269) auf. Also nicht aus Blütenstaub wird das Wachs bereitet, wie man früher glaubte, obgleich sie denselben auch unter das Wachs arbeiten, wenn sie Waben bauen; letztere werden mit dem Stopf- oder Vorwachse, d. h. mit dem Harze von klebrigen Pflanzenknospen angeklebt.

Außer den Wachsbienen giebt es unter den Arbeitern auch noch Wärterinnen oder Ammen, welche kleiner sind; diese sammeln Honig und füttern damit die Larven, tragen aber nicht Honigvorräthe ein; dies besorgen nur die Wachsbienen, welche den Honig aus den Honigdrüsen der Blüten auflecken, verschlucken und ihn entweder später aus dem Magen durch den Mund in die Zellen ergießen oder, wie schon oben gesagt, zur Wachsbereitung verwenden.

Zu den Bienenfeinden gehören der Bär, der Honigkukuk, die Wachsschabe (ein kleiner Schmetterling) und die Larve des Maiwurms (§. 210).

(§. 226.) IV. Ordnung. Netzflügler. (Neuróptera.)

Sie haben vier gleichartige, häutige, meist gleich große und von vielen Adern durchzogene Flügel; ihre Verwandlung ist entweder vollkommen oder unvollkommen.

Uebersicht der Familien der Netzflügler.

a. Mit vollkommener Verwandlung I. Familie. Großflügler.

b. Mit unvollkommener Verwandlung.

Flügel mit Netzadern.	Vier gleich große Flügel	II. Familie. Wasserjungfern.
	Zwei Flügel, oder kleinere Hinterflügel	III. Familie. Eintagsfliegen.
Flügel mit wenigen Queradern . . .		IV. Familie. Termiten.

a. Mit vollkommener Verwandlung.

(§. 227.) Erste Familie. Großflügler.

Ihnen fehlt der eigentliche Mund; statt desselben haben sie Saugzangen, durch welche die Nahrung direct in die Speiseröhre kommt.

Die **Florfliege** (*Hemeróbius perla*), über 1 Zm. lang, ist grün gefärbt und hat lange, an der Spitze nicht verdickte Fühler. Ihre Eier legt sie an Rosen- und Erlenblätter; ihre Larven nähren sich von Blattläusen.

Die **Ameisenjungfer** (*Myrmecóleon formicarius*) hat als ausgebildetes Insekt kürzere und nach außen verdickte Fühler. — Vergleiche §. 58.

b. Mit unvollkommener Verwandlung.

(§. 228.) Zweite Familie. Wasserjungfern oder Libellen.

Die Wasserjungfern haben starke, zangenförmige Freßwerkzeuge, nähren sich vom Insektenraube, leben in der Nähe von Gewässern, in welchen sich auch die dem vollkommen entwickelten Insekte ähnlichen Larven aufhalten.

Der **gemeine Plattbauch** (*Libéllula depréssa*), 4 Zm. lang, ist gelbbraun gefärbt und hat am Grunde der wasserhellen Flügel rothbraune Flecken; der Hinterleib ist platt, beim Männchen blau und beim Weibchen bräunlich gefärbt. — Bei den **vierfleckigen Wasserjungfern** (*L. quadrimaculata*) findet sich in der Mitte des Vorderrandes der Flügel ein schwarzbrauner Fleck. Beide Arten erscheinen zuweilen in sehr großen Schwärmen; ihre Netzaugen stoßen auf dem Scheitel zusammen.

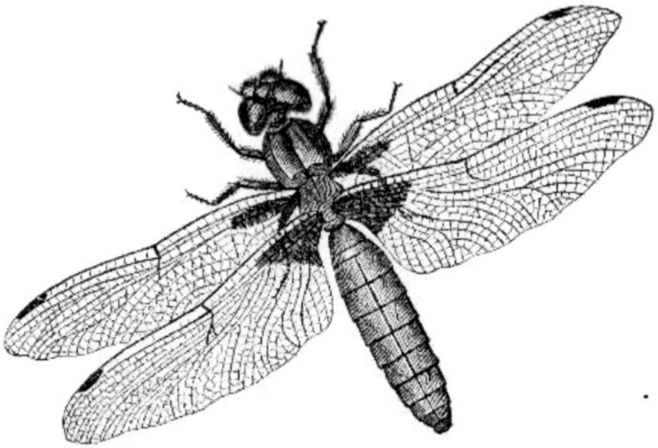

Fig. 270. Gemeiner Plattbauch. (*Libéllula depréssa.*) Nat. Größe.

Ebenso häufig ist die **Schlankjungfer** (*Agrion virgo*), deren Netzaugen nicht auf dem Scheitel zusammenstoßen; ihre Flügel sind in der Ruhe aufgerichtet und ganz oder nur in der Mitte blau gefärbt.

Fig. 271. Eintagsfliege. (*Ephémera vulgáta.*) Natürliche Größe.

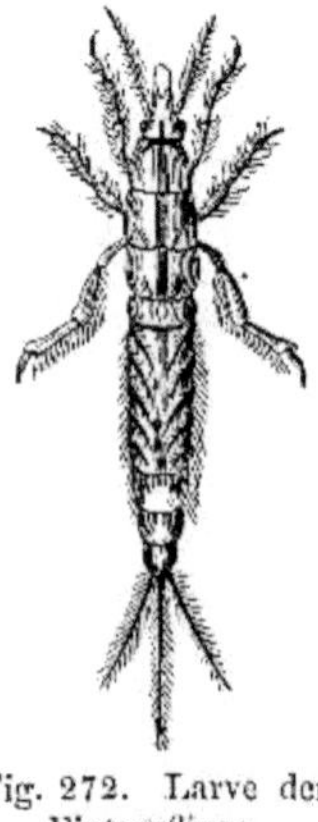

Fig. 272. Larve der Eintagsfliege.

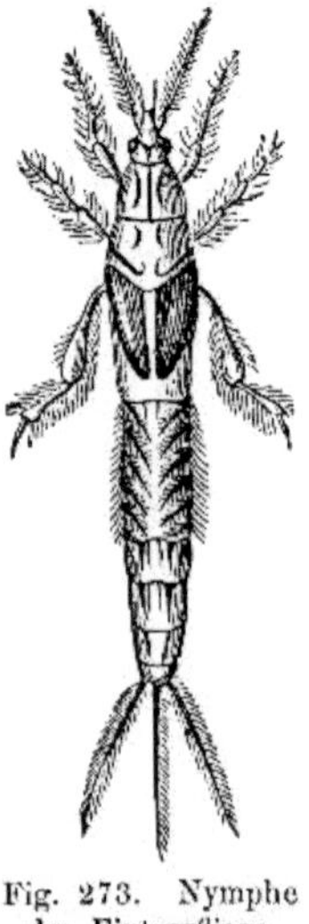

Fig. 273. Nymphe der Eintagsfliege.

(§. 229.) Dritte Familie. Eintagsfliegen.

Die Eintagsfliegen haben verkümmerte Mundtheile und nehmen im geflügelten Zustande keine Nahrung zu sich. Ihre Hinterflügel sind sehr klein oder fehlen ganz. Während die Larven und Nymphen oft zwei bis drei Jahre im Wasser leben, ist dem vollkommen entwickelten Insekte nur eine Lebensdauer von wenigen Stunden oder einem Tage vergönnt; in dieser Zeit häuten sich die Eintagsfliegen noch einmal. Oft erscheinen sie in so großer Menge, daß die todten Körper das Ufer mehrere Zoll hoch bedecken und als Dünger benutzt werden können. — Die **gemeine Eintagsfliege** (*Ephémera vulgáta*) mit drei Schwanzborsten und braunem Körper ist an unseren Gewässern sehr gemein; sie wird bis 2 Zm. lang. (Siehe Fig. 271—273.)

(§. 230.) Vierte Familie. Termiten.

Sie haben schmale, schwach geaderte Flügel, welche leicht abfallen, und stark entwickelte, beißende Freßwerkzeuge. Sie bilden große Gesellschaften, welche aus geflügelten Weibchen und Männchen und ungeflügelten, augenlosen Arbeitern und Soldaten bestehen. Die Arbeiter sind klein- und die Soldaten dickköpfig; erstere bauen bis 4 M. hohe Gebäude aus Lehm und Sand; letztere schützen die Gesellschaft. Die Königinnen (Weibchen) schwellen

Fig. 274. Kriegerische Termite. (*Termes bellicósus.*) Natürliche Größe. (Oben: Geflügeltes Männchen; in der Mitte. Weibchen vor dem Eierlegen; unten links: Soldat; unten rechts: Arbeiter.)

vor dem Eierlegen stark an; die Zahl der in vierundzwanzig Stunden gelegten Eier beträgt gegen 80,000. Sie werden durch Zernagen von Thier- und Pflanzenstoffen (von Häusern und Schiffen) ungemein schädlich. Den Säugethieren und Vögeln dienen sie zur Nahrung und werden auch geröstet von den Menschen gegessen.

Die **kriegerische Termite** (*Termes bellicósus*), 2 Zm. lang und mit 6 Zm. Flügelspannung, ist braun gefärbt; die Flügel haben einen ziegelrothen Außenrand. Ihre leeren Wohnungen werden in Indien und Afrika als Backöfen benutzt. — Die **zerstörende Termite** (*T. destructor*) ist rothbraun gefärbt und bewohnt Südamerika.

B. Insekten mit stechenden und saugenden Freßwerkzeugen.

(§. 231.) **V. Ordnung. Zweiflügler.** (Díptera.)

Sie haben meist zwei Flügel, welche an der Mittelbrust sitzen; die Hinterflügel werden durch Schwingkölbchen vertreten, welche auch dann nicht fehlen, wenn keine Vorderflügel vorhanden sind. Die Freßwerkzeuge (Fig. 275) sind Saugröhren (Schöpfrüssel). Die Verwandlung ist eine vollkommene; die Larven sind kopf- und beinlos (Maden) und entwickeln sich im Wasser, auch in Pflanzen- und Thierstoffen, zuweilen auch in lebenden Thieren. Die Vermehrung der Fliegen wird durch rasch auf einander folgende Bruten so stark, daß eine Schmeißfliege bei ungestörter Entwickelung in einem Sommer eine Nachkommenschaft von 8000 Millionen haben könnte.

Sie werden nützlich durch Vertilgung faulender Thierstoffe, durch Uebertragung des Blütenstaubes und dadurch, daß sie anderen Thieren zur Nahrung dienen; durch ihre Blutgier und ihre empfindlichen Stiche werden sie lästig.

Uebersicht der Familien der Zweiflügler.

Geflügelt.	Fühler viel länger als der Kopf, sechs- bis vierundzwanzigglíedrig .	I. Familie. Mücken.
	Fühler kurz, meist nur dreigliedrig .	II. Familie. Fliegen.
Ungeflügelt		III. Familie. Flöhe.

(§. 232.) Erste Familie. Mücken.

Sie haben einen langen, hervorstreckbaren Rüssel mit vier Stechborsten. Die Larven der Stechmücken leben im Wasser und die der Gallmücken in Pflanzengallen. Nur die Weibchen stechen und saugen Blut.

Die **gemeine Stechmücke** (*Culex pipiens*) hat einen hellgrauen, weißlich geringelten Hinterleib. Beim Stechen läßt sie durch den Rüssel eine Flüssigkeit in die Wunde fließen; brechen die in das Fleisch gedrückten Stechborsten und der Rüssel ab und bleiben in der Wunde zurück, so entsteht eine Entzündung, welche durch Salmiakgeist, mit dem man die verwundete Stelle bestreicht, gemildert wird. In der heißen Zone werden die verschiedenen Stechmückenarten mit dem Namen Mosquitos bezeichnet; die Entzündungen treten heftiger auf, weshalb man sich in der Nacht beim Schlafe durch Netze schützt. — Vergleiche §. 59.

*

Die sehr kleinen, nur 1—2 Mm. langen **Gallmücken** (*Cecidomyia destructor, C. salicis, C. piri, C. pisi etc.*) verursachen die Gallen auf Weiden, Birnbäumen und in den Hülsen der Erbsen; die Larve der ersteren oder des Weizenverderbers lebt in Roggen- und Weizenhalmen und knickt dieselben.

(§. 233.) Zweite Familie Fliegen.

Die Fliegen haben einen zurückziehbaren Schöpfrüssel (Fig. 275) und meist nur dreigliedrige Fühler; ihre Larven (Maden) sind in Bildung und Lebensweise sehr verschieden.

Stubenfliege. (Musca.)

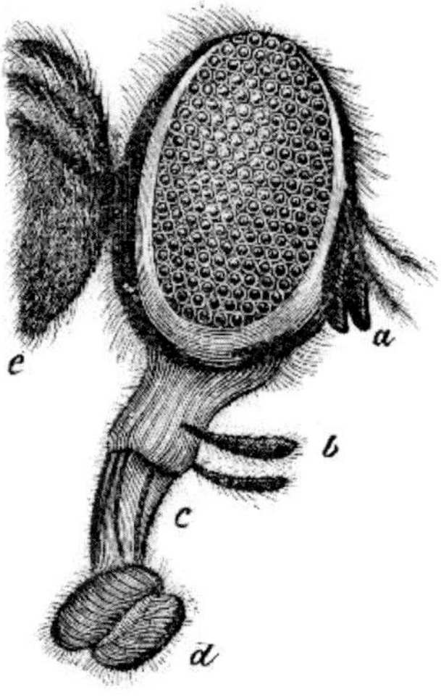

Fig. 275. Facettenaugen und Freßwerkzeuge der Stubenfliege. Stark vergrößert. Seitenansicht. *a.* Fühler; *b.* Taster; *c.* Zurückziehbare Lippe; *d.* Mund mit Saugnäpfen; *e.* Hals.

Die **Stubenfliege** (*M. doméstica*), 6 bis 7 Mm. lang, ist aschgrau gefärbt und am Hinterleibe schwarz gewürfelt; sie saugt nicht wie die Stechmücke Blut, sondern wird nur durch ihre Zudringlichkeit und das Beschmutzen aller Gegenstände äußerst lästig. Eine Feuchtigkeit, welche sie aus den Fußballen schwitzt, befähigt sie, sich auch an glatten, senkrechten Körpern festzuhalten. Sie vermehrt sich sehr schnell; schon nach vierundzwanzig Stunden kriechen aus den in den Mist gelegten Eiern die Larven, welche nach vierzehn Tagen erwachsen sind und sich verpuppen; aus der Puppe kriecht nach anderen vierzehn Tagen die Fliege hervor. Vögel und Spinnen sind ihre Hauptfeinde.

Die **Schmeißfliege oder der Brummer** (*M. vomitória*), über 1 Zm. lang, hat einen schwarzen Kopf und einen stahlblauen Hinterleib; sie summt stark und hält sich gern in Küchen und Speisekammern auf, um ihre Eier an Fleischwaaren zu legen.

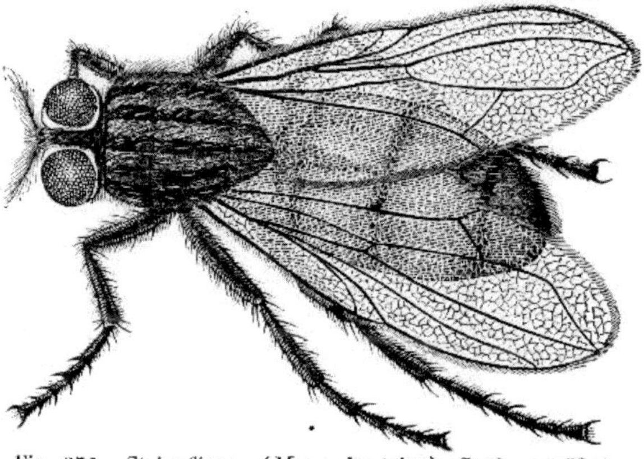

Fig. 276. Stubenfliege. (*Musca doméstica.*) Stark vergrößert.

Die **Dasselfliegen** (*Oestrus*) haben kleine Fühler und Rüssel; letzterer ist im Munde versteckt; ihre Larven schmarotzen in Säugethieren; jede Art ist auf ein bestimmtes Säugethier angewiesen. — Die **Schafbremse oder Dasselfliege** (*Oestrus ovis*), über 1 Zm. lang, ist fast kahl; sie legt ihre Eier in die Nase der Schafe und die auskriechenden Larven gehen nach der Stirnhöhle, wodurch das Schlendern mit dem Kopfe hervorgerufen wird. (Die Drehkrankheit wird durch einen Eingeweidewurm, den Drehwurm, verursacht — §. 258). — Die **Rindsbremse** (*O. bovis*), ebenso lang, ist vorn rothgelb und hinten schwarz behaart; sie legt ihre Eier in oder auf die Haut von Rindern, Rehen und Hirschen; die Larven verursachen in der Haut die Dasselbeulen. Schon das Summen dieser Fliege versetzt die Rinder in Schrecken.

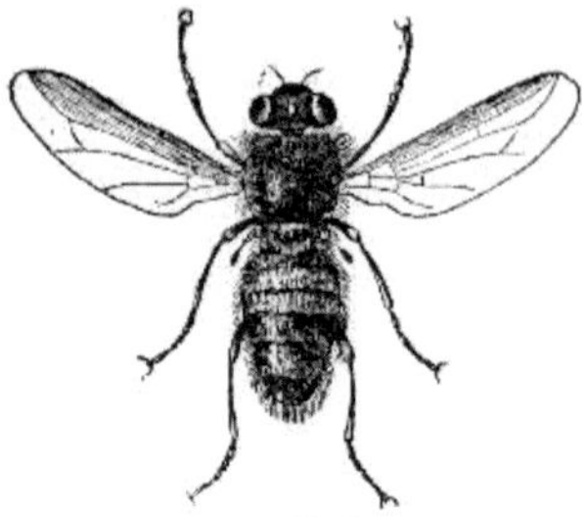

Fig. 277. Rindsbremse. (*Oestrus bovis.*) Doppelte Größe.

Die **Pferdebremse** (*Gastrus equi*) legt ihre Eier an die Vorderbeine der Pferde, wo die Larven abgeleckt werden und in den Darm gelangen.

(§. 234.) Dritte Familie. Flöhe.

Ihnen fehlen die Flügel; ihre Hinterbeine sind kräftige Springbeine.

Der **gemeine Floh** (*Pulex irritans*), 2 Mm. lang, ist pechbraun gefärbt und seitlich zusammengedrückt. Das Weibchen legt die Eier in die Fugen der Dielen, in Unrath, Sägespäne etc., wo sich die Larven nach zwölf Tagen in ein seidenartiges Gespinnst verpuppen, aus welchem nach andern zwölf Tagen der Floh hervorkommt. Derselbe nährt sich vom Blut des Menschen; er kann den Geruch der Pferdehaare und des persischen Insektenpulvers (*Pyrethrum carneum*) nicht vertragen. — Hunde, Katzen, Mäuse, Hühner etc. haben ihre besonderen Floharten. — Der **Sandfloh** (*P. pénetrans*), kaum 1 Mm. lang, kann nicht springen; er lebt in den amerikanischen Baumwollenpflanzungen. Das Weibchen bohrt sich in die Fußsohlen, schwillt stark an und legt daselbst die Eier ab; sie bringen bösartige Geschwüre hervor.

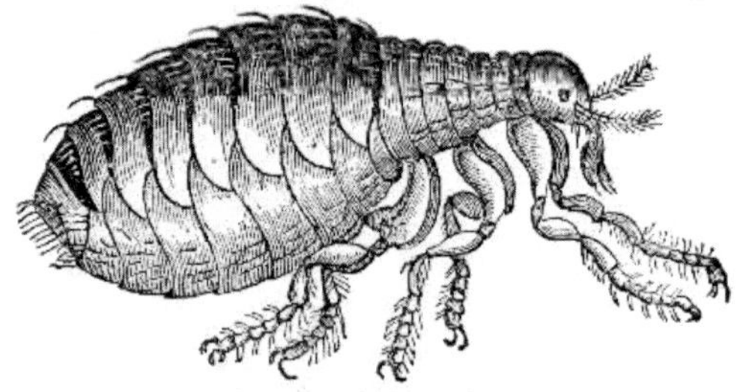

Fig. 278. Gemeiner Floh. (*Pulex irritans.*) Stark vergrößert.

(§. 235.) **VI. Ordnung. Schmetterlinge.** (Lepidóptera.)

Sie zeichnen sich von den andern Insekten durch die vier mit Staubschuppen bedeckten Flügel und den Saugrüssel oder die Rollzunge aus. Die dachziegelförmig über einander liegenden Schuppen geben den Flügeln Farbe und Glanz. Der spiralförmig aufgerollte Saugrüssel (Rollzunge) wird durch die verlängerten Unterkiefer gebildet.

Die Schmetterlinge machen eine vollkommene Verwandlung durch; ihre Eier sind meist hartschalig und die Raupen mehr oder weniger lebhaft gefärbt und oft mit Haaren, Stacheln oder Hörnern bekleidet; diese besitzen drei Paar gegliederte Brustfüße und zwei bis fünf Paar warzenförmige Bauchfüße. Die Puppenhülle umschließt ganz die Puppe. — Außer dem Seidenspinner sind alle Schmetterlinge, aber nur als Raupe, schädlich.

Uebersicht der Familien der Schmetterlinge.

	Fühler fadenförmig, an der Spitze geknöpft oder keulig verdickt	I. Familie.	Tagfalter.
Fühler nicht geknöpft.	Fühler spindelförmig; Flügel in der Ruhelage dachig oder wagerecht .	II. Familie.	Abendfalter.
	Fühler meist borstenförmig oder gekämmt; Flügel in der Ruhelage dachig oder um den Leib gerollt .	III. Familie.	Nachtfalter.
	Fühler borstenförmig; Flügel schmal, dachig oder um den kleinen Leib gerollt	IV. Familie.	Kleinschmetterlinge.

(§. 236.) Erste Familie. Tagfalter.

Sie haben einen schlanken Körper, lebhaft gezeichnete, in der Ruhelage senkrecht stehende Flügel und keulenförmig verdickte Fühler. Die sechzehnfüßigen Raupen sind nackt oder mit Dornen, seltner mit Haaren bekleidet. (Fig. 280 und 283.) Die Schmetterlinge fliegen am Tage.

Eckfalter. (Vanessa.)

Ihre Flügel sind eckig oder gerundet, oben sehr bunt gefleckt und ihre Raupen sind mit steifen Dornen besetzt. Die Puppen (Sturzpuppen) glänzen und hängen an einem Faden, das Schwanzende nach oben. (Fig. 281.)

Der **Distelfalter** (*V. cardui*), ist braunroth gefärbt und schwarz und weiß gefleckt; die schwärzlichgrauen Raupen leben auf Nesseln und Kratzdisteln.

Der **Admiral** (*V. Atalánta*) ist sammetschwarz gefärbt; an der Spitze der Vorderflügel befinden sich weiße Flecken und eine rothe Querbinde; die Hinterflügel zeigen eine schwarz punktirte, rothe Randbinde; auf der Unterseite der Flügel sind zahlenähnliche Zeichnungen (98, 980 oder 78). Die gelbgrüne Raupe lebt auf Brennnesseln.

Das **Tagpfauenauge** (*V. Jo*) hat braunroth gefärbte Flügel und trägt auf jedem einen bläulichen Augenfleck. Die schwarze, weiß punktirte Raupe mit rothen Beinen lebt auf Brennnesseln und Hopfen.

Der **Trauermantel** (*V. Antíopa*) hat sammetbraune Flügel, welche einen schwefelgelben, zuweilen weißen Saum und blaue Flecken vor dem Außen-

Fig. 279. Admiral. (*Vanessa Atalánta.*)
Natürliche Größe.

Fig. 280. Raupe des Admirals.
Natürliche Größe.

Fig. 281. Puppe des Admirals.
Natürliche Größe.

rande zeigen. Die schwarze, rothfleckige Raupe bewohnt Pappeln, Weiden und Birken.

Der **große Fuchs** (*V. polychlóros*) zeigt auf den rothgelben Vorderflügeln am Vorderrande drei große und in der Mitte vier kleinere schwarze Flecken. Die braungrauen Raupen mit ästigen, gelben Dornen finden sich auf Weiden, Kirsch-, Apfel- und Birnbäumen.

Der **kleine Fuchs** (*V. úrticae*) unterscheidet sich vom vorigen dadurch, daß er nur drei schwarze Flecken auf den Vorderflügeln hat. Die schwärzlichen, mehr oder weniger gelb gestreiften Raupen leben auf Brennnesseln.

Die genannten Eckfalter haben eine Flügelbreite von 6—7 und eine Körperlänge von 2—2,5 Zm.; nur der kleine Fuchs ist etwas kleiner.

Der **Schwalbenschwanz** (*Papílio Machdon*), 6 Zm. lang und 8 Zm.

Fig. 282. Schwalbenschwanz. (*Papílio Machdon.*)
$^2/_3$ der natürlichen Größe.

Fig. 283. Raupe des Schwalbenschwanzes.

Fig. 284. Puppe des Schwalbenschwanzes.
Natürliche Größe.

breit, hat schwefelgelb gefärbte Flügel mit schwarzem Saume, in welchem sich blaue Flecken befinden. Seine Raupe ist grün und hat schwarze Querbänder mit rothen Punkten; sie lebt auf Mohrrüben, Kümmel und Dill. Die Puppe (Gürtelpuppe) ist am Ende und in der Mitte durch einen Faden befestigt. (Fig. 284.)

Weißling. (Póntia.)

Die fein behaarten, mit helleren und dunkleren Längsstreifen versehenen Raupen der Weißlinge gehören mit zu den schädlichsten Insekten. Die Raupe des **Hecken- oder Baumweißlings** (*P. crataegi*) ist zuerst schwärzlich und später schmutziggelb; sie überwintert auf Weißdorn, Birn- und Apfelbäumen etc. Die bläulich grüne, schwarz punktirte Raupe des **Kohlweißlings** (*P. brassicae*) lebt auf allen Kohlarten, Rettig, Senf, Goldlack und Reseda. — Vergleiche §. 60.

(§. 237.) Zweite Familie. Abendfalter.

Sie haben einen dicken, gedrungenen Körper, schmale und langgestreckte Vorder- und kleinere Hinterflügel, welche meist dunkel gefärbt sind und in der Ruhe dachig oder wagerecht ausgebreitet liegen. Die Fühler sind spindelig und die sechszehnfüßigen Raupen nie dornig. Die Schmetterlinge fliegen schwirrend am Abend umher und saugen schwebend mit ihrem langen Rollrüssel den Honig aus den Blüten, ohne sich zu setzen.

Der **Todtenkopf** (*Acherόntia atropos*), der größte Abendfalter, spannt mit den Flügeln 12 Zm. weit, hat schwarzbraune, gelblich gewölkte Vorderflügel und gelbe, mit zwei schwarzen Binden gezierte Hinterflügel; sein Rücken zeigt eine todtenkopfähnliche Zeichnung. Die gelbe Raupe mit hellblauen, schrägen Streifen lebt auf Kartoffeln und Mohrrüben und verpuppt sich in der Erde. — Er bringt durch Reibung des Rüssels mit den Tastern einen Ton hervor.

(§. 238.) Dritte Familie. Nachtfalter.

Sie haben einen dicken, kurzen, oft wollig behaarten Körper, breite, in der Ruhe dachig oder wagerecht liegende Flügel und borstenförmige oder gekämmte Fühler. Die sechzehnfüßigen Raupen sind dicht behaart und verpuppen sich in Gespinnsten. Die Schmetterlinge fliegen in der Nacht.

Seiden- oder Maulbeerspinner. (Bombyx.)

Der **Seidenspinner** (*B. mori*) hat gelblichweiße, meist mit zwei bis drei dunklen Wellenlinien versehene Flügel, welche in der Ruhe dachig liegen und 4—5 Zm. breit sind. — Vergleiche §. 25.

Die weißen oder gelben Cocons bestehen aus der äußeren lockern Schicht, welche die Floretseide liefert, aus der mittleren Schicht, der eigentlichen Seide und der inneren Schicht, der Wattenseide. Damit der Schmetterling, welcher zwölf Tage nach der Verpuppung hervorbricht, den Faden nicht zerreiße, werden die Cocons in einen Apparat gebracht (Fig. 286) und die Puppen durch heiße Wasserdämpfe getödtet. Die zur Zucht bestimmten Cocons wiegt man, damit das Geschlecht der Schmetterlinge

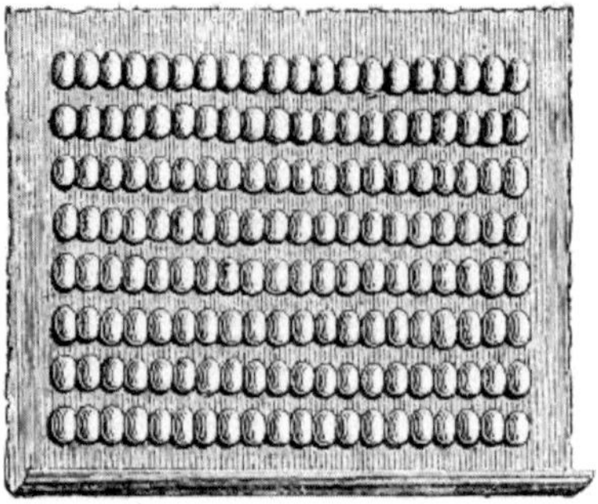

Fig. 285. Papierbogen mit Coconreihen.

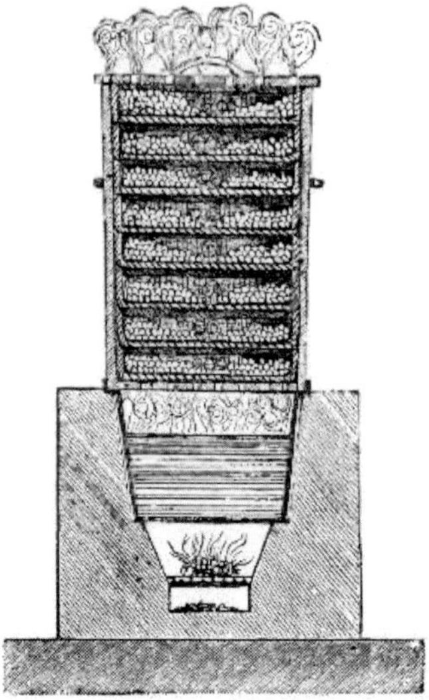

Fig. 286. Apparat zur Tödtung der Cocons.

festgestellt werde. Die Puppen, aus denen weibliche Schmetterlinge hervorkriechen, wiegen schwerer, als diejenigen, aus welchen männliche Thiere hervorbrechen. Die Cocons klebt man, wie Fig. 285 zeigt, auf Papierbogen, jedes Geschlecht auf einen besonderen, und bringt sie in das Brutzimmer (20 bis 25 ° C.). Die Weibchen setzt man auf Papierbogen, wo sie ihre Eier ablegen, welche kaum 1 Mm. im Durchmesser haben. — Das Vaterland des Seidenspinners ist China, wo schon 2700 v. Chr. der Seidenbau getrieben wurde; erst 555 n. Chr. brachten zwei Mönche Eier des Seidenspinners nach Konstantinopel. Von hier verbreitete sich der Seidenbau 711 nach Spanien und Portugal und 1601 nach Frankreich. Friedrich der Große führte ihn in Preußen ein. Jetzt ist der Seidenbau in ganz Deutschland eine sehr ergiebige Erwerbsquelle geworden.

Pelzspinner. (Gastrópacha.)

Der **Kiefern- oder Fichtenspinner** (*G. pini*), 7—8 Zm. breit, hat braune, weiß bestäubte Vorderflügel, welche eine rostgelbe Querbinde und in der Mitte einen weißen Mondfleck zeigen. Die aschgrauen Raupen werden den Nadelwäldern äußerst gefährlich.

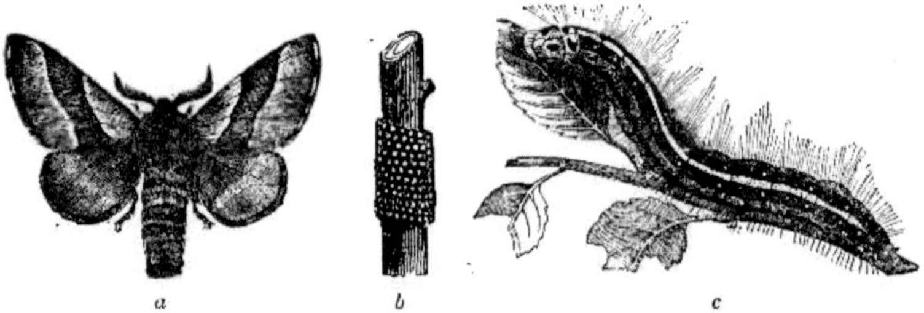

a *b* *c*

Fig. 287. Ringelspinner. (*Gastrópacha neustria.*)
a. Männchen, *b.* Eier und *c.* Raupe. Natürliche Größe.

Der **Prozessionsspinner** (*G. processiónea*), 4 Zm. breit, hat aschgraue Vorder- und hellere Hinterflügel. Die weißgrau behaarten Raupen mit blauschwarzem Rücken leben gesellig in Gespinnsten auf Eichen und unternehmen in regelmäßig geordneten Schaaren Wanderungen und verpuppen sich dann gemeinsam.

Der **Ringelspinner** (*G. neustria*), 4 Zm. breit, hat hellgelbe Flügel mit dunkleren Querbinden. Die mit blauen, rothen und gelben Streifen versehenen Raupen sind Laub- und Obstbäumen sehr gefährlich. Die Weibchen kleben die Eier fest um die dünnen Zweige, so daß sie einen Ring bilden und den Winter überdauern. (Siehe Fig. 287.)

Fig. 288. Kleidermotte. (*Tínea pellionella.*) Doppelte Größe.

(§. 239.) Vierte Familie. Kleinschmetterlinge.

Sie haben einen schlanken, oft sehr kleinen Leib, schmale, in der Ruhe dachig oder um den Leib gerollte Flügel und faden- oder borstenförmige Fühler. Die sechszehnfüßigen Raupen sind nackt oder mit wenigen Borsten bekleidet. Die Schmetterlinge fliegen in der Nacht und am Tage.

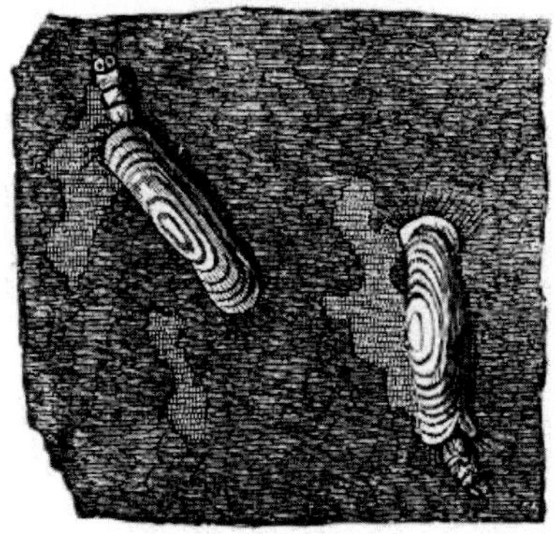

Fig. 289. Futterale der Kleidermottenraupe. Vergrößert.

Die sehr kleinen Raupen der Motten bauen sich aus Pflanzen- oder Thierstoffen tütenartige Hüllen (Futterale). Die Raupe der **Kornmotte** (*Tínea granella*) frißt Getreidekörner aus und wird durch Backofenwärme getödtet. Der Schmetterling, 1 Zm. breit, hat graue Vorder- und bläuliche Hinterflügel. — Die **Pelz- oder Kleidermotte** (*T. pellionella*) hat silbergrau glänzende Flügel; ihre Raupe lebt in wollenen Stoffen, Betten und Pelzwerk. Die Eier legt sie im Mai und Juni.

(§. 240.) VII. Ordnung. Halbflügler. (Hemíptera.)

Sie haben vier, zwei oder keine Flügel und einen drei- bis viergliedrigen Schnabel, welcher aus den verlängerten Unterlippen hervorgegangen ist; in der rinnenförmigen Vertiefung desselben liegen die vier Stechborsten, welche die umgebildeten Kiefern sind. Ihre Verwandlung ist eine unvollkommene, denn die aus den Eiern kriechenden Jungen haben die Gestalt des ausgebildeten Insekts und machen nur Häutungen durch, nach welchen sie auch die Flügel erhalten.

Uebersicht der Familien der Halbflügler.

Mit Flügeln; Schnabel an der Kopfspitze entspringend . . . . I. Familie. Wanzen.

Mit Flügeln; Schnabel an der Unterseite des Kopfes entspringend.	Mit vier Flügeln.	Fühler kurz	II. Familie. Zirpen.
		Fühler lang	III. Familie. Blattläuse.
	Nur die Männchen mit zwei Flügeln		IV. Familie. Schildläuse.
Ohne Flügel			V. Familie. Läuse.

(§. 241.) Erste Familie. Wanzen.

Ihr Schnabel entspringt an der Kopfspitze; ihre vier Flügel sind ungleichartig, d. h. die Vorderflügel haben einen hornigen Grund und sind an der Spitze häutig wie die Hinterflügel. Sie sondern eine unangenehm riechende Feuchtigkeit aus dem Brustkasten ab und nähren sich von Pflanzen- und Thierstoffen.

Die **Beerenwanze** (*Cimex baccárum*), 1 Zm. lang, ist röthlich- oder gelblichbraun gefärbt und hat weiß geringelte Fühler. Sie findet sich auf Himbeeren und Kirschen.

Die **Bettwanze, Hauswanze oder Wandlaus** (*Acánthia lectulária*) ist braunroth, sehr breit, 7 Mm. lang und von höchst widrigem Geruch; sie besitzt entweder nur Flügelstummel oder ist ungeflügelt. — Die Bettwanzen waren schon dem Aristoteles bekannt, welcher glaubte, daß sie aus dem Schweiße entständen; sie sollen aus Ostindien zu uns gekommen sein und werden durch ihre Blutgier den Menschen sehr lästig. Sie leben in altem Holzwerk, besonders in Bettstellen, können sehr lange hungern und große Kälte ertragen.

Fig. 290. Bettwanze. (*Acánthia lectulária.*) Dreifache Größe.

(§. 242.) Zweite Familie. Zirpen oder Cicaden.

Sie haben einen Schnabel, welcher an der Unterseite des Kopfes entspringt, kurze Fühler und vier gleichartige Flügel oder Vorderflügel, welche zuweilen lederartig sind. Sie saugen Pflanzensäfte. Die Männchen der Singzirpen besitzen am Bauchgrunde eine durch ein Häutchen verschlossene Höhle, in welcher ein zweites Häutchen liegt; dieses kann durch Aus- und Einathmen in schwingende und tönende Bewegung versetzt werden.

Die **Singzirpen** (*Cicada*) bewohnen meist die heiße Zone; ihr Kopf ist wenig nach vorn verlängert und ihre Fühler sind kurz. — Die **Mannacicade** (*C. Orni*), 2—3 Zm. lang, ist gelblich und braun gefleckt; sie bewohnt

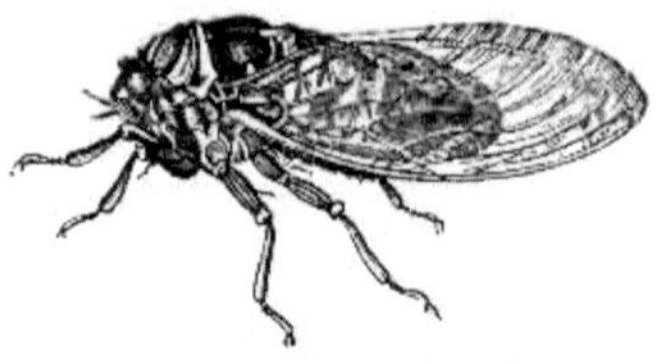

Fig. 291. Gemeine Singcicade. (*Cicada plebeja.*) Natürliche Größe.

Fig. 292. Larve der Singcicade. Natürliche Größe.

meist das südliche Europa, sticht in die Zweige der Mannaesche, um den Saft zu saugen, welcher auch nach dem Stiche noch ausläuft, sich verdickt und die Manna liefert. — Die **gemeine Singcicade** (*C. plebeja*) findet sich in Deutschland um Regensburg. (Siehe Fig. 292.)

Der **Laternenträger** (*Fúlgora laternaria*), in der Größe der Abbildung, ist ein Bewohner Südamerikas und sieht einem Schmetterlinge ähnlich; seine Stirn ist blasig aufgetrieben, die Flügel sind gelblich und die hinteren mit einem großen Augenflecke versehen. Er und die übrigen Leuchtzirpen, welche nicht leuchten, scheiden Wachs ab.

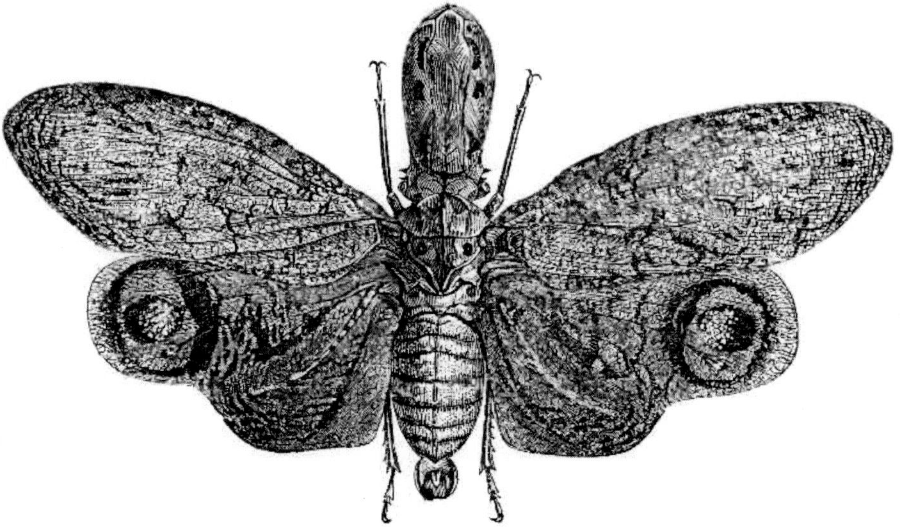

Fig. 293. Laternenträger. (*Fúlgora laternaria.*) Natürliche Größe.

Die **Schaumzirpe** (*Aprόphora spumaria*), über 1 Zm. lang, hat einen gelbgrauen Körper und auf den Flügeldecken zwei weiße Binden. Die Weibchen legen im Herbste die Eier in Baumritzen, vorzüglich an Weiden; im April schlüpfen die grasgrünen Jungen aus und schaden durch das Aussaugen der Pflanzensäfte; bis zu der Beflügelung sitzen sie auf Zweigen unter dem sogenannten Kukuksspeichel, einem aus ihrem After hervortretenden Schaume, der sie gegen ihre Feinde, die Vögel, schützt; am häufigsten finden sie sich auf Weiden und dem Schaumkraute.

(§. 243.) Dritte Familie. Blattläuse.

Sie haben keine oder vier gleichartige, häutige Flügel, lange Fühler und nähren sich von Pflanzensäften.

Die **Blattläuse** (*Aphis rosae, cérasi, mali etc.*) leben von den Pflanzensäften bestimmter Pflanzen, z. B. der Rosen, Kirsch- und Apfelbäume etc. Sie werden 1—2 Mm. lang und sind grün (Rosenblattlaus), citronengelb (Johannisbeerblattlaus), schwarz (Kirschenblattlaus), hellgrün (Apfelblattlaus) oder graugrün (Kohlblattlaus) gefärbt. Die meisten Arten tragen auf dem Hinterleibe zwei Honigröhren, aus welchen sie den Honigthau absondern; dieser wird von den Ameisen begierig aufgesucht. (Fig. 31.) Die Blattläuse häuten sich oft und ihre abgestreiften Häute bleiben auf den Pflanzen, welche sie bewohnen, mittelst des Honigthaus kleben und heißen dann Mehlthau; dieser entsteht auch durch Pilze, welche auf dem klebrigen Safte wachsen.

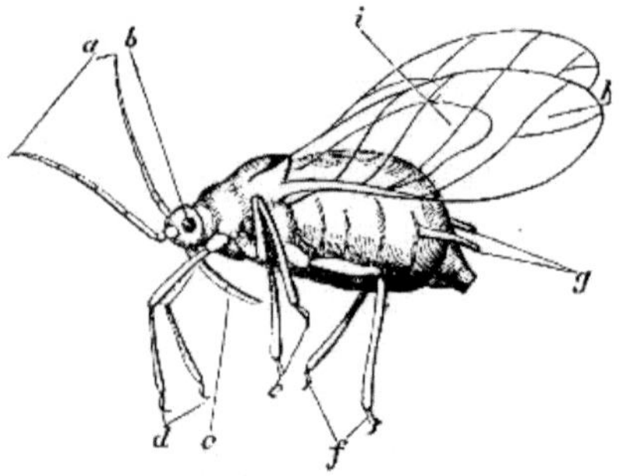

Fig. 294. Geflügelte Amme der Apfelblattlaus. (*Aphis mali.*) Stark vergrößert. *a.* Fühler; *b.* Augen; *c.* Schnabel; *d. e. f.* Beine; *g.* Honigröhren; *h. i.* Flügel.

Ihre Vermehrung ist eine sehr starke; die Weibchen legen im Herbste Eier; aus diesen entstehen im nächsten Frühlinge die Jungen, welche nach mehrmaliger Häutung wieder lebendige Junge zur Welt bringen. Die so entstandenen Thiere heißen Ammen (Fig. 294) und können sich in vielen Generationen weiter fortpflanzen. Die Ammen sind geflügelt und ungeflügelt. Endlich erscheinen im Herbste geflügelte Männchen und Weibchen. Ein Weibchen kann im Sommer eine Nachkommenschaft von 6000 Millionen haben.

Sie werden von insektenfressenden Vögeln, Käfern und Ameisen verzehrt. Durch Tabaksdampf und Tabakslauge, durch eine Abkochung von grünen Wallnußschalen und durch Bestreuen mit Gyps- und Kalkstaub können sie vertrieben werden.

(§. 244.) Vierte Familie. Schildläuse.

Nur die Männchen besitzen große Vorderflügel; die Weibchen sind ungeflügelt; diese bedecken die gelegten Eier mit ihrem Körper, bleiben, indem sie sich mit dem Schnabel auf den Pflanzen festsaugen, unbeweglich sitzen und sterben; nach ihrem Tode kriechen die Jungen hervor.

Scharlachschildlaus. (Coccus.)

Die **Gummilackschildlaus** (*C. Lacca*), 5 Mm. lang, bewohnt den heiligen Feigenbaum Ostindiens; durch ihren Stich fließt aus demselben ein Saft, aus welchem man Schellack gewinnt.

Die **echte Scharlachschildlaus** (*C. cacti*), 1—2 Mm. lang, ist scharlachroth gefärbt; die Männchen haben milchweiße Flügel; die Weibchen sind weiß bestäubt. Sie bewohnt in Mexiko den Nopalcactus (*Opuntia coccinellifera*) und wird jetzt auch in Java und Algier in Nopalpflanzungen und in Europa in Treibhäusern gezogen. Die Weibchen liefern die theure Cochenille, aus welcher rother Carmin, Carminlack und die Scharlach- oder Purpurfarben hergestellt werden; auf 1 Kilogramm Farbe kommen über 100,000 Thierchen. (Siehe Fig. 295.)

Fig. 295.
Echte Scharlachschildlaus, auf dem Nopalcactus. (*Coccus cacti.*) Vergrößert.

(§. 245.) Fünfte Familie. Läuse.

Die stets ungeflügelten Läuse sind Thierschmarotzer, welche sich vom Blute der Säugethiere nähren.

Außer der **Kopflaus** (*Pediculus capitis*), — sie ist schon nach achtzehn Tagen fortpflanzungsfähig, — und der **Filzlaus** (*P. pubis*), — vergleiche §. 61, — sind noch zu erwähnen: Die **Kleiderlaus** (*P. vestimenti*), — mit kahlem Körper und behaarten Beinen, nie auf dem Kopfe, — und die **Läusesuchtslaus** (*P. tabescentium*); sie tritt während der Läusesucht auf; die Haut wird bei dieser Krankheit, an welcher Sulla, Herodes etc. starben, welk und runzelig und später lösen sich die Hautschuppen ab, unter welchen die Läuse hervorkriechen.

(§. 246.) VI. Klasse. Spinnenthiere. (Arachnoídea.)

Die Spinnenthiere sind Gliederthiere mit weißem Blute und mit acht Beinen; ihnen fehlen die Flügel und die eigentlichen Fühler. Ihr Kopf und Bruststück bilden das Kopfbruststück, welches mit dem Hinterleibe entweder durch einen Stiel (Spinnen) oder durch eine breite Ansatzstelle verbunden ist (Skorpione und Milben). — Ihre Bedeckung ist entweder häutig oder pergamentartig.

Die Zahl der einfachen Augen beträgt zwei bis zwölf; dieselben haben, wie aus Fig. 299 ersichtlich, meist für jede Art der eigentlichen Spinnen eine besondere Stellung. Die Freßwerkzeuge sind sehr verschiedenartig gebaut; sie bestehen meist aus zwei Paar Kiefern, den scheeren- oder hakenförmigen Oberkiefern und den kleinen Unterkiefern, an welchen sich zangen-, scheeren- oder fadenförmige Taster befinden. Die Skorpione haben Scheeren- und die Spinnen Klauenkiefern; bei letzteren kann das letzte Glied der Oberkiefern zurückgeschlagen werden. Die Skorpione athmen nur durch Lungen, die Spinnen durch Lungen und Tracheen und die Milben und Afterspinnen nur durch Tracheen.

Die Vermehrung erfolgt meist durch Eier; nur wenige bringen lebendige Junge zur Welt. Ihre Nahrung besteht meist aus Insekten; wenige Spinnenthiere nähren sich vom Blute der Wirbelthiere; einige sind giftig; sie werden durch Vertilgung von Insekten nützlich; einen unmittelbaren Nutzen gewähren sie nicht.

Vergleiche §. 295 und 298.

Uebersicht der wichtigsten Ordnungen der Spinnenthiere.

Hinterleib deutlich; nur Kopf und Bruststück verschmolzen.	Mit Schwanz und geringeltem Hinterleibe . .	I. Ordnung.	Skorpione.
	Ohne Schwanz; Hinterleib ungeringelt . . .	II. Ordnung.	Spinnen.
Hinterleib mit Kopfbruststück verschmolzen.	Hinterleib schwach geringelt.	III. Ordnung.	Afterspinnen.
	Hinterleib ungeringelt .	IV. Ordnung.	Milben.

(§. 247.) I. Ordnung. Skorpione. (Arthrógastra.)

Sie haben Scheerenkiefern und keine Spinnwarzen; ihr Hinterleib ist in seiner ganzen Breite mit dem Kopfbruststücke verwachsen und endet in einen gegliederten Schwanz, an dessen Spitze sich ein mit einer Giftdrüse verbundener hohler Stachel befindet.

Der **europäische Skorpion** (*Scorpio europaeus*), 5 Zm. lang, ist dunkelbraun gefärbt; er bewohnt das südliche Europa. Sein Stich ist nicht gefährlich, doch tödtet er die Insekten, welche mit den Scheeren festgehalten werden. (Siehe Fig. 296.) — Der **afrikanische Skorpion** (*S. afer*), 15 Zm. lang, bewohnt Afrika; sein Stich ist tödtlich.

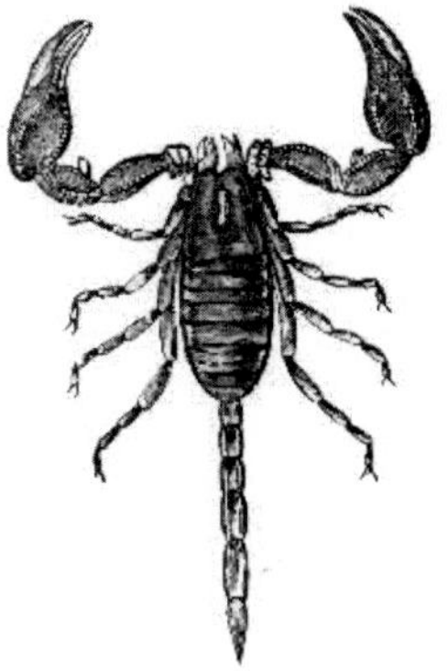

Fig. 296.
Europäischer Skorpion. (*Scorpio europaeus.*) Natürliche Größe.

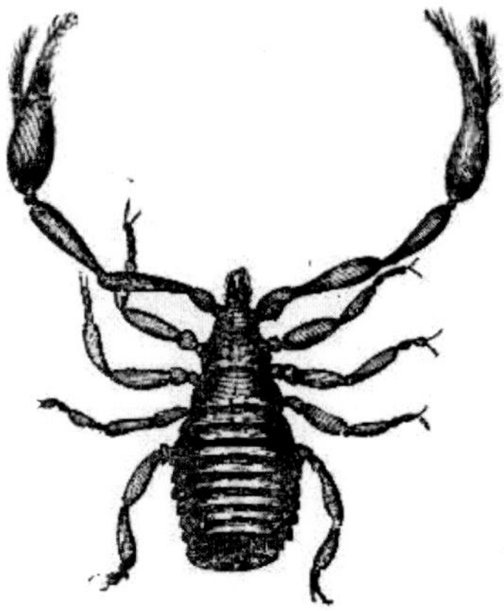

Fig. 297.
Bücherskorpion. (*Chélifer cancroídes.*) Sehr stark vergrößert.

Der **Bücherskorpion** (*Chélifer cancroídes*), nur 3 Mm. lang, ist verkehrt eiförmig gestaltet und rothbraun gefärbt. Er gehört zu den Afterskorpionen, denn er besitzt Spinndrüsen; er kann geschickt vor-, rück- und seitwärts laufen und verzehrt die Milben und Insekten, welche sich in Büchern und Naturaliensammlungen finden.

(§. 248.) **II. Ordnung. Spinnen.** (Araneïna.)

Sie haben Klauenkiefern, welche aus zwei Gliedern bestehen, von denen das letzte Glied messerklingenartig zurückgeschlagen werden kann. Die Giftdrüsen liegen über den Klauenkiefern und aus diesen gehen zwei feine Röhren durch das Endglied; wird dieses in das gefangene Insekt geschlagen, so tritt ein Tröpfchen des wasserklaren Giftes in die Wunde und das Thier stirbt. Auf Menschen hat das Gift keinen Einfluß. — Die Spinnorgane bestehen aus Spinnwarzen und Spinnschläuchen. Die Spinnwarzen, — es sind meist vier größere und zwei kleinere vorhanden, — bilden kleine abgestumpfte Kegel und zeigen auf der Endfläche zahlreiche kleine Röhren und auf diesen noch feinere borstenförmige Röhren oder Spinnborsten. Bei der Kreuzspinne kommen auf eine Spinnwarze 1000 Spinnborsten. — Die vier größeren und zwei kleineren Spinnschläuche liegen im Hinterleibe, sind mit einer klebrigen Flüssigkeit, dem Spinnstoffe, gefüllt und öffnen sich in die Spinnwarzen. Durch einen Druck auf die Schläuche wird der Spinnstoff durch die Spinnborsten getrieben; die einzelnen Fäden werden mit den Fußklauen zu einem Faden vereinigt und erhärten an der Luft sehr schnell.

Der fliegende Sommer oder Altweibersommer, die bekannten weißen Fäden, welche man im Herbste beobachten kann, ist nicht das Werk junger, sondern erwachsener Spinnen. Um diese Fäden herzustellen, klettern die Spinnen auf die höchsten Spitzen der Bäume, kehren den Kopf gegen den Wind, strecken den Hinterleib schräg aufwärts und stoßen aus den Spinnwarzen 6—10 M. lange Fäden. Ist der Faden lang genug, so daß derselbe die Spinne trägt, so läßt sie sich los und fliegt mit dem Faden durch die Luft davon. Vielleicht unternehmen die Spinnen diese Luftfahrt, um den überflüssigen Spinnstoff loszuwerden, vielleicht auch um an andere Wohnorte zu gelangen, welche sich besser zum Winterquartiere eignen.

Sie sind durchaus ungesellige Thiere, welche die Einsamkeit lieben und auch die Gesellschaft ihrer Gattungsverwandten meiden. Bringt man eine Spinne in ein fremdes Nest, so stürzt die Eigenthümerin auf den Fremdling los und es entspinnt sich ein wüthender Kampf, welcher erst mit dem Tode der schwächeren endet. — Rührende Liebe erzeigen sie ihren Jungen; die Eier werden in Cocons gehüllt und sorgfältig gehütet. Die Spinnen, welche keine Netze spinnen, sondern frei auf der Erde umherlaufen und ihre Beute erhaschen, kleben mit einem Faden den erbsengroßen Cocon an ihren Leib und tragen ihn mit sich herum; sie vertheidigen ihn mit der größten Anstrengung, zeigen Traurigkeit, wenn er ihnen genommen wird und Freude, wenn sie ihn wiedererhalten. Auch später, wenn die Jungen ausgeschlüpft sind, hängen sich diese haufenweis an den Körper der Mutter, welche die Kinder mit sich herumträgt und füttert.

Auch die Schärfe ihrer Sinne ist bewunderungswerth. Sie haben ein feines Gefühl für die leisesten Veränderungen in der Atmosphäre. Machen die Spinnen die Hauptfäden, welche das Netz tragen, sehr lang und an offenen Stellen, so tritt schönes Wetter ein und das Gegentheil, wenn sie die Netze an geschützten Stellen bauen und kurze Hauptfäden spinnen. Zerreißen sie das Netz und verkriechen sie sich, so folgt dauernd schlechtes Wetter. — Empfänglichkeit für Musik ist vielfach beobachtet worden.

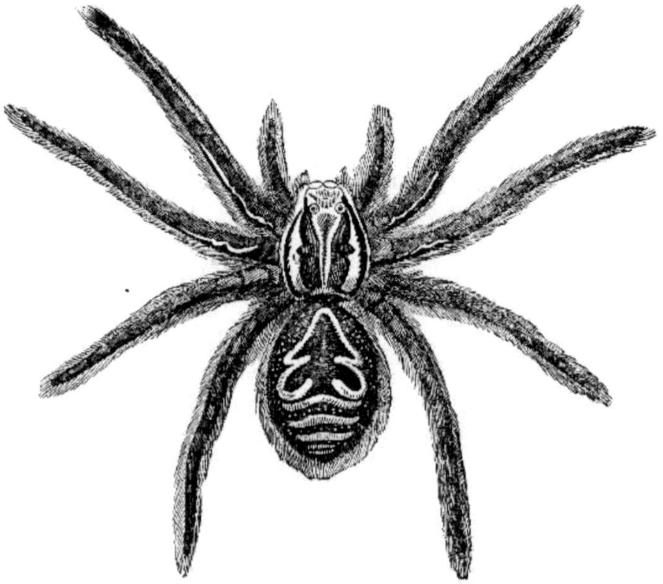

Fig. 298.
Tarantel. (*Lycósa tarántula.*) Natürliche Größe.

Vogel- und Maurerspinne. (Teraphósa.)

1. Die **Vogelspinne** (*T. avicularia*) wird 4 Zm. lang und hat 6 Zm. lange Beine; sie ist schwarzbraun und sehr stark behaart; sie nährt sich von Insekten und soll selbst junge Vögel angreifen. Ihre Heimat ist Südamerika.

2. Die **Maurer- oder Minirspinne** (*T. caementária*), gegen 2 Zm. lang, ist bräunlich und an den Seiten gelblich gefärbt; sie gräbt röhrenförmige Erdhöhlen, welche sie austapeziert und mit einem Deckel verschließt; letzteren verbindet sie mit der Höhle durch ein Charnier.

Die **Tarantel** (*Lycósa tarántula*), 4 Zm. lang, bewohnt Südeuropa; sie ist aschgrau gefärbt und hat ein weiß gesäumtes Bruststück und einen Hinterleib, welcher eine weiße Zeichnung trägt. Sie macht kein Gespinnst, sondern erhascht ihre Beute im Laufen. Ihr Biß ist unschädlich und erzeugt keine Tanzwuth; jedoch wird der Taranteltanz um Neapel von Lazaronis aufgeführt, um Geld und Wein zu erhalten; diese lassen sich von der Tarantel absichtlich beißen und beginnen dann einen Tanz, der längere Zeit bis zur Erschöpfung dauert. (Siehe Fig. 298.)

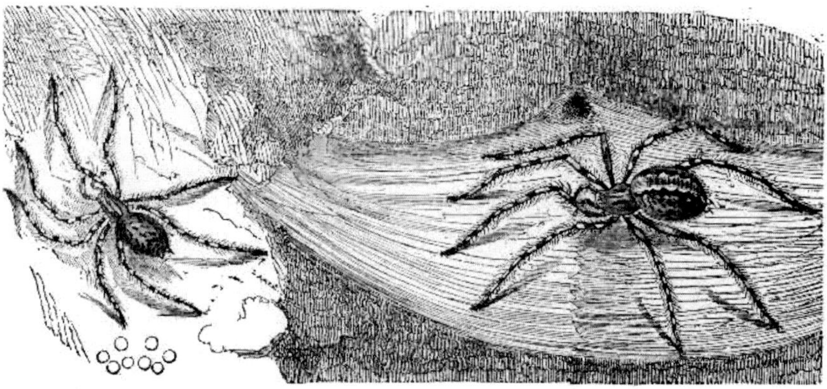

Fig. 299. Hausspinne. (*Tegenária domestica.*)
Links: Männchen und darunter die Augenstellung; letztere vergrößert und in der Vorderansicht. Rechts: Weibchen auf dem Gewebe.

Die **Haus-, Fenster- oder Winkelspinne** (*Tegenária domestica*), 1 Zm. lang, ist gelbbraun gefärbt und erscheint durch röthliche und schwarze Zeichnungen gescheckt. Ihr wattenartiges Gewebe befindet sich zwischen Eckwänden; will sie dasselbe beginnen, so drückt sie die Spinnwarzen, — die oberen überragen den Hinterleib wie zwei Schwänzchen, (siehe Fig. 299) — gegen die Wand, so daß der Spinnstoff festklebt, geht im Winkel nach der andern Wand und befestigt hier den straff gezogenen Faden. Für sich selbst legt sie noch ein offenes Rohr an, in welchem sie auf die Beute lauert. — Sie gilt für die beste Wetterprophetin.

Die **Kreuzspinne** (*Epeira diadéma*) baut stets senkrechte Netze. Das Weibchen wird größer als das etwa 1 Zm. lange Männchen. — Vergleiche §. 62.

(§. 249.) **III. Ordnung. Afterspinnen.** (Phalangida.)

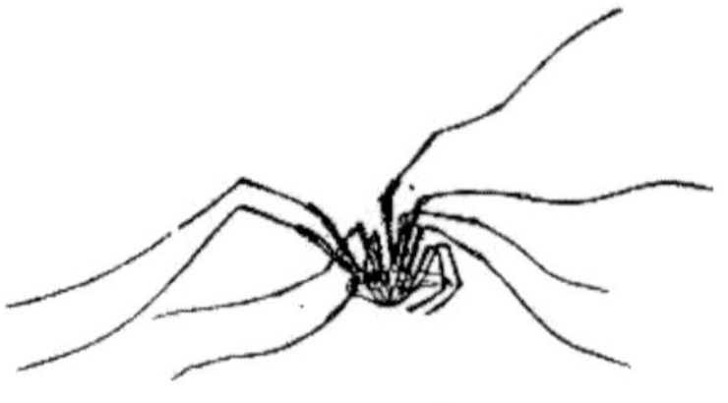

Fig. 300. Gemeiner Weberknecht. (*Phalángium opilio.*) Natürliche Größe.

In ihrem Körperbau haben sie Aehnlichkeit mit den Spinnen, unterscheiden sich jedoch durch den schwach geringelten Hinterleib und die sehr langen und dünnen Beine, welche leicht ausreißen und noch lange nachher zittern. — Sehr häufig findet sich an Mauern der **gemeine Weberknecht** (*Phalángium opilio*), dessen erbsengroßer Körper bräunlich gefärbt ist; seine Beine sind 4—5 Zm. lang. Er macht in der Nacht auf Insekten Jagd (Fliegen und Wanzen).

(§. 250.) **IV. Ordnung. Milben.** (Acarína.)

Ihr ungegliederter Hinterleib ist ganz mit dem Kopfbruststück verwachsen; sie sind meist Schmarotzer.

Die **Käsemilbe** (*Acarus siro*), kaum 0,5 Mm. lang, ist weißlichgelb gefärbt und mit langen Borsten bekleidet; sie findet sich an altem Käse.

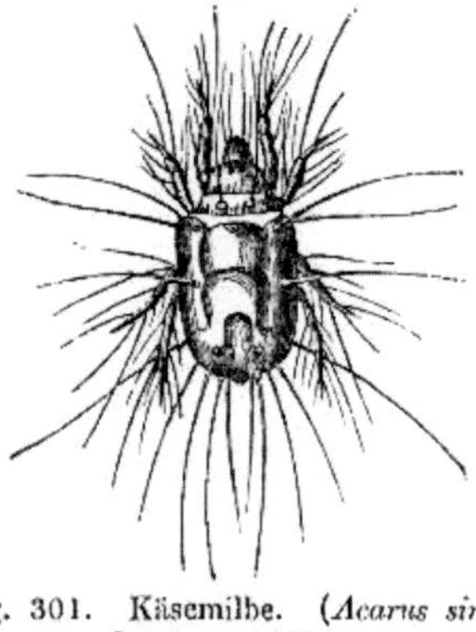

Fig. 301. Käsemilbe. (*Acarus siro.*) Stark vergrößert.

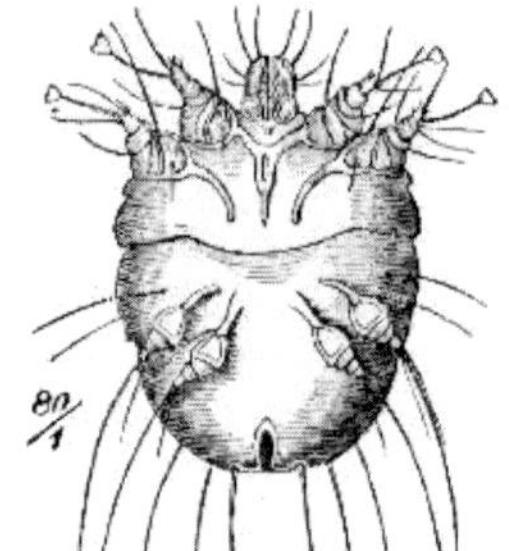

Fig. 302. Krätzmilbe des Menschen. (*Sarcóptes hominis.*) Weibchen, von der Bauchseite gesehen. Achtzigfache Vergrößerung.

Die **Krätzmilbe des Menschen** (*Sarcóptes hominis*), kaum 0,3 Mm. lang, ist platt, rundlich, weißlich gefärbt und rothbraun gestreift. Die Weibchen graben in der Oberhaut (besonders zwischen den Fingern und Zehen) haarfeine Gänge, welche mit einer Pustel endigen; hier legen sie die Eier ab. Die Krätzmilben verursachen ein starkes Jucken; sie werden leicht von dem einen zu dem andern Menschen durch Berührung der Hände übertragen, und durch Unsauberkeit wird ihre Vermehrung befördert. Creosot, Benzin und Anisöl gelten als Vernichtungsmittel. — Auch Pferde, Hunde und Katzen werden von Krätzmilben (*S. equi, S. canis, S. cati*) heimgesucht; sie erzeugen die Räude.

(§. 251.) VII. Klasse. Krustenthiere. (Crustácea.)

Die Krustenthiere oder Krebse sind ungeflügelte Gliederthiere mit weißem Blute, mit zwei bis vier Fühlern, gestielten oder ungestielten Augen und mit zehn oder mehr, sehr verschieden gestalteten Beinen. Ihre Körperbedeckung ist kalkig, horn- oder lederartig.

Kopf und Bruststück sind meist zum Kopfbruststück vereinigt. Die Beine stehen an der Brust und dem Hinterleibe. Sie athmen durch büschelförmige Kiemen, welche meist am Grunde der Beine liegen. Sie machen eine Verwandlung durch und bewohnen mit Ausnahme der Tausendfüßer und Asseln das Wasser; letztere leben auf dem Lande und athmen durch Tracheen. Ihre Nahrung besteht in thierischen Stoffen.

Diese Klasse umfaßt Thiere von sehr verschiedenartiger Bildung; nur die wichtigsten Ordnungen werden hier hervorgehoben.

Uebersicht der wichtigsten Ordnungen der Krustenthiere.

Mit deutlichem Kopfe.	Augen gestielt; zehn Beine .		I. Ordnung.	Schalenkrebse.
	Augen nicht gestielt.	Mit vierzehn Beinen	II. Ordnung.	Asseln.
		Mit mehr als vierzehn Beinen . .	III. Ordnung.	Tausendfüßer.
Ohne eigentlichen Kopf.			IV. Ordnung.	Rankenfüßer.

(§. 252.) I. Ordnung. Schalenkrebse. (Thoracóstraca.)

Ihr Kopfbruststück und Hinterleib, — letzterer wird beim Flußkrebs fälschlicherweise Schwanz genannt, — werden meist von einer kalkigen Schale eingeschlossen; sie besitzen zwei Paar Fühler, zwei gestielte und bewegliche Facettenaugen und fünf größere Fußpaare als eigentliche Bewegungsorgane, von welchen meist nur das erste Paar Scheeren trägt. Der Hinterleib des Flußkrebses trägt unten Afterfüße; er ist für ihn ein wichtiges Bewegungsorgan. Ihre Freßwerkzeuge bestehen aus einer Oberlippe, einem Paar Oberkiefern, zwei Paar Unterkiefern und drei Paar Kieferfüßen, welche sich zu Kauwerkzeugen umgebildet haben.

Am Grunde der Beine sitzen bei den zehnfüßigen Krebsen die büschelförmigen Kiemen; sie liegen in einer Kiemenhöhle und werden von den Rändern des Brustpanzers bedeckt. Am Grunde der langen Fühler (Fig. 303) liegt das Gehörorgan. — Die Eier werden von ihnen unter dem Hinterleibe umher getragen. — Von Zeit zu Zeit werfen die Schalenkrebse ihre Schale ab und halten sich, bis die neue Haut hart geworden ist, in Löchern verborgen (Butterkrebse.) Das Material für die neue Schale entnehmen sie aus den sogenannten Krebsaugen, aus zwei halbkugeligen Kalksteinen, welche sich im Vormagen befinden; diese sind stets nach der Häutung, bei welcher abgebrochene Fühler und Beine ersetzt werden, verschwunden.

Die kräftigen Scheeren des vorderen Beinpaares dienen ihnen zum Festhalten ihrer Nahrung, welche sie dem Thierreiche entnehmen.

Der **Flußkrebs** (*Astacus fluviátilis*) und der Hummer gehören zu den Langschwänzen, deren Hinterleib gestreckt ist und deren Fleisch gern gegessen wird. Die Männchen der Flußkrebse haben größere Scheeren und die Weibchen breitere Schwänze. Ihre bräunlichgrüne Farbe geht beim Kochen in ein Roth über. (Die Krebse, welche vor dem Kochen schon todt waren, zeigen dann einen gestreckten Schwanz.) — Vergleiche §. 63.

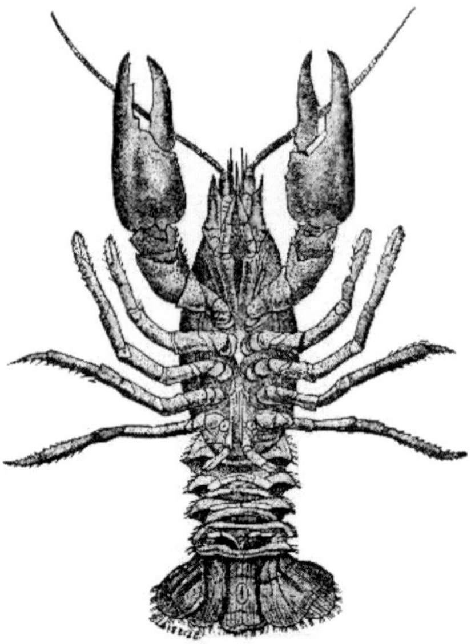

Fig. 303. Flußkrebs. (*Astacus fluviátilis.*) Männchen, von unten gesehen. 1/2 der natürlichen Größe.

Der **Hummer** (*Hómarus vulgaris*), bis 50 Zm. lang, ist blauschwarz und nach dem Kochen roth gefärbt. Die vorderen Scheeren sind sehr groß. Er bewohnt die felsigen Gestade Norwegens und wird hier in dunklen Nächten in sogenannten Hummerkörben gefangen. Er bildet für Norwegen einen wichtigen Handelsartikel.

Die **Landkrabbe** (*Gecárcinus ruricola*) gehört zu den Kurzschwänzen, deren Kopfbruststück breit und deren kurzer Hinterleib gegen die Brust umgeschlagen ist. Sie ist 5—6 Zm. breit, blutroth gefärbt und bewohnt schattige Wälder Westindiens. Vom Februar bis April wandert sie in großen Schaaren nach dem Meere, um die Eier abzulegen und tritt im Mai und Juni die Rückreise an. Zu dieser Zeit ist sie nicht genießbar. Nachdem sie im August die Häutung überstanden hat, wird sie vom September bis Januar aufgesucht und als feine Speise betrachtet.

(§. 253.) II. Ordnung. Asseln oder Gleichfüßer. (Isópoda.)

Sie haben einen breiten, etwas gewölbten Körper mit sieben Paar gleich gebildeten Beinen. Sie leben im Wasser und auf dem Lande; die Weibchen tragen die Eier meist unter der Brust. — Die **gemeine Mauer- oder Kellerassel** (*Oníscus murarius*) wird etwa 1 Zm. lang, ist grau gefärbt und zeigt oben zwei Reihen gelblicher Flecken und einen gelblichweißen Außenrand. Sie nährt sich von faulenden Pflanzenstoffen und findet sich in Kellern unter Steinen und Brettern.

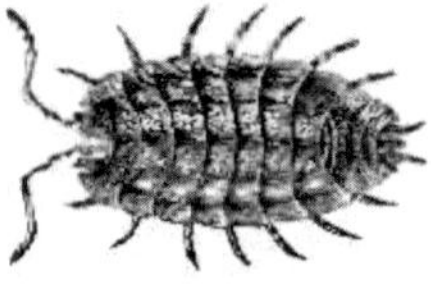

Fig. 304. Mauerassel. (*Oníscus murarius.*) Doppelte Größe.

(§. 254.) III. Ordnung. Tausendfüßer. (Myriópoda.)

Sie besitzen einen lang gestreckten Körper, welcher deutlich geringelt ist; jeder Leibesring trägt ein bis zwei Beinpaare. Der Kopf, deutlich vom

Rumpfe getrennt, hat zwei Fühler. Brust und Hinterleib sind nicht geschieden. — In neuerer Zeit wurden die Tausendfüßer von den Krebsen getrennt und als eigene Klasse betrachtet, welche unmittelbar nach den Insekten folgt.

Fig. 305. Gemeiner Tausendfuß. (*Julus terrestris.*) Natürliche Größe.

Der **gemeine Tausendfuß** (*Julus terrestris*), 4—6 Zm. lang, ist schwarzbraun gefärbt, hat neunzig Beinpaare und findet sich unter Steinen und Moos.

(§. 255.) IV. Ordnung. Rankenfüßer. (Cirripédia.)

Sie sind kopf-, augen- und fühlerlose, festsitzende Meerthiere, deren Hautmantel eine kalkige Schale absondert; letztere hüllt das Thier ein, weshalb man die Rankenfüßer früher zu den Muscheln zählte. Heute weiß man, daß sie in der Jugend frei umher schwimmen, ein Auge und zwei Fühler besitzen und eine rückschreitende Verwandlung durchmachen, wobei sie Auge und Fühler verlieren, eine Schale erhalten und sich an Klippen, Fische, Schiffe etc. anheften.

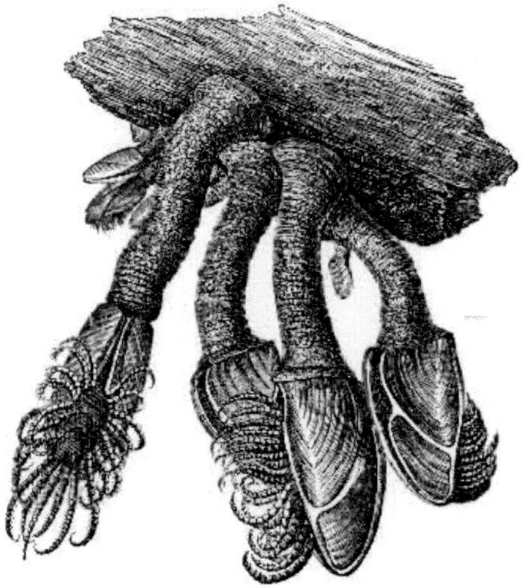

Fig. 306. Gemeine Entenmuschel. (*Lepas anatifera.*) Natürliche Größe.

Die **gemeine Entenmuschel** (*Lepas anatifera*) hat eine zusammengedrückte, platte Schale, welche aus fünf ungleich großen Stücken besteht; dieselbe kann willkürlich geöffnet werden. Das Thier steckt verkehrt im Mantel, mit dem Munde nach unten. Mit den sechs Fußpaaren, welche borstige Ranken zeigen, — daher der Name Rankenfüßer, — erregt sie im Wasser einen Strudel und führt hierdurch kleine Thiere als Nahrung in den Mund. Sie bewohnt die europäischen Meere.

(§. 256.) VIII. Klasse. Würmer. (Vermes.)

Die Würmer sind Gliederthiere mit lang gestrecktem Körper, welcher aus zahlreichen, mehr oder weniger deutlich geschiedenen Ringen besteht; sie besitzen entweder keine oder ungegliederte Bewegungsorgane.

Athmungsorgane und zuweilen rothes Blut finden sich bei den im Wasser lebenden Würmern, welchen jedoch stets das Herz fehlt. Die Eingeweidewürmer haben weißes Blut; die Athmungsorgane finden durch die Körperhaut Ersatz. — Sie vermehren sich durch Eier, Selbsttheilung oder sie bringen lebendige Junge zur Welt. Ihre Nahrung entnehmen sie dem Thierreiche. — Nutzen gewährt uns der Blutegel; schädlich sind Bandwürmer und Trichinen.

Uebersicht der wichtigsten Ordnungen der Würmer.

Körper meist deutlich geringelt; nie in Thieren lebend	I. Ordnung.	Ringel- oder Gliederwürmer.
Körper platt oder durch Querrunzeln geringelt; stets in Thieren lebend	II. Ordnung.	Eingeweidewürmer.

(§. 257.) I. Ordnung. Glieder- oder Ringelwürmer. (Annuláta.)

Sie haben entweder an der unteren Seite des Körpers Warzen, welche mit Borsten besetzt sind oder Saugnäpfe am Ende des Körpers, welche als Bewegungsorgane dienen. Ihr Körper ist deutlich geringelt oder gegliedert. Sie leben im Wasser oder auf feuchter Erde, nie in andern Thieren.

Regenwurm. (Lumbrícus.)

Der **gemeine Regenwurm** (*L. agricola*), 20—30 Zm. lang, ist in Deutschland überall häufig; sein lang gestreckter Körper besteht aus 80 bis 180 Ringeln, ist ohne Augen, an beiden Enden zugespitzt, am Hinterende etwas abgeflacht, federkieldick und fleischfarben gefärbt. Die Bewegungsorgane sind Warzen, auf welchen steife Borsten stehen. — Die Regenwürmer gehören

Fig. 307. Regenwurm. (*Lumbrícus agricola.*) ½ der natürlichen Größe.

deshalb zu den Borstenwürmern; sie haben rothes Blut und nähren sich von jungen Pflanzenwurzeln und Gartenerde, aus welcher sie die in Zersetzung begriffenen Pflanzenstoffe gebrauchen. Maulwürfe, Spitzmäuse, Igel, viele Vögel und Reptilien sind die Feinde der Regenwürmer. Im Winter dringen sie 1—2 M. tief in die Erde und halten einen Winterschlaf.

Blut- und Pferdeegel. (Hirúdo et Haemópis.)

Den Egeln fehlen die Borsten; zu ihrer Fortbewegung gebrauchen sie Saugnäpfe, welche sich an den Körperenden befinden; sie gehören zu den Glattwürmern.

1. Der **ungarische Blutegel** (*H. officinalis*), 10—16 Zm. lang, ist schwärzlichgrün und hat einen glatten Körper. Der gelbliche Bauch ist ungefleckt, und der Rücken wird durch sechs rostrothe, ungefleckte Längsbinden geziert.

Der **deutsche Blutegel** (*H. medicinalis*), ebenso lang, ist olivengrün und körnigrauh, hat einen schwarz gefleckten Bauch und sechs rostrothe, schwarz gefleckte Längsbinden auf dem Rücken. — Vergleiche §. 64.

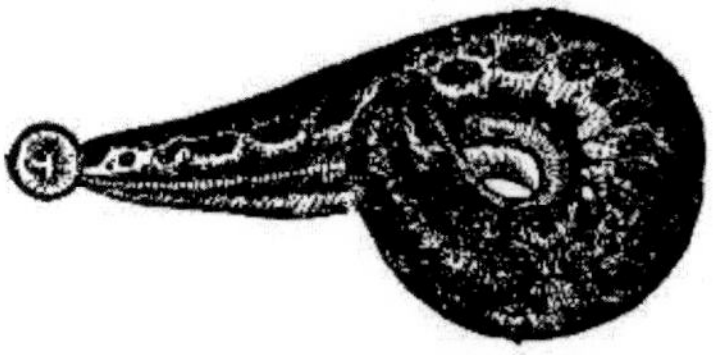

Fig. 308. Pferdeegel. (*Haemópis vorax.*) Natürliche Größe.

Der **Pferdeegel** (*H. vorax*), 10 bis 18 Zm. lang, zeigt eine olivengrüne Farbe, sechs Reihen kleiner schwarzer Flecken und rostgelbe oder rostbraune Seitenbinden. Von den Blutegeln unterscheidet er sich durch zwei Reihen höckerartiger Zähne. Er bewohnt die Teiche Deutschlands, Südeuropas und Nordafrikas; mit dem Trinkwasser gelangt er zuweilen in die Verdauungsorgane der Menschen und Thiere und verursacht die fürchterlichsten Qualen.

(§. 258.) II. Ordnung. Eingeweide- oder Binnenwürmer. (Entozóa.)

Ihr glatter oder durch Querrunzeln schwach geringelter, band- oder walzenförmiger Körper ist weich, elastisch und mit einer schleimigen Haut bedeckt. Sie haben einen Mund ohne Kauwerkzeuge, so daß sie nur flüssige Nahrung aufnehmen können, und bewohnen alle Theile des thierischen Körpers, ja sogar Auge und Herz. — Den Bandwürmern fehlt sogar der Mund, so daß die Nahrung durch die Körperhaut eindringt.

Bandwurm. (Taenia.)

Die Bandwürmer haben einen bandförmigen, gegliederten oder querrunzeligen Körper, welcher sich nach dem Kopfende zuspitzt. Am Kopfe fehlt der Mund; an seine Stelle treten vier Saugnäpfe (Fig. 309, *b*) und der Hakenkranz (*a*); diese dienen als Haftorgan. Der Hakenkranz ist aus kleinen Häkchen zusammengesetzt, welche in Taschen stecken; die Häkchen fallen im Alter aus. Der Körper wird nach hinten breiter und bildet vollständige Glieder (Fig. 310), welche baumartige Zeichnungen zeigen; dies sind die Eierbehälter; in ihnen finden sich viele Tausende von Eiern. Sobald die letzten Glieder reif sind, lösen sie sich ab und gelangen aus dem Darmkanal ins Freie, wo die Eier auf Düngerhaufen, an Pflanzen oder im Wasser ihre Lebensfähigkeit längere Zeit behalten. Werden diese Eier nun in einen bestimmten thierischen Körper gebracht, so bilden sie sich zu Larven um, welche sich in Magen und Darmgefäße bohren und von dem Blute dahin getragen werden, wo sie sich zum Blasenwurm (Fig. 311) entwickeln; dies erfolgt in den Muskeln, Lungen, im Gehirn, in der Leber etc.

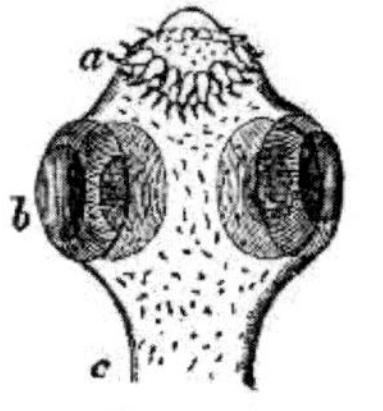

Fig. 309. Kopf des langgliedrigen Bandwurms. (*Taenium solium.*) *a.* Hakenkranz; *b.* Saugnäpfe. Stark vergrößert.

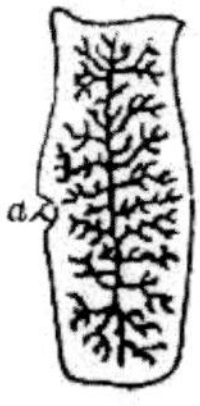

Fig. 310. Ein reifes Glied des langgliedrigen Bandwurms. Doppelte Größe.

Die **Blasenwürmer oder Finnen** (*Cyticércus*) sind nicht als selbstständige Thiere zu betrachten, sondern sie sind unentwickelte Bandwürmer. Sie bestehen aus der Blase (Fig. 311, *e*), dem Halse der Blase (*d*) und dem Kopfe, an welchem sich ein Hakenkranz (*a*) und Saugnäpfe (*b*) befinden. Die Theile *a* — *d* (Fig. 311) lassen sich in die Blase *e* stülpen. Aus den Blasenwürmern können sich nur dann Bandwürmer entwickeln, wenn sie in einen bestimmten thierischen Körper gelangen.

Aus den schrotkorngroßen Finnen des Schweines (Fig. 312) bildet sich im menschlichen Körper der langgliedrige Bandwurm, aus den des Hasen und Kaninchens der Hundebandwurm (*T. serrata*) und aus der Quese der Schafe in den Hunden der Drehwurm (*Taenia coenurus*). Fütterungsversuche haben gelehrt, daß sich aus den Gliedern des zuletzt genannten Bandwurmes in Schafen die Schafquesen bilden.

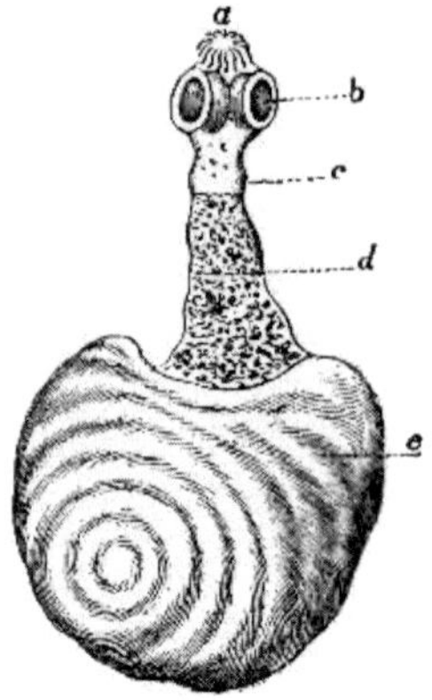

Fig. 311.
Dünnhalsiger Blasenwurm.
(*Cysticércus tenuicollis.*)
a. Hakenkranz; *b.* Saugnäpfe; *c.* Stelle, wo sich das Vorderende (*Scolex*) ablöst; *d.* Hals der Blase; *e.* Blase. — Stark vergrößert.

Der **langgliedrige Bandwurm** (*T. solium*), bis 8 M. lang, besteht aus vielen Gliedern und wächst in der Weise, daß sich an die vorhandenen Glieder vom Kopfe aus neue anreihen. Die hinteren reifen Glieder (Fig. 310), welche länger als breit sind, lösen sich ab. Er lebt im Darm der Deutschen, Engländer, Holländer und Orientalen und seine Finne (Fig. 312 und 313) im Schweine. Versuche haben gezeigt, daß sich in den Schweinen, wenn sie mit reifen Bandwurmgliedern gefüttert wurden, Finnen erzeugten. — Durch Kochen werden die Finnen im Schweinefleisch getödtet, und das Fleisch wird genießbar.

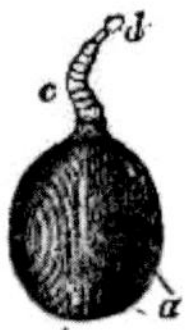

Fig. 312.
Finne des Schweines.
(*Cysticércus cellulosae.*)
a. Hinterleib oder Blase; *c.* Vorderende (*Scolex*); *d.* Kopf. — Vergrößert.

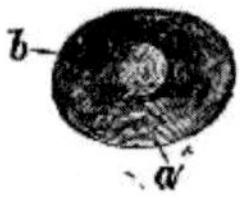

Fig. 313. Eingestülpte Finne des Schweines.
a. Hinterleib oder Blase; *b.* Vorderleib. Vergrößert.

Der **Hundebandwurm** (*T. serrata*), über 1 M. lang, (Fig. 314), hat fast viereckige Glieder. Er lebt im Darme der Hunde und seine Finne in der Leber der Hasen und Kaninchen.

Der **Drehwurm** (*T. coenurus*), gegen 35 Zm. lang, lebt in Wölfen und Hunden und seine fast hühnereiergroße Finne im Gehirn und Rückenmark der Schafe; sie erzeugt die Drehkrankheit.

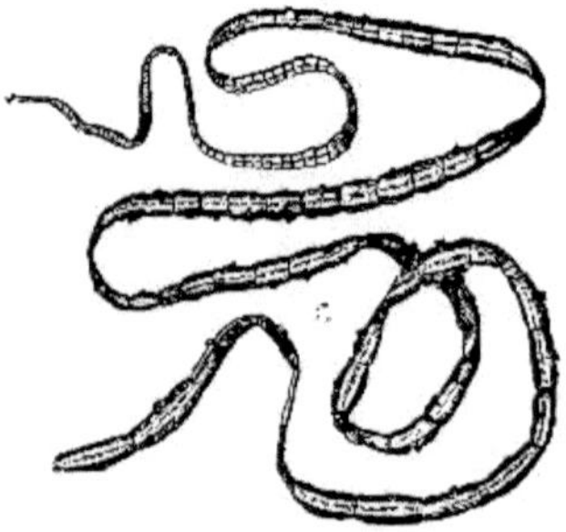

Fig. 314. Hundebandwurm.
(*Taenia serrata.*)

Der **Hülsenwurm** (*T. echinococcus*), 4 Mm. lang, lebt im Hunde und seine

Finnen in Wiederkäuern, Schweinen, in Zebra und in Menschen; letzteren kann die Finne gefährlich werden.

Der **breite Grubenkopf oder breitgliedrige Bandwurm** (*Bothriocéphalus latus*), bis 8 M. lang, hat Glieder, welche drei mal so breit als lang sind; sein abgeplatteter Kopf zeigt nur zwei spaltenförmige Sauggruben. Er lebt selten in Deutschen, häufig aber in Polen, Russen, Schweizern und Franzosen. Die Larve kommt durch Trinkwasser oder durch Fische in den menschlichen Körper.

Spulwurm. (Ascaris.)

Der **Spulwurm** (*A. lumbricoídes*), 15—40 Zm. lang, gehört wie die Trichine zu den Rund- oder Fadenwürmern; ihnen fehlen die Sauggruben und ihr Körper ist walzig und meist federkieldick. — Der Spulwurm hat einen dreieckigen Mund; er lebt in den Därmen aller Menschenrassen, vorzüglich in Kindern und im Orang-Utang. Die Zahl seiner Eier wird auf 64 Millionen geschätzt. Er läßt sich durch Rainfarn (*Tanacetum vulgare*) und Beifuß (*Artemisia*) leicht entfernen.

Haarwurm. (Trichína.)

Die **Trichine** (*T. spiralis*) gleicht einem spiralförmig aufgewundenen Faden; sie wurde bereits 1835 entdeckt; erst in neuester Zeit erregte sie Aufmerksamkeit, nachdem durch ihr massenhaftes Auftreten, welches die Trichinenkrankheit zur Folge hat, Siechthum und Tod herbeigeführt wurde.

Die Männchen werden 1,5 und die Weibchen 3 Mm. lang; letztere bringen zahlreiche (bis 200) Junge zur Welt; diese durchbohren den Darm und wandern, durch das Blut weiter bewegt, in das Muskelfleisch und heißen Muskeltrichinen (Fig. 315). Hier erfolgt ihre Einkapselung, indem sie

Fig. 315. Trichine. (*Trichina spiralis.*) Stark vergrößert.

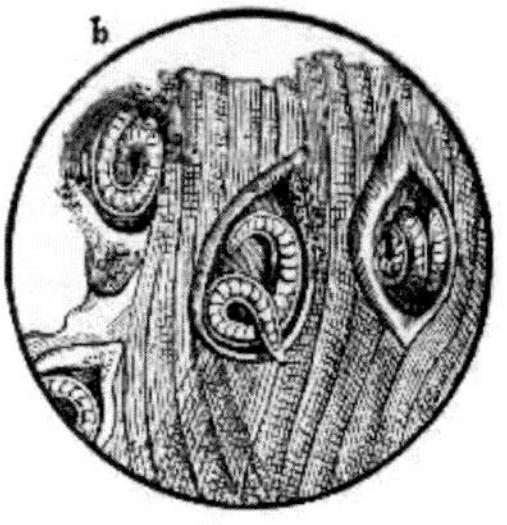

Fig. 316. Eingekapselte Trichinen. Stark vergrößert.

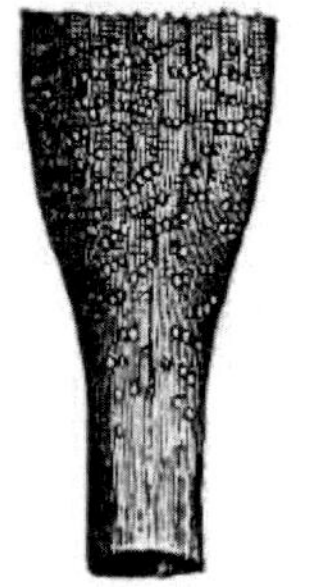

Fig. 317. Stück eines Muskels, stark mit Trichinen besetzt.

sich spiralig aufrollen und durch Ausschwitzung eine kalkige Hülle oder Kapsel bilden. In diesem Zustande können sie jahrelang leben (Fig. 316). Kommt die eingekapselte Trichine in den Magen eines neuen Wirthes, so wird durch die Verdauungsflüssigkeit die Kapsel aufgelöst und die Trichinen wandern in den Darm (Darmtrichinen), die Vermehrung erfolgt, und die

Wanderung in den Körper beginnt von neuem. — In den menschlichen Körper gelangen die Trichinen durch den Genuß von rohem oder nicht genügend gekochtem Schweinefleische. Während ihrer Wanderung verursachen sie Mangel an Eßlust, Kopfschmerzen und Durchfall, später Anschwellung der Muskeln, Unbeweglichkeit der Glieder, Mattigkeit und endlich den Tod. Da Maulwürfe, Mäuse und Ratten sehr zahlreich die Trichinen beherbergen und diese von den Schweinen gefressen werden, so sind die ersteren als die Träger der Trichinen zu betrachten. — In Hadersleben, wo der Genuß des rohen Schweinefleisches üblich ist, starben 1865 von 500 an der Trichinenkrankheit darniederliegenden Menschen gegen 100.

(§. 259.) Dritter Kreis. Bauch- oder Schleimthiere. (Gasterozóa.)

Die Bauchthiere haben weder einen geringelten Körper, noch paarweise geordnete Gliedmaßen; ebenso fehlt ihnen auch das äußere und innere Skelet; ihr Körper hat eine schleimige Haut, welche meist kalkige Massen absondert; diese umgeben den Körper als Schale (Schnecken) oder lagern sich im Innern ab (Orgelkorallen).

(§. 260.) **IX. Klasse. Weichthiere.** (Mollúsca.)

Den Weichthieren fehlen die Gliedmaßen; sie haben eine weiche Haut oder Mantel, welche meist das Kalkgehäuse abscheidet, und einen am Ende des Körpers liegenden Mund.

Als Bewegungsorgan dient ihnen eine muskelige Sohle an der Bauchseite oder Armfortsätze am Kopfe. Von den Sinnesorganen sind Gesicht und Gehör vorzüglich entwickelt; dasselbe gilt von den Verdauungsorganen. Blutgefäße und ein Herz sind vorhanden; das Blut ist farblos oder wenig getrübt. Sie vermehren sich durch Eier oder bringen lebendige Junge zur Welt und entnehmen ihre Nahrung dem Thier- oder Pflanzenreich. Die Mehrzahl gehört zu den Wasserbewohnern. Viele dienen als Nahrungsmittel, einige liefern Perlen, Farbstoffe oder ihre Schalen werden zu Kunstsachen verarbeitet.

Uebersicht der wichtigsten Ordnungen der Weichthiere.

Mit mehr oder weniger deutlich abgesetztem Kopfe.	Mit Armen im Umkreise der Mundöffnung	I. Ordnung.	Kopffüßer.
	Mit breiter Sohle an der Bauchseite . .	II. Ordnung.	Bauchfüßer oder Schnecken.
Ohne Kopf mit zweischaligem Gehäuse		III. Ordnung.	Muscheln.

15*

(§. 261.) I. Ordnung. Kopffüßer. (Cephalópoda.)

Sie haben einen deutlich gesonderten Kopf mit zwei großen Augen, mit Gehörorganen und acht bis zehn Armen, welche zur Fortbewegung und zum Ergreifen der Nahrung dienen; die innere Seite der Arme zeigt Saugnäpfe, mittelst derer sie das Ergriffene sehr festhalten. Sie sind Meerbewohner.

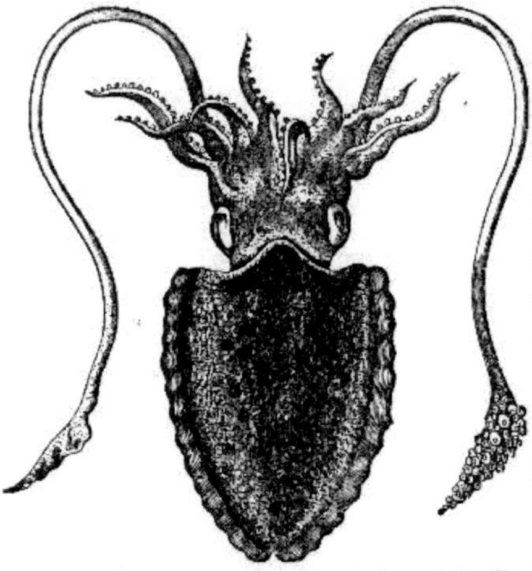

Fig. 318. Gemeiner Tintenfisch. (*Sépia officinalis.*) 50 Zm. lang.

Der **gemeine Tintenfisch** (*Sépia officinalis*), 50 Zm. lang, hat die Gestalt einer Flasche mit kurzem Halse und zu beiden Seiten schmale Flossenhäute; er ist weiß gefärbt und schwarz und roth punktirt. Von seinen zehn Fangarmen sind zwei länger als die übrigen; er trägt unter dem Mantel auf der Rückenseite ein flaches Kalkstück (Sepienknochen oder Schulp), welches zum Poliren und zu Zahnpulver Verwendung findet. Der Inhalt einer Drüse zwischen den Eingeweiden, eine bräunliche Flüssigkeit, ist die bekannte Sepia der Maler; sein Fleisch wird gegessen. Er bewohnt die europäischen Meere.

Das **Schiffsboot** (*Nautilus Pompilius*), 30 Zm. lang, hat eine weiße, rothbraun gestreifte, spiralförmige Schale, welche nach Wegnahme der Haut wie Perlmutter glänzt; dieselbe zerfällt in zahlreiche Kammern, welche durch eine Röhre verbunden sind. Der eigentliche Körper mit acht Fangarmen liegt in der vordersten offenen Kammer, während die übrigen mit Luft gefüllt sind. Er findet sich häufig an den Molukken.

(§. 262.) II. Ordnung. Bauchfüßer oder Schnecken. (Gasterópoda.)

Sie haben einen meist deutlich abgesonderten Kopf mit zwei oder vier Fühlern und mit zwei Augen, welche entweder in der Nähe der Fühler oder auf denselben stehen. Der Körper ist lang gestreckt, hat unten eine fleischige Sohle oder den Fuß und oben einen Mantel, welcher eine kalkige Schale absondert; diese bedeckt meistens das Thier, besteht aus kohlensaurem Kalke und nur aus einem spiralförmig gewundenen Stücke, welches sich durch Ansätze am Rande vergrößert. Die meisten Schnecken verschließen im Wasser, nachdem sie sich in das Gehäuse zurückgezogen haben, dasselbe durch einen kalkigen Deckel; die Landschnecken thun dies, bevor sie in den Winterschlaf verfallen. — Sie athmen entweder durch Lungensäcke, welche am Rücken liegen, oder durch kammförmige, im Nacken befindliche Kiemen; sie vermehren sich durch Eier oder bringen lebendige Junge zur Welt.

Die **Weinbergsschnecke** (*Helix pomátia*) gehört, wie auch die Wegschnecken, zu den Lungenschnecken, welche das Land bewohnen. Sie hat ein gewundenes Gehäuse, in welches sich das Thier zurückziehen kann; dasselbe ist gelbbräunlich gefärbt, mit verloschenen rothbraunen Querbinden versehen und zeigt einen umgeschlagenen Rand. Im Winter verschließt sie das Gehäuse durch einen Deckel. Ihre Augen stehen auf den hohlen, einziehbaren, längeren Fühlern. Sie bewohnt Gärten und Weinberge in ganz

Fig. 319. Weinbergsschnecke. (*Helix pomátia.*) Doppelte Größe.

Deutschland, wird in Süddeutschland mit Kohlblättern gemästet und im Frühlinge, wenn sie weniger schleimig ist, als Fastenspeise gegessen. — Die gemeinste Schnecke ist die **Hainschnirkelschnecke** (*H. nemorális*), welche kleiner ist und stets einen braunen Mundsaum zeigt.

Die **große Wegeschnecke** (*Limax empiricórum*), 8—10 Zm. lang, ist schwarz oder rothgelb gefärbt; ihr fehlt das Gehäuse; dafür trägt sie auf dem Rücken ein gekörneltes Schild, welches die Lungenhöhle bedeckt und am

Fig. 320. Große Wegeschnecke. (*Limax empiricórum.*) Natürliche Größe.

Rande ein Athemloch hat. Die Augen stehen auf den langen Fühlern. Sie frißt Pflanzen und bewohnt die Wälder, während sich die grau oder bräunlich gefärbte **Ackerschnecke** (*L. agréstis*) auf Feldern und in Gärten findet und hier recht schädlich wird. Ihre Feinde sind viele Vögel, Frösche und Igel.

Fig. 321. Purpurschnecke. (*Púrpura pátula.*) Natürliche Größe.

Die **Purpurschnecke** (*Púrpura pátula*), gehört zu den Kammkiemern, welche nur Meerbewohner sind. Sie hat ein 5—8 Zentimeter hohes, schwarzbraunes, quergefurchtes Gehäuse, welches mit Höckern besetzt ist; letztere verschwinden mit dem Alter. Sie bewohnt das Mittelmeer und hat in einer Drüse eine Flüssigkeit, welche roth färbt. Die Purpurschnecke soll den Alten den Purpur geliefert haben.

(§. 263.) III. Ordnung. Muscheln oder Kopflose. (Conchifera.)

Sie haben keinen Kopf, sondern nur einen zahnlosen Mund (Fig. 322, *c*); ihre Sinnesorgane sind sehr unvollkommen ausgebildet. Der Leib wird vom Mantel (*e*) eingeschlossen, welcher aus zwei Lappen gebildet wird; sie athmen durch zwei Paar Kiemenblätter (*g*); diese liegen unmittelbar unter dem Mantel. Herz (*h*), Leber (*b*) und Magen sind vorhanden; das Herz besteht aus zwei Vorkammern und einer Kammer. Die äußere Bedeckung wird gebildet aus zwei kalkigen Schalen, welche mit Zähnen oder dem sogenannten Schloß (*a*) in einander greifen und durch ein elastisches Band verbunden sind; dieses hat das Bestreben, die Schalen zu öffnen, während ein oder zwei Muskeln des Thieres (Schließmuskeln) die Aufgabe haben, die Schalen zu schließen. Ein oder zwei tiefere Eindrücke in den Schalen (Muskeleindrücke) dienen als Befestigungspunkt für die Muskeln. — Ein beilförmiger Fortsatz am Bauche, der sogenannte Fuß, dient als Bewegungsorgan; (derselbe fehlt der Auster). Die Bewegung ist sehr langsam; die europäische Perlmuschel legt in neun Stunden 80 Zm. zurück. Viele Muscheln, wie die Austern wachsen auf dem Meeresboden fest; alle leben im Wasser; die meisten sind Meerbewohner; sie nähren sich von mikroskopisch kleinen Thieren und Pflanzen. Die Muscheln bringen lebendige Junge zur Welt oder vermehren sich durch Eier.

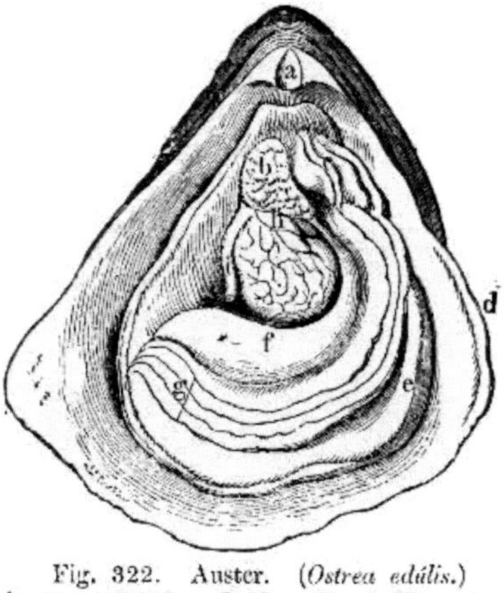

Fig. 322. Auster. (*Ostrea edúlis.*) ½ der natürlichen Größe. Durch Wegnahme einer Schale geöffnet. *a.* Schloß; *b.* Leber; *c.* Mund; *d.* Schale; *e.* Mantel; *f.* Eingeweidesack; *g.* vier Kiemenblätter; *h.* Herz; *i.* Darm.

a. Einmuskelige Muscheln.

Die **gemeine Auster** (*Ostrea edúlis*), 6—7 Zm. lang und breit, hat blättrige, schuppige, rundliche Schalen, von denen die untere dicker wird als die obere flache Schale. Sie wächst mit der unteren Schale mit ihrer Unterlage zusammen und bewohnt die europäischen Meere (außer Ostsee), in welchen sie sich auf den Austernbänken findet; diese entstehen dadurch, daß sich die Jungen sofort auf den Schalen der Eltern ansiedeln. Um mit Erfolg Austern zu züchten, muß man den Jungen Schutz vor Stürmen und dem Gefressenwerden gewähren. Zu diesem Zwecke errichtet man Steinhaufen im Wasser und schlägt um diese Pfähle, so daß sich die jungen Austern hier ansiedeln können. Man zieht später diese Pfähle aus dem Wasser, nimmt die großen Austern ab und setzt die Pfähle mit den kleinen Thieren wieder ins Wasser. Diese Methode hat sich an den französischen Küsten gut bewährt. Die Auster ist eßbar und bildet seit 2000 Jahren einen wichtigen Handelsartikel. (Paris verzehrte 1864 100 Millionen Austern.) — Die besten Austern kommen aus Venedig und Triest; die todten Austern erkennt man an den geöffneten Schalen. (Fig. 322.)

Die **gemeine Hammermuschel oder der polnische Hammer** (*Málleus vulgaris*), 12—15 Zm. lang, hat die Gestalt eines Hammers, ist außen und innen schwarz gefärbt, außen unregelmäßig wellig gekrümmt, blättrig und innen perlmutterglänzend. Sie bewohnt den indischen Ocean.

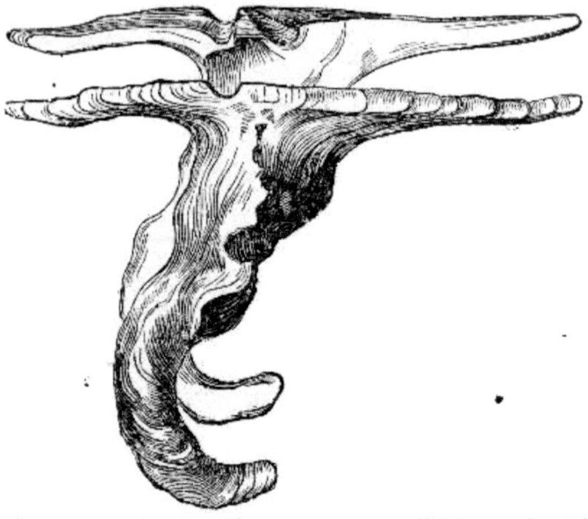

Fig. 323. Gemeine Hammermuschel. (*Málleus vulgaris.*) $^1/_2$ der natürlichen Größe.

Die echte **Perlmuschel** (*Meleagrína margaritifera*), 15—30 Zm. lang und breit, hat fast viereckige, oben abgerundete, grüngraue und weiß gestrahlte Schalen, welche blättrig und innen perlmutterglänzend sind. Sie lebt angeheftet auf sogenannten Perlenbänken im indischen und persischen Meere und wird aus einer Tiefe von 6—10 Metern von Tauchern herausgeholt; ihre Schalen liefern die sogenannte Perlmutter; kostbarer aber noch

Fig. 324. Echte Perlmuschel. (*Meleagrína margaritifera.*) $^1/_3$ der natürlichen Größe. Aeußere Ansicht.

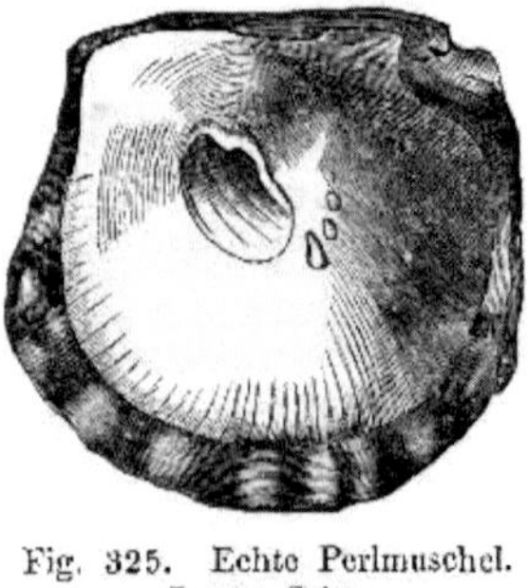

Fig. 325. Echte Perlmuschel. Innere Seite.

sind die Perlen, welche aus Perlmuttermasse bestehen und zwischen den weichen Theilen des Mantels der Muschel sitzen. Die Perlen sind zuweilen nichts weiter als Sandkörner, welche zwischen die Schalen gerathen und mit Lagen von Perlmuttermasse umgeben werden. Der Werth der Perlen ist ein sehr verschiedener und richtet sich nach der Größe und Gestalt; sie erreichen die Größe einer Kirsche, ja einer Wallnuß.

b. Zweimuskelige Muscheln.

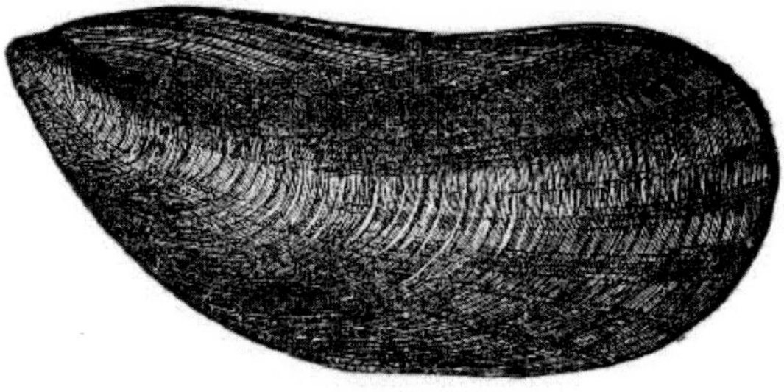

Fig. 326. Mießmuschel. (*Mytilus edúlis.*) Natürliche Größe.

Die **eßbare Mießmuschel** (*Mytilus edúlis*), 6—7 Zm. lang, hat eine fast keilförmige Gestalt, ist nach hinten stark gekrümmt und violett gefärbt. Sie lebt in allen europäischen Meeren und wird häufig gegessen; sie bildet eine Kost der ärmeren Leute in England, wo sie in sogenannten Gärten, d. h. in vom Meere abgesonderten Behältern aufbewahrt wird. —

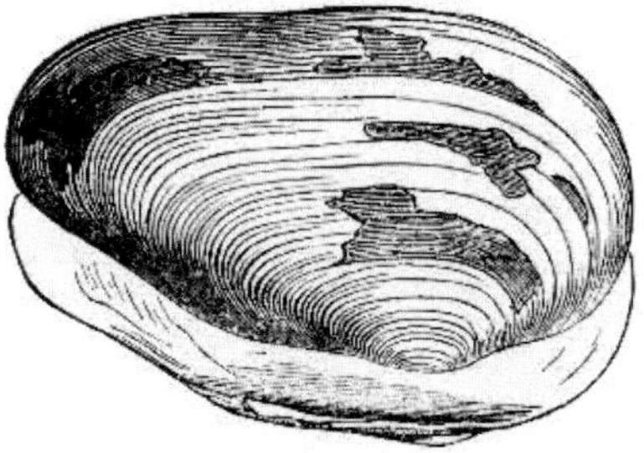

Fig. 327. Teichmuschel. (*Anodónta cygnea.*) 1/3 der natürlichen Größe.

Die **Schwanenmuschel oder Teichmuschel** (*Anodónta cygnea*), 10—20 Zm. lang, hat stark gewölbte Schalen mit grünen, concentrischen Streifen; ihr Schloß ist zahnlos; sie findet sich häufig in Teichen.

Die **Malermuschel** (*Unio pictórum*), 8 Zm. lang, hat länglich-eiförmige, grünlich gelbe Schalen und an den

Fig. 328. Malermuschel. (*Unio pictórum.*) Natürliche Größe.

Schloßzähnen zwei lange leistenförmige Fortsätze. Sie bewohnt unsere Flüsse; ihre Schalen werden zum Aufbewahren der Malerfarben benutzt.

Die **Flußperlmuschel** (*Margaritána margaritífera*) 10—12 Zm. lang, ist schwarzbraun gefärbt und verlängert-eiförmig gestaltet; den Zähnen am Schloß fehlen die Leisten. Sie bewohnt die Gebirgsbäche Baierns und Sachsens und liefert Perlen, welche meist die Größe eines Stecknadelknopfes erreichen. Fremde Stoffe, welche zwischen die Schalen dringen oder absichtlich hineingebracht werden, umhüllt die Muschel mit Kalkmassen und erzeugt so die Perlen.

(§. 264.) X. Klasse. Strahlthiere. (Radiata.)

Der meist kugel- oder scheibenförmige Körper der Strahlthiere besteht aus fünf gleichen Theilen, welche um eine durch die Mitte des Körpers gehende Achse strahlig geordnet sind; ihr Mund befindet sich in der Mitte des Körpers und wird von lappigen oder fadenförmigen Anhängseln umgeben. Ihre Bewegungsorgane sind fünf Reihen kleiner Saugfüße, welche durch ein den Strahlenthieren eigenthümliches Wassergefäßsystem aus- und eingestülpt werden können; sie stehen in strahlenförmig vom Munde auslaufenden Reihen. Mehr oder weniger reichliche Kalkabsonderungen in der Haut machen dieselbe lederartig derb oder starr oder stellen ein Gehäuse her. — Sie sind Meerbewohner und pflanzen sich meist durch Eier fort.

Uebersicht der wichtigsten Ordnungen der Strahlthiere.

Köperhaut kalkig, aus regelmäßigen Kalkstücken bestehend, welche eine feste Schale bilden	I. Ordnung. Seeigel.
Körperhaut aus beweglichen Kalkstücken bestehend	II. Ordnung. Seesterne.
Körperhaut durch Kalkplatten starr	III. Ordnung. Haarsterne.

(§. 265.) I. Ordnung. Seeigel. (Echinoïdea.)

Sie haben einen meist rundlichen Körper (Fig. 329), dessen Haut aus unbeweglichen Kalkplatten besteht; diese bilden zwanzig Reihen und sind mit Höckern besetzt, auf welchen bewegliche Stacheln stehen. Auf der unteren Seite befindet sich in der Mitte des Körpers der Mund, mit einer fünfzähnigen Kauvorrichtung versehen (Laterne des Aristoteles); der After liegt in der Mitte der Oberseite; letzterer ist mit dem Speiserohre des Mundes durch einen langen Darm verbunden. Sie bewegen sich durch die Saugfüße, indem sie dieselben ausstrecken, ansaugen und dann zusammenziehen.

Der **gemeine oder der eßbare Seeigel** (*Echínus esculentus*), 7—10 Zm. im Durchmesser, hat kurze, meist bläulich gefärbte Stacheln; er bewohnt die europäischen Meere und findet sich häufig in der Nordsee. — Die Seeigel wurden schon von Griechen und Römern gegessen; durch Kochen werden sie roth wie Krebse, denen sie auch im Geschmack ähnlich sind; sie werden wie weiche Eier gegessen; besonders gilt dies von den weichen Eierstöcken.

Fig. 329. Eßbarer Seeigel. (*Echinus esculentus.*) Natürliche Größe.

Fig. 330. Gemeiner Seestern. (*Astérias rubens.*) 1/3 der natürlichen Größe.

(§. 266.) II. Ordnung. Seesterne. (Asteroïdea.)

Sie haben einen flachen, fünfstrahligen oder sternförmigen Körper, dessen lederartige Haut gliederartig aneinander gereihte, bewegliche Kalkstücke umschließt. Auf der Bauchseite liegt der Mund und der After, wenn überhaupt vorhanden, oben. Ihre Saugfüßchen gehen vom Munde aus bis in die Spitzen der Arme. — Der **gemeine Seestern** (*Astérias rubens*), 20—30 Zm. im Durchmesser, ist röthlich gefärbt, hat fünf lanzettförmige Strahlen, welche oben kurze stachelige Warzen zeigen; er bewohnt die europäischen Meere und findet sich an tiefen und flachen Stellen.

(§. 267.) III. Ordnung. Haarsterne. (Crinoïdea.)

Sie sind becher- oder kelchförmige Seethiere, welche strahlige, ästige oder mit Fiederchen besetzte Arme besitzen. Durch den von dem Rücken ausgehenden Stiel verwachsen sie meist mit festen Gegenständen. Der Rücken trägt Kalkschilder und die Bauchseite eine lederartige Haut. Sie pflanzen sich durch Eier fort.

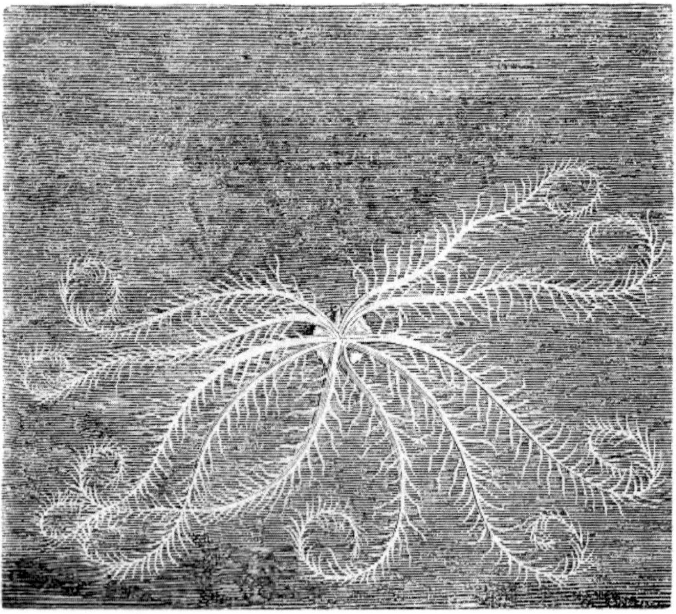

Fig. 331. Mittelmeer-Haarstern (*Comátula mediterranea*). Natürliche Größe.

Der **Mittelmeer-Haarstern** (*Comátula mediterranea*) hat eine Scheibe von 1,5 Zm. Durchmesser und zehn gefiederte Arme, welche 7 Zm. Länge erreichen. In der Jugend ist er mit einem Stiele befestigt; später schwimmt er frei umher und führt mit den Armen die Meerpflanzen in den Mund. Er bewohnt das Mittelmeer.

(§. 268.) XI. Klasse. Darmlose Thiere.
(Coelenterata.)

Den darmlosen Thieren fehlt der Darm; in ihrem Körper findet sich eine Höhle, deren vorderer Theil der Ernährung und derer hinterer dem Kreislaufe dient. — Sehr eigenthümlich sind bei diesen Thieren die sogenannten Nessel- oder Angelorgane, welche aus kleinen, in der Haut liegenden Giftbläschen bestehen; in letzteren befinden sich feine, spiralig eingerollte Fäden, welche plötzlich herausschießen und entweder in den ergriffenen Körper eindringen oder einen Saft ausscheiden, wodurch ein unangenehmes Brennen hervorgerufen wird und kleine Thiere getödtet werden; sie heißen daher auch Meer- oder Seenesseln.

Die darmlosen Thiere sind meist Meerbewohner; sie finden sich in den Meeren der Tropen in ungeheurer Menge und bringen das Leuchten des Meeres hervor.

Uebersicht der wichtigsten Ordnungen der darmlosen Thiere.

Meist freibewegliche Thiere	I. Ordnung.	Quallenpolypen.
Festgewachsene Thiere	II. Ordnung.	Polypen.

(§. 269.) I. Ordnung. Quallenpolypen. (Hydromedusae.)

Sie haben einen scheiben-, glocken-, röhren- oder bandförmigen Körper, welcher gallertartig ist und der oft in präch-

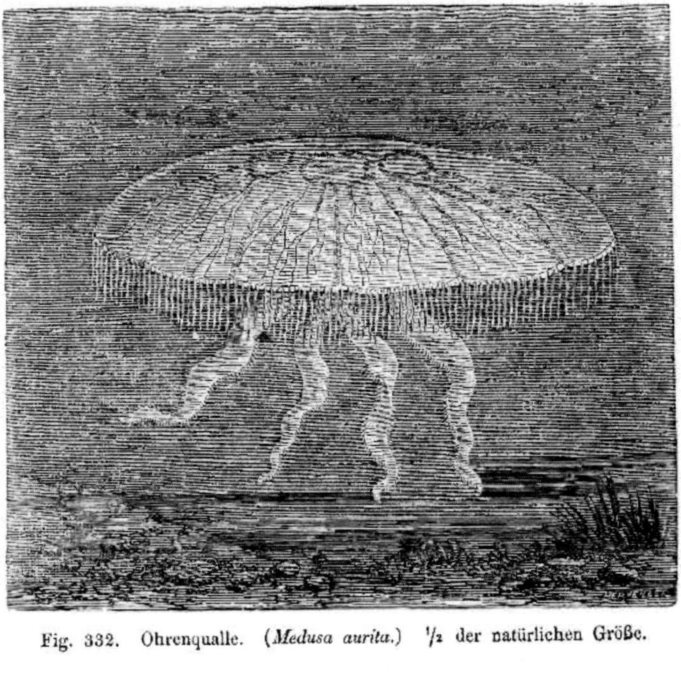

Fig. 332. Ohrenqualle. (*Medusa aurita.*) ½ der natürlichen Größe.

tigen Farben prangt. Ihr Mund liegt an der Unterseite und wird von Fangarmen umgeben.

Die **Ohrenqualle** (*Medusa aurita*), 10—15 Zm. im Durchmesser, hat einen röthlichen, flach halbkugeligen Körper; die Verdauungsorgane sind bläulich gefärbt; an der unteren Seite befinden sich vier Fangarme und am Rande des Körpers viele Fäden. Sie bewohnt Nord- und Ostsee und vermehrt sich durch Generationswechsel oder Wechselerzeugung; diese besteht darin, daß das Ei *a* der Ohrenqualle Furchungen erleidet und sich in verschiedene, mit Härchen besetzte Theile *b* zerlegt, welche sich festsetzen, nachdem sie sich zu infusorienähnlichen Thierchen *c* umgebildet haben. Aus diesen Thierchen wachsen in einander gestülpte Abtheilungen *d* heraus, die man mit über einander stehenden Untertassen oder mit einem Tannenzapfen vergleichen kann. Aus der Entwickelungsform *d* lösen sich die einzelnen Abtheilungen und wachsen zu Eier erzeugenden Medusen aus. Bei dem Generationswechsel wird also eine Brut hervorgebracht, welche mit dem Mutterthiere keine Aehnlichkeit hat; letztere erzeugt durch verschiedene Knospungen eine neue Brut, die den Ureltern vollständig ähnlich ist.

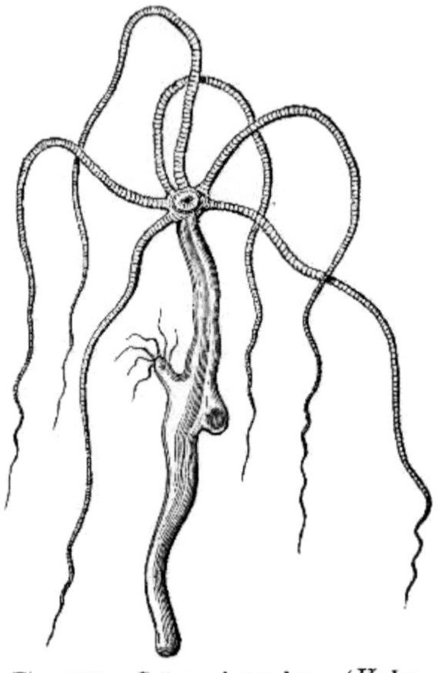

Fig. 333. Grüner Armpolyp. (*Hydra viridis.*) Stark vergrößert.

Der **grüne Armpolyp** (*Hydra viridis*), 15 Mm. lang, ist lebhaft grün gefärbt; er bildet den Uebergang zu den Polypen und findet sich an Wasserlinsen (*Lemna*) oder frei schwimmend sehr häufig in Teichen. Mit seinen sechs bis zwölf Fangarmen ergreift er die Wasserthiere und führt sie zum Munde. Zertheilt man ihn, so entwickelt sich aus jedem Theil ein neues Thier.

(§. 270.) **II. Ordnung. Polypen.** (Polypi.)

Sie haben einen weichen, gallertartigen, röhrenförmigen Körper, welchem die Ortsbewegungsorgane fehlen. Die Körperröhre sitzt am unteren Theile fest; in dieselbe führt eine Mundöffnung, die von Fangarmen umgeben wird; hinter dem Munde liegt der sackförmige Magen. — Die Polypen sondern Kalkmassen ab, so daß ein von vielen Thierchen bewohnter Korallenstock (Fig. 333 und 334) entsteht, welcher auf dem Meeresboden festsitzt. Sie pflanzen sich durch Eier, freiwillige Theilung und Knospen fort und sind Meerbewohner; sie erbauen ihre Stöcke in einer Tiefe von 10—600 M., welche zuweilen größere, zusammenhängende Massen, die sogenannten Korallenriffe bilden; letztere werden, wie dies in der Südsee der Fall ist, die Grundlage ganzer Inseln, indem sich zwischen den Stöcken Treibholz, Erde etc. festsetzen, auf welchen sich Pflanzen und Thiere ansiedeln.

Fig. 334.
Baumkoralle des Mittelmeeres ohne Polypen. (*Dendrophyllia ramea.*)
$^1/_2$ der natürlichen Größe.

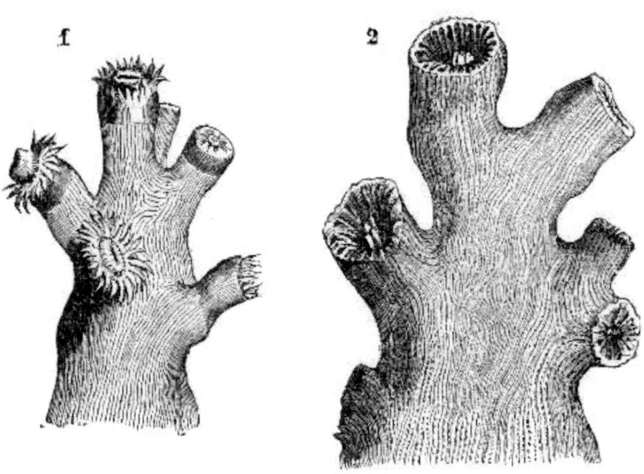

Fig. 335.
Baumkoralle. (*Dendrophyllia ramea.*)
1. Ast in natürlicher Größe mit Polypen; 2. Vergrößerter Ast.

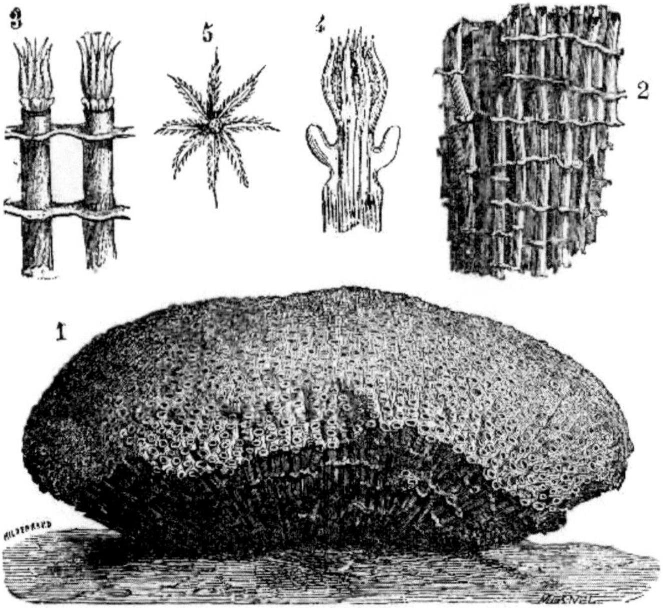

Fig. 336.
Orgelkoralle. (*Tubipora musica.*)
1. ein Korallenstock in $^1/_3$ der natürlichen Größe; 2. ein Stück in natürlicher Größe (oben rechts); 3. zwei Röhren des Stockes mit Polypen; 4. ein Polyp ohne Stock; 5. ein Polyp von oben gesehen.

Die **Orgelkoralle** (*Tubípora musica*), 10—15 Zm. hoch, ist blutroth gefärbt und besteht aus Röhren, welche durch Querwände verbunden sind und wie die Orgelpfeifen senkrecht neben einander in verschiedenen Stockwerken stehen. Die grasgrünen Polypen haben acht Fangarme. Die Orgelkoralle findet sich im indischen Ocean.

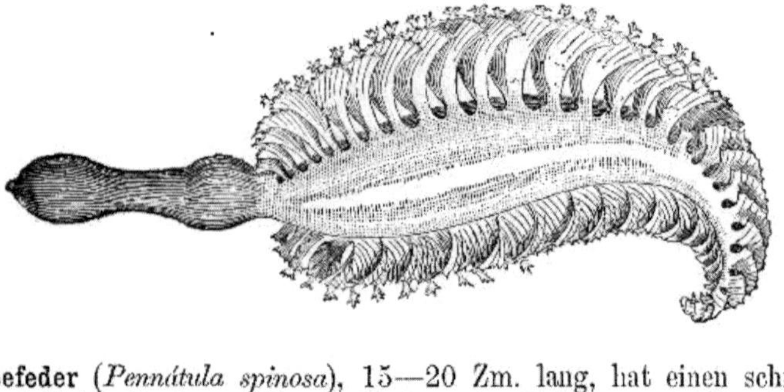

Fig. 337.
Seefeder. (*Pennátula spinosa.*)
$^1/_4$ der natürlichen Größe.

Die **Seefeder** (*Pennátula spinosa*), 15—20 Zm. lang, hat einen schreibfederartig gestalteten Stock, an dessen Fiedern die Polypen zu beiden Seiten sitzen. Der Stock wächst nicht fest, sondern steckt lose im Schlamme oder Sande. Sie bewohnt das Mittelmeer.

Fig. 338. Venusfächel. (*Gorgónia flabéllum.*) Sehr verkleinert.

Die **Hornkoralle oder Venusfächel** (*Gorgónia flabéllum*), 1—2 M. hoch, hat eine gelbe oder röthliche Kalkschicht und einen hornigen, biegsamen Stock. Sie bewohnt den indischen Ocean und wird in Indien als Fächer gebraucht.

Fig. 339. Theil eines Stockes der Edelkoralle. (*Corállium rubrum.*) Mit einem ganz und zwei theilweise entfalteten Thieren. Vergrößert.

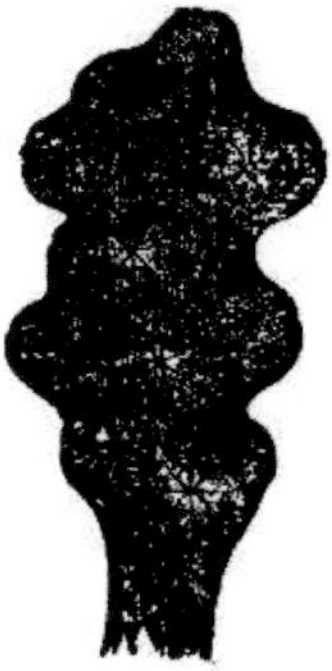

Fig. 340. Edelkoralle mit geschlossenen Warzen nach dem Zurücktreten der Polypen. Vergrößert.

Die **Blut- oder Edelkoralle** (*Corállium rubrum*), 30 Zm. hoch, ist ästig, steinhart und mit einem fleischrothen Ueberzuge versehen. Die milchweißen Polypen mit acht Fangarmen sitzen in Warzen. Sie bewohnt das Mittelmeer und wird besonders an der Südküste Frankreichs gefischt; ihr Stock wird zu Schmucksachen verarbeitet.

(§. 271.) XII. Klasse. Urthiere. (Protozóa.)

Die Urthiere sind mikroskopisch kleine Thiere, deren Körper nicht symmetrisch gebaut ist; ihre Gestalt wechselt im Laufe ihrer Entwickelung. Der Mangel an bestimmten Organen für Bewegung, Ernährung etc. zeichnet sie besonders aus.

Sie bewohnen stehende und fließende Gewässer, wo sie oft in größter Menge auftreten und anderen Thieren reichliches Futter gewähren. Sie pflanzen sich durch Theilung und Sprossung fort.

Uebersicht der Ordnungen der Urthiere.

Frei bewegliche Thiere.	Mit Flimmerhaaren zur Ortsbewegung	I. Ordnung.	Aufgußthierchen.
	Mit fußartigen Fortsätzen oder Scheinfüßen zur Ortsbewegung . . .	II. Ordnung.	Wurzelfüßer.
Festgewachsene Thiere		III. Ordnung.	Schwämme.

(§. 272.) I. Ordnung. Aufgußthierchen. (Infusória.)

Die Aufgußthierchen sind dem unbewaffneten Auge nicht mehr sichtbar; ihr Körper ist entweder nackt oder mit einem Panzer bedeckt. Sie bewegen sich durch Flimmer- und Wimperhaare, oder auch durch haken- und borstenförmige Anhänge, welche Geißeln genannt werden. Sie wohnen in süßen Gewässern (Pfützen, Sümpfen und Brunnentrögen) und in Aufgüssen, in welchen sich organische Stoffe zersetzen; oft ist das Wasser von ihnen grün, roth oder gelblich gefärbt.

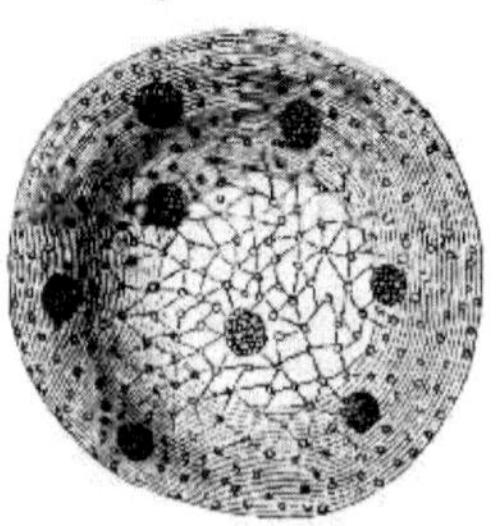

Fig. 341. Gemeines Kugelthierchen. (*Volvox globátor.*) Fünfzigfache Vergrößerung.

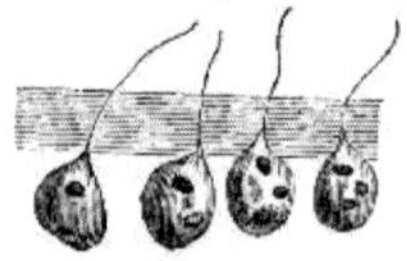

Fig. 342. Gemeines Kugelthierchen. (*Volvox globátor.*) 700-fache Vergrößerung.

Das **gemeine Kugelthierchen** (*Volvox globátor*) findet sich in einer gallertartigen, grünen Kugel (Fig. 341) von kaum 0,5 Mm. Durchmesser und füllt oft ganze Teiche aus. Die acht größeren Kugeln in Fig. 341 sind Knospen, welche kleinere Thierchen (Fig. 342) enthalten; diese trennen sich beim Zerreißen der alten Familie und entwickeln sich zu neuen Kugeln (Fig. 341).

Das ungemein veränderliche **grüne Schönauge** (*Eugléna viridis*) ist in stehenden Gewässern während des Sommers sehr häufig und färbt dieselben

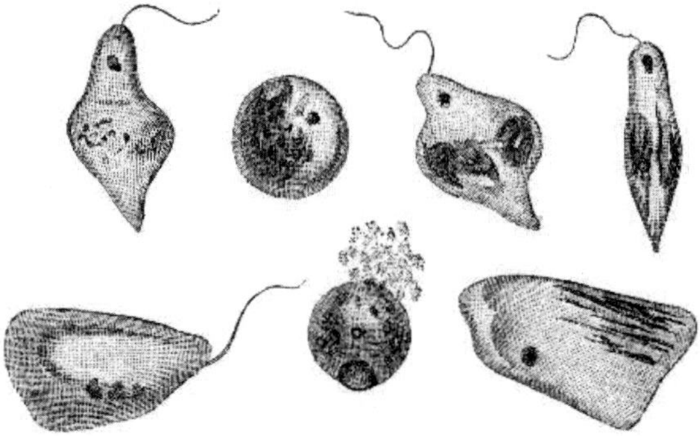

Fig. 343. Grünes Schönauge. (*Eugléna viridis.*) 350-Vergrößerung.

grün. In Fig. 343 zeigt jedes Thierchen eine besondere Gestalt, welche es nicht beibehält, sondern durch Selbsttheilung vielfach ändert.

(§. 273.) II. Ordnung. Wurzelfüßer. (Rhizópoda.)

Die Wurzelfüßer besitzen meist kalkige, vielkammerige Gehäuse und einen Körper, welcher aus einer gallertartigen Masse (Sarkode) besteht; aus derselben ragen ein- und ausstülpbare Fortsätze hervor, welche mit Wurzelfasern Aehnlichkeit haben und Schein- oder Wurzelfüße genannt werden; diese

Fig. 344. Foraminiferen in der Kreide von Meudon in Frankreich. Sehr stark vergrößert.

dienen ihnen zur Ortsbewegung. Ihre Kalkschalen sind sehr vielgestaltig und bilden Kugeln, Stäbchen, Schrauben etc. Sie sind Meeresbewohner; ihre Gehäuse tragen mit zur Bildung des Meeressandes und ganzer Erdschichten bei. Von besonderer Wichtigkeit sind die Foraminiferen oder Lochträger, deren Kammern von Löchern durchbohrt sind. Ein großer Theil der Kreidefelsen von Rügen, Dänemark, England, Frankreich und Griechenland bestehen aus Foraminiferen, welche zur Zeit der Kreideformation lebten. (Fig. 344.)

(§. 274.) **III. Ordnung. Schwämme.** (Spóngiae.)

Fig. 345. Stückchen eines Waschschwammes, welches die Ausströmung des Wassers zeigt. Stark vergrößert.

Die Schwämme sind festgewachsene Thiere von verschiedenen Gestalten; sie bestehen aus kalkigen, hornigen oder kieseligen Fasern, welche ein durchbrochenes Gerüst bilden, und aus einer gallertartigen Masse; diese überzieht maschenartig die Fasern. Zahlreiche feine Poren führen das Wasser und mit diesem die Nahrung in die Schwämme, in welchen es circulirt und dann durch weite Oeffnungen wieder hinausströmt. — Die Schwämme pflanzen sich durch Eier, Keime und künstliche Theilung fort. — Nur wenige Schwämme finden sich in den süßen Gewässern, die meisten sind Meerbewohner; erstere haben eine grüne und letztere eine gelbe, braune oder schwarze Farbe.

Unser **Waschschwamm** (*Spongia officinalis*), 15—30 Zm. hoch, gehört zu den Hornschwämmen, denn er wird aus elastischen Hornfasern zusammengesetzt; er findet sich im Mittel- und rothen Meere und bildet einen wichtigen Handelsartikel.

Cursus IV.

Anatomie und Physiologie. (Der innere Bau und das Leben der Thiere.)

(§. 275.) A. Die Organe der Bewegung.

Die Bewegungsorgane sind bei dem Menschen und den höheren Thieren e Muskeln, welche durch die Bewegungsnerven zur Zusammenziehung an-regt werden; dieselben wirken auf das starre Knochengerüst oder das Skelet.

(§. 276.) 1. Das Knochensystem.

Die Knochen bestehen aus phosphorsaurer Kalkerde und aus einer asse, welche mit Fett durchzogen ist und Knochenknorpel genannt wird. ie Knochen bilden die Stütze des Muskelsystems; ihre Zahl beträgt mit n Zähnen 245.

(§. 277.) a. Die Knochen des menschlichen Körpers.
(Fig. 346.)

Das Knochengerüst besteht aus dem Kopf-, Rumpf- und Glied-aßenskelet.

Am Kopfe unterscheidet man den Schädel und das Gesicht. Der chädel (Fig. 347) bildet eine geräumige Höhle und besteht aus einem tirnbeine (*g*), zwei Scheitelbeinen (*f*), zwei Schläfenbeinen (*e*), einem Hinter-uptsbeine (*d*), einem Keilbeine und Siebbeine. Das Keilbein liegt im runde des Schädels und das Siebbein zum größten Theile in der Nasenhöhle. ie Schädelknochen stoßen vor ihrer vollständigen Ausbildung nicht durch ckige Ränder in Nähten zusammen, sondern erhalten durch knorpelige Streifen ne Verbindung. Mit dem dritten Jahre erhalten die Nähte ihre zackige Be-haffenheit, verknöchern im zwanzigsten und verschwinden im vierzigsten Jahre.

Von den zwölf Gesichtsknochen sind die beiden kleinen Nasenbeine 'ig. 347, *a*) und der Ober- (*b*) und Unterkiefer (*c*) oder Kinnladen ie wichtigsten. In entsprechenden Höhlen der Kinnladen stehen die ähne. (Fig. 348 und 349.) — Jeder Zahn hat einen oberen, scharf ab-

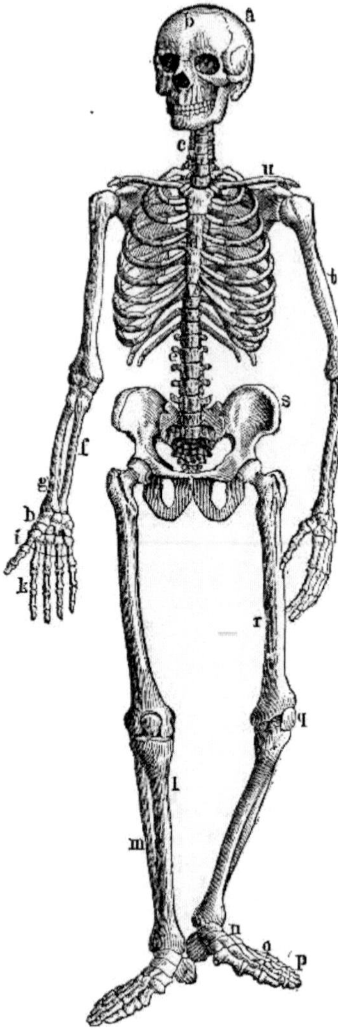

Fig. 346. Skelet des Menschen. (Vergleiche Fig. 356.)

1. Kopf.

a. Scheitelbein;
b. Stirnbein.

2. Rumpf.

c. Halswirbel;
d. Brustbein;
e. Lendenwirbel.

3. Obergliedmaßen.

u. Schlüsselbein;
t. Oberarm;
f. Elle;
g. Speiche;
h. Handwurzel;
i. Mittelhand;
k. Finger.

4. Untergliedmaßen.

s. Becken;
r. Oberschenkel;
q. Kniescheibe;
l. Schienbein;
m. Wadenbein;
n. Fußwurzel;
o. Mittelfuß;
p. Zehen.

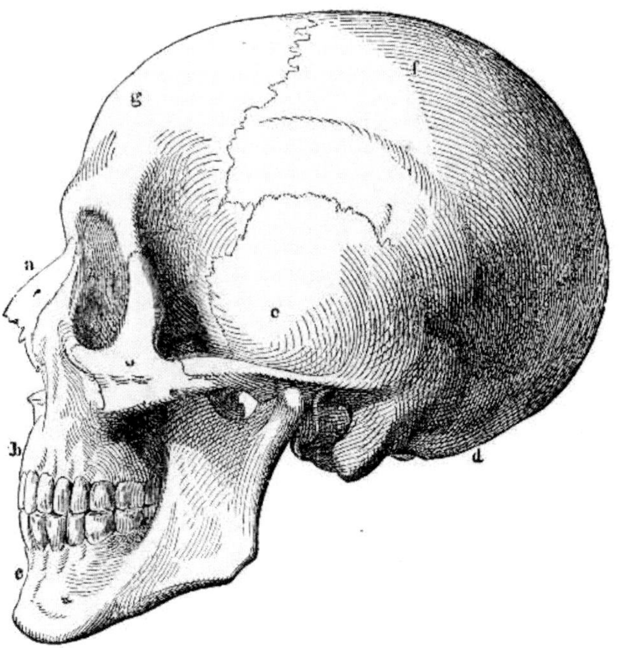

Fig. 347. Schädel des Menschen.
a. Nasenbein; *b.* Oberkiefer; *c.* Unterkiefer; *d.* Hinterhauptsbein;
e. Schläfenbein; *f.* Scheitelbein; *g.* Stirnbein.

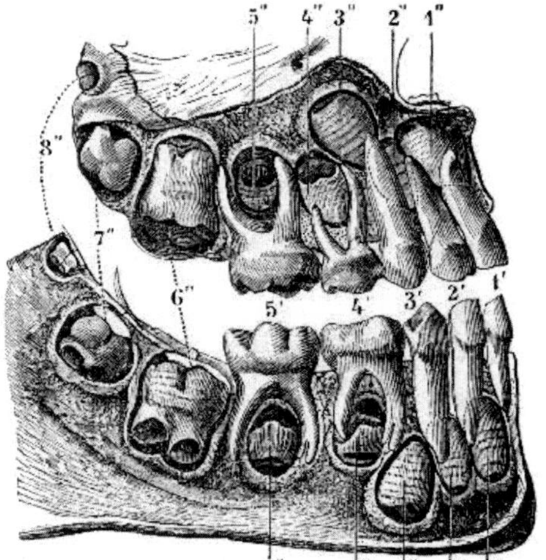

Fig. 348. Erste und zweite Zähnung des Menschen.
1′ 2′ 3′ 4′ und 5′ sind die Zähne der ersten Zähnung (Milchzähne);
1″ bis 8″ sind die Zähne der zweiten Zähnung. 1′ 1″ 2′ und 2″
Schneidezähne; 3′ und 3″ Eckzähne; 4′ 4″ bis 8″ Backenzähne.

gegrenzten Theil, die Krone, welche man frei im Munde sieht; diese ist von einer email- oder glasähnlichen Masse, dem Zahnschmelz überzogen. Vom Zahnfleisch umgeben, befindet sich unterhalb der Krone der Hals und in einer Höhle des Kiefers die Wurzel. Die Schneide-, die Augen- und die vorderen Backenzähne haben eine und die hinteren Backenzähne zwei bis vier Wurzeln. Die eigentliche Zahnsubstanz heißt Zahnbein und ist härter als bei den übrigen Knochen. Am spitzen Ende der Wurzel öffnet sich ein Kanälchen, welches in eine Höhle im Innern des Zahnes, in die Zahnhöhle führt und durch welches Blutgefäße und Nerven zum Zahnkeime treten.

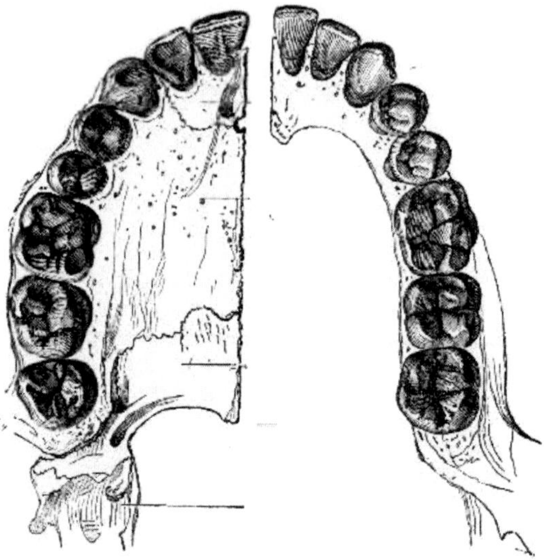

Fig. 349. Zähne des Menschen, von oben gesehen.

Das menschliche Gebiß besteht aus zweiunddreißig Zähnen, d. h. aus sechszehn in jedem Kiefer, oder aus vier scharfen, meißelförmigen Schneidezähnen (Fig. 348, 1′ 1″ 2′ und 2″), aus jederseits einem spitzen Eck- oder Augenzahn (3′ und 3″) und jederseits fünf breiten, höckerigen Backenzähnen (4′ bis 8′ und 4″ bis 8″). Das vollzählige Gebiß wird durch folgende Formel bezeichnet:

$$\text{Vorderzähne: } \frac{4}{4}; \text{ Eckzähne: } \frac{1-1}{1-1} \text{ oder } \frac{1}{1}; \text{ Backenzähne: } \frac{5-5}{5-5}$$

$$\text{oder } \frac{5}{5}; \text{ oder kürzer: } \frac{5\,.\,1\,.\,4\,.\,1\,.\,5}{5\,.\,1\,.\,4\,.\,1\,.\,5}.$$

Diese zweiunddreißig Zähne der Erwachsenen sind nicht dieselben, mit denen wir in unserer Jugend vom zweiten bis zum siebenten Jahre kauten, denn diese zwanzig, welche auch Milch- oder Wechselzähne heißen, fallen alle vom siebenten Jahre an allmählich aus. (Fig. 348.) — Die gewöhnliche Ursache der Verderbnis der Zähne ist die Fäulnis der Speisereste, so wie die Bildung von Schimmel und Infusionsthierchen, welche man durch Reinigung der Zähne nach dem Essen und mehrmaliges tägliches Abbürsten entfernen muß.

Die Knochen des Rumpfes bestehen aus der Wirbelsäule oder dem Rückgrat und den Brustknochen (Fig. 350). Das Rückgrat, aus dreiunddreißig kleinen, unregelmäßigen Knochen, den Wirbelbeinen oder Wirbeln gebildet, enthält den Rückenmarkskanal, welcher das Rückenmark umschließt. Jeder Wirbel (Fig. 351) besteht aus dem Wirbelkörper (*a*), den beiden Querfortsätzen, welche seitwärts stehen, und dem Dornfortsatz, welcher sich zwischen den letzteren befindet; in der Mitte bleibt das Markloch frei. Der Mensch hat sieben Hals- (Fig. 346, *c*), zwölf Brust-, fünf Bauch- oder Lenden- (*e*), fünf verwachsene Kreuzbein- und vier bis fünf verwachsene End- oder Steißbeinwirbel.

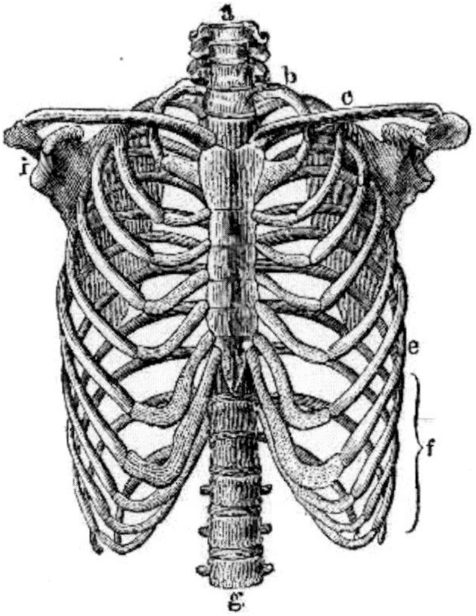

Fig. 350.
Brustkorb des Menschen.
a. g. Wirbelsäule; *b.* Erste Rippe; *c.* Schlüsselbein; *d.* Dritte Rippe; *e.* Siebente Rippe; *f.* Falsche Rippen; *h.* Brustbein; *i.* Schulterblatt.

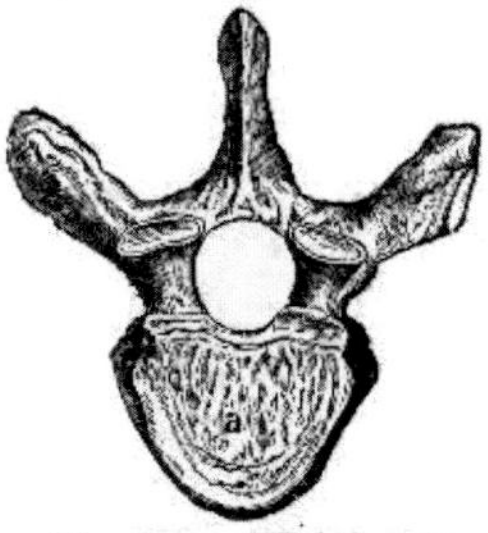

Fig. 351. Wirbel, von der Gelenkfläche gesehen. *a.* Wirbelkörper.

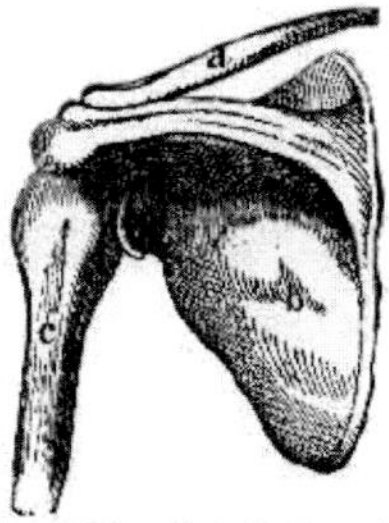

Fig. 352. Schulterknochen des Menschen. *a.* Schlüsselbein; *b.* Schulterblatt; *c.* Oberarm.

Die Brustknochen sind das Brustbein und die Rippen. Die oberen sieben Paar Rippen heißen wahre Rippen, weil sie mit ihrem vorderen Knorpelende das Brustbein erreichen (Fig. 350). Die unteren fünf Paar Rippen werden falsche Rippen (Bauchrippen) genannt, weil sie das Brustbein nicht erreichen. Die Rippen umschließen zwei große, durch das Zwerchfell getrennte Höhlen: die Brusthöhle oder den Brustkasten und die Bauchhöhle; in ersterer liegen die Lungen und das Herz, sie werden von den wahren Rippen umschlossen; in letzterer, welche von den Bauchrippen umgeben wird, liegen unter dem Zwerchfell links der Magen, rechts die Leber und gegen den Rücken die Nieren; zum größten Theil wird die Bauchhöhle von dem Dünn- und Dickdarm ausgefüllt.

Die Knochen der Gliedmaßen sind stets paarweise vorhanden; man unterscheidet Ober- und Untergliedmaßen.

Die Ober- oder Vordergliedmaßen (Fig. 352 und 353) bestehen aus den Schulterknochen, dem Arme und der Hand. Das Schulterblatt (Fig. 352, *b*) ist ein flacher, dreieckiger Knochen, welcher oben am Rücken liegt; mit demselben ist das S-förmig gebogene Schlüsselbein (*a*) verbunden, das bis zum Brustbein (Fig. 350, *h*) reicht. Der Arm wird aus dem Ober- (Fig. 353, *a*) und Unterarm (*b* und *c*) gebildet. Der Oberarmknochen steht aber durch seine Kugel oder seinen Kopf mit dem Schulterblatte, in dessen Gelenkhöhle der Kopf eingreift, und durch sein unteres,

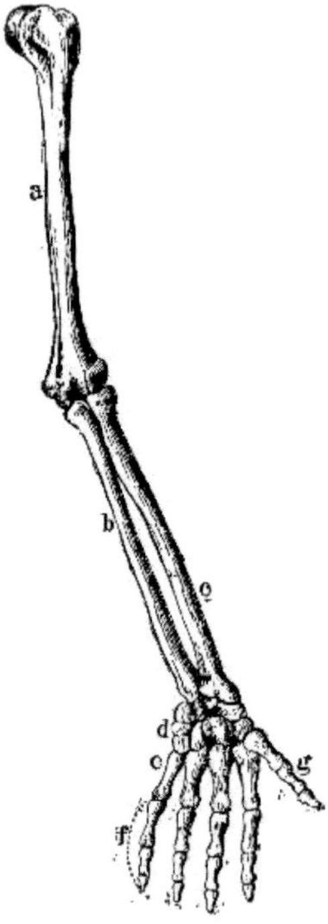

Fig. 353. Arm des Menschen. *a.* Oberarm; *b.* Elle; *c.* Speiche; *d.* Handwurzel; *e.* Mittelhand; *f.* Finger; *g.* Daumen.

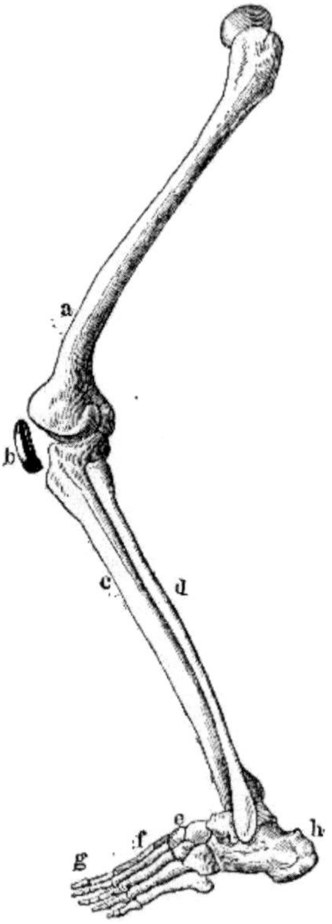

Fig. 354. Bein des Menschen. *a.* Oberschenkel; *b.* Kniescheibe; *c.* Schienbein; *d.* Wadenbein; *e.* Fußwurzel; *f.* Mittelfuß; *g.* Zehen; *h.* Fersenbein.

rollenartiges Ende mit den beiden Unterarmknochen (*b* und *c*) in Verbindung und hilft demnach das Achsel- und das Ellenbogengelenk bilden. Die Unterarmknochen (*b* und *c*) heißen Speiche (*c*; auf der Daumenseite) und Elle oder Ellenbogenbein (*b*). Ihre unteren Enden vereinigen sich mit der Hand zum Handgelenke. — An der Hand führt das oberste Stück den Namen Handwurzel (*d*) und wird aus acht kleinen, würfelähnlichen Handwurzelknochen gebildet, welche in zwei Reihen geordnet sind;

durch straffe Gelenke sind sie unter einander und mit den fünf Mittelhandknochen (*e*) verbunden. Die fünf Finger haben mit Ausnahme des Daumens (*g*) je drei Knochen.

Die Unter- oder Hintergliedmaßen (Fig. 354) bestehen aus dem Becken (Fig. 346, *s*), dem Ober- (Fig. 354, *a*), Unterschenkel (*c*, *d*) und dem Fuße (*e*—*h*); in Bezug auf Form, Stellung und Zahl der Knochen haben die Unter- mit den Obergliedmaßen große Uebereinstimmung. Das Becken oder der Hüftknochen (Fig. 346, *s*), dem Schulterblatt (Fig, 352, *b*) entsprechend, ist ein großer, muldenförmiger Knochen, welcher mit der Wirbelsäule in Verbindung steht. Der Oberschenkel (Fig. 354, *a*), der längste Knochen des Körpers, greift mit seinem Gelenkkopf in die tiefe Pfanne des Beckens und bildet das Hüftgelenk. Sein unteres, rollenartig angeschwollenes Ende setzt mit dem Schienbein (*c*) und der herzförmigen Kniescheibe (*b*) das Kniegelenk zusammen. — Schienbein (*c*) und Wadenbein (*d*) bilden den Unterschenkel; mit ihrem unteren, etwas angeschwollenen Ende setzen sie mit dem Sprungbein des Fußes das Fußgelenk zusammen; ihre Anschwellungen heißen Knöchel. Der Fuß hat, wie die Hand, drei Theile: Fußwurzel (Fig. 354, *e*), Mittelfuß (Fig. 355, *a*) und Zehen (*i*). Die sieben Fußwurzelknochen heißen Sprungbein (*d*), das Fersenbein (*b*), das Kahnbein (*e*), das Würfelbein (*c*) und die drei Keilbeine (*h*), welche keilförmig gestaltet sind. Die fünf Mittelfußknochen (*a*) und die Zehen folgen einander in Zahl und Lage ganz wie die entsprechenden Knochen der Hand.

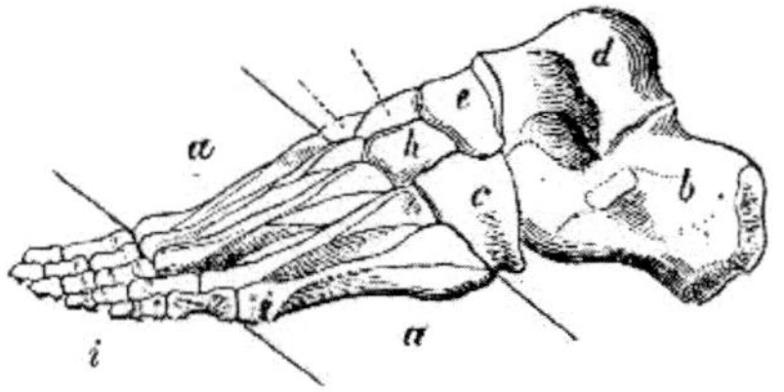

Fig. 355. Fuß des Menschen.
a. Mittelfußknochen; *b*. Fersenbein; *c*. Würfelbein; *d*. Sprungbein; *e*. Kahnbein; *h*. Keilbeine (zwei sind durch punktirte Linien bezeichnet); *i*. Zehen.

(§. 278.) b. Die Knochen der Säugethiere, Vögel, Reptilien und Fische.

Der Schädel der Säugethiere ist verhältnißmäßig kleiner und länger und der Gesichtswinkel (30—65°) kleiner als bei dem Menschen; man vergleiche den Schädel eines Orang-Utangs (Fig. 356) mit dem des Menschen (Fig. 347)! Der Gesichtswinkel wird gebildet durch zwei Linien, welche man von der höchsten Hervorragung des Stirnbeins und der Ohröffnung nach dem Unterrand des Unterkiefers zieht. — Vergleiche Fig. 115.

Die meisten Vogelknochen enthalten nicht Mark, sondern sind mit Luft gefüllt; dies gilt besonders von den Schnellfliegern. Die Schädelknochen der Vögel verwachsen so, daß nur wenige Nähte erkennbar sind. Mit der verhältnißmäßig geringeren Entwickelung des Gehirns wird auch der Schädel der Vögel kleiner als bei den Säugethieren. — Die Zähne fehlen und werden durch zahnartige Bildungen des hornigen Kieferüberzuges ersetzt.

Der kleine und gestreckte Schädel der Reptilien besteht aus zahlreichen Knochenstücken. Bei den nackten Reptilien bleibt das Keilbein zeitlebens knorpelig. Die Schildkröten haben statt der Zähne einen hornigen

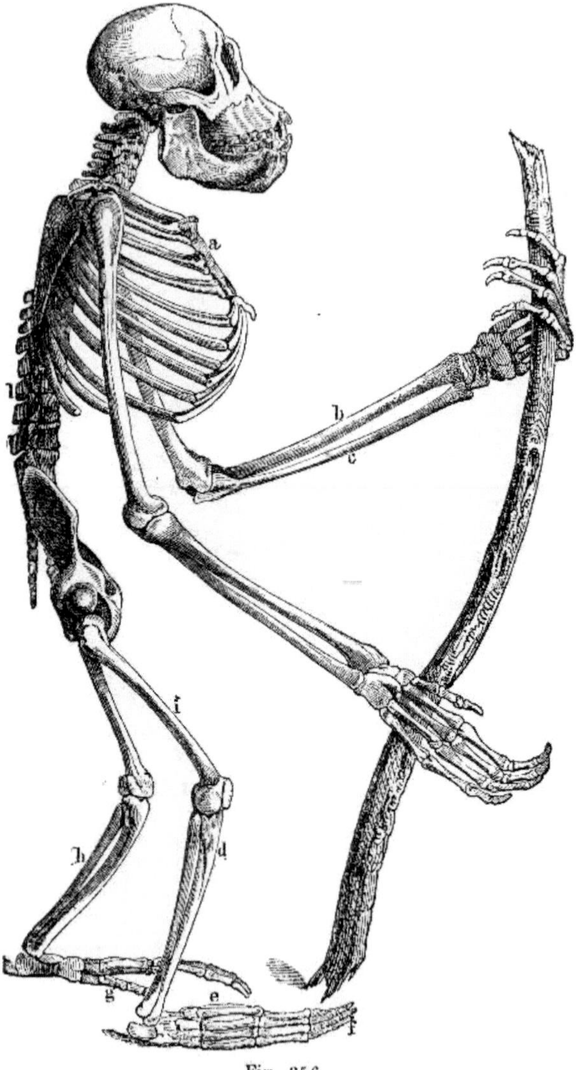

Fig. 356.
Skelet eines jungen Orang-Utangs.

a. Brustbein; *g.* Daumen;
b. Speiche; *h.* Wadenbein;
c. Elle; *i.* Oberschenkel;
d. Schienbein; *k.* Hüftknochen;
e. Mittelhand; *l.* Wirbelsäule;
f. Finger; *m.* Schulterblatt.

Kieferüberzug. Die Krokodile besitzen eingekeilte Zähne, die übrigen Reptilien nur ein-, auf- oder angewachsene, welche nie zum Zermalmen der Nahrung dienen.

Der sehr kleine Schädel der Fische zählt ebenfalls zahlreiche Knochen, zu welchen noch die knöchernen Deckstücke kommen; diese gehören zu dem Hautskelet. — Das Kiemengerüst besteht meist aus vier Bogenpaaren, welche an zahlreichen, feinen Strahlen die Kiemen tragen. Die Gestalt der Zähne ist sehr verschieden; dieselben sind bei den Haifischen beweglich, nie eingekeilt, sondern nur aufgewachsen.

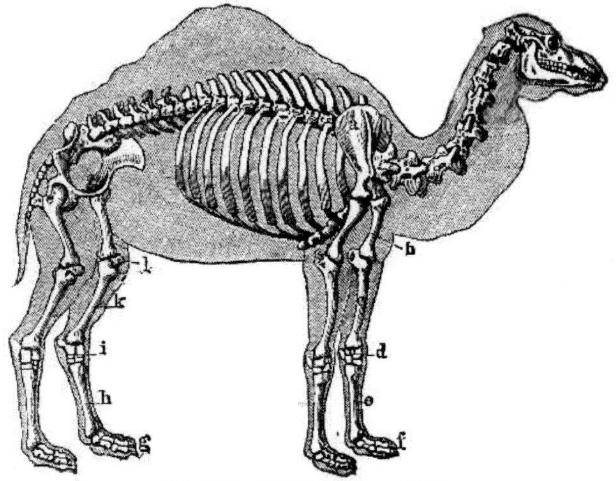

Fig. 357. Skelet des Dromedars.
a. Schulterblatt; *b.* Oberarm; *c.* Speiche; *d.* Handwurzel; *e.* Mittelhand; *f.* Finger; *g.* Zehen; *h.* Mittelfuß; *i.* Fußwurzel; *k.* Schienbein; *l.* Kniescheibe.

An der Wirbelsäule der Säugethiere, — sie zählt selten über siebenzig Wirbel, — sind besonders auffallend die langen und starken Dornfortsätze (Fig. 357). Das Schlüsselbein fehlt den Walen, Hufthieren, Bären und vielen Fleischfressern.

Die Wirbelsäule der Vögel besteht selten aus mehr als fünfzig Wirbeln, von welchen auf den Hals neun bis dreiundzwanzig kommen; der kurze Schwanz zählt nur fünf bis neun. Das schmale, schwache Brustbein des Menschen dehnt sich hier zu einem breiten Knochenpanzer aus mit hervorstehendem Grat, an welchem die überaus starken Flugmuskeln sitzen.

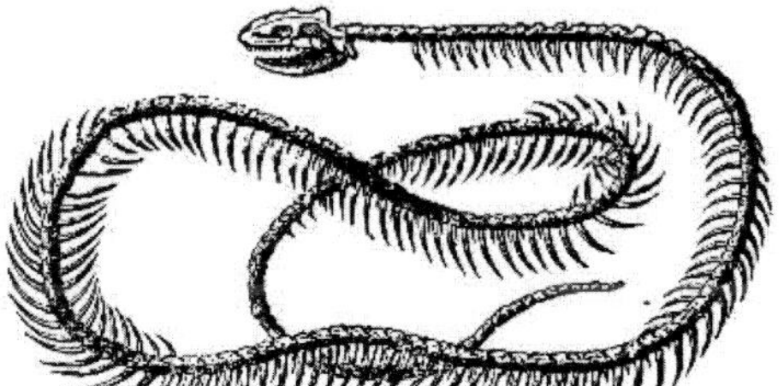

Fig. 358. Skelet der Ringelnatter.

Bei den Fröschen zählt die Wirbelsäule meist zehn und bei den Schlangen gegen 300 Wirbel (Fig. 358); letzteren fehlt das Brustbein; dafür befinden sich selbst an den Halswirbeln Rippen, deren Zahl 250 beträgt. Bei den Fröschen

(Fig. 359) ist der Mangel der Rippen bemerkenswerth; ihr Brustbein ist stark entwickelt. Der obere, gewölbte Rückenpanzer der Schildkröten (Fig. 360) verwächst mit den plattenförmigen Fortsätzen der Rückenwirbel. Der untere, platte Brustpanzer besteht aus dem stark verbreiterten Brustbein. Schulterblatt, Schlüsselbein und die lang gezogenen Beckenknochen liegen zwischen den Panzern; Hals- und Schwanzwirbel und die Gliedmaßen können hervorgestreckt werden. Die Verbindung beider Panzer wird hergestellt durch eine Knorpelmasse, welche meist verknöchert.

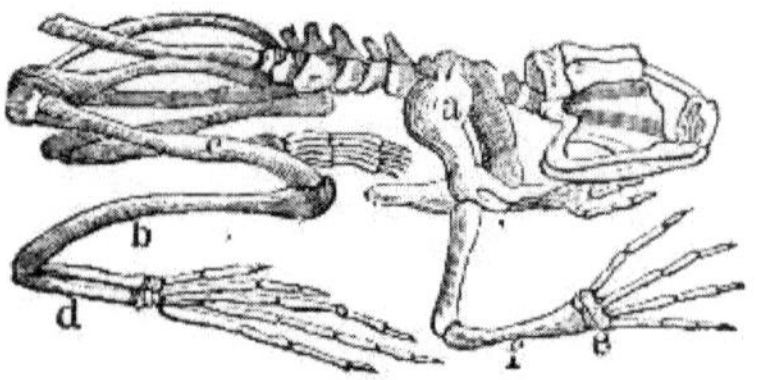

Fig. 359. Skelet des Frosches.
a. Schulterblatt; *b.* Unterschenkel; *c.* Oberschenkel; *d.* Mittelfuß; *e.* Handwurzel; *f.* Unterarm.

Die Fische haben 20—200 Wirbel; ihnen fehlen die Halswirbel. Die Rippen enden frei im Fleische; sie fehlen allen Knorpelfischen. Außerdem finden sich auch Fleisch- oder Muskelgräten. (Siehe Fig. 361.)

Die Gliedmaßen der Säugethiere zeigen einen schlanken Oberarm, der bei den Handflüglern und Faulthieren sehr lang und bei den Flossen- und Hufsäugethieren am kürzesten ist (Fig. 357). Die Elle fehlt den Ein- und Zweihufern; sie ist bei den Handflüglern sehr dünn. Die Hintergliedmaßen fehlen den Walen.

Die Flügel der Vögel haben an dem Vorderarm kein Drehgelenk; der Oberarm hat an der Bildung des befiederten Flügels nur unwesentlichen Antheil. Der Oberschenkel ist stets kurz und liegt in der Fleischmasse des Rumpfes. Der Unterschenkel besteht nur aus einem Knochen.

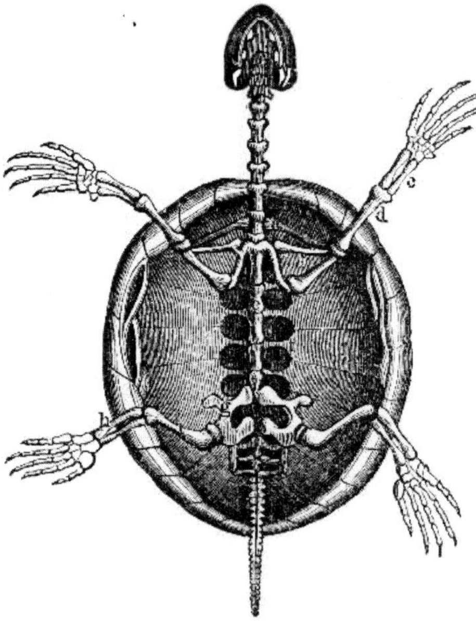

Fig. 360. Skelet einer Schildkröte.
a. Schulterblatt; *b.* Schlüsselbein; *c.* Unterarm; *d.* Oberarm; *e.* Rückenwirbel; *f.* Fortsätze der Wirbel; *g.* Beckenknochen; *h.* Unterschenkel; *i.* Oberschenkel.

Der Oberarm und Oberschenkel der Schildkröten besteht aus einem Knochen, der Unterarm und Unterschenkel dagegen aus zwei. Die Gliedmaßen fehlen den Schlangen. Die Frösche haben einen Unterarm und Unterschenkel, welcher nur aus einem Knochen gebildet wird.

Bei den Fischen sind die Knochen der Gliedmaßen sehr verkümmert. Die Bauchflossen (Fig. 361, *e*) entsprechen den Hintergliedmaßen und haben durch einen Knochengürtel, welcher dem Becken entspricht, mit der Wirbelsäule Verbindung. Die Brustflossen hängen durch zwei Knochen, welche

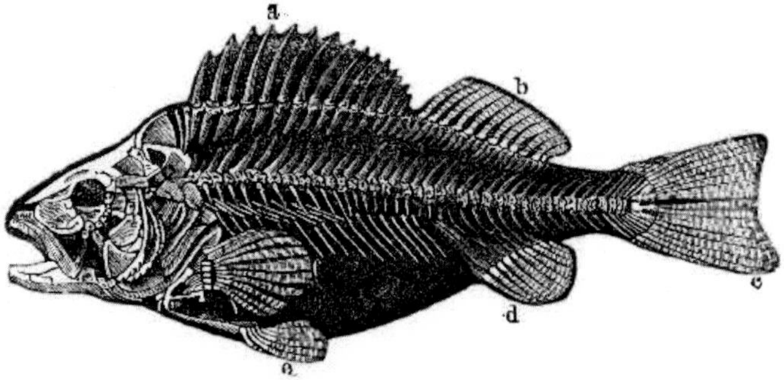

Fig. 361. Skelet des gemeinen Flußbarsches.
a. Erste Rückenflosse; *b.* zweite Rückenflosse; *c.* Schwanzflosse; *d.* Afterflosse; *e.* Bauchflosse; *f.* Brustflosse.

man mit der Elle und Speiche vergleichen kann, mit dem Schulterblatte am Hinterkopfe zusammen. Die Flossenstrahlen der Schwanzflosse sind die Fortsetzung der Dornfortsätze der Schwanzwirbel, welche zu einer Platte verwachsen.

Vergleiche Fig. 112, 115, 126, 127, 142, 146, 158 und 211.

(§. 279.) 2. Das Muskelsystem.

Die Muskeln (das Muskelgewebe oder das Fleisch) veranlassen mit Hülfe der Nerven fast alle Bewegungen; sie bestehen aus Muskelbündeln und diese aus weichen, rothen Fasern, zwischen welchen sich der Fleischsaft befindet. Das Muskelgewebe ist nicht nur elastisch, sondern es kann sich von selbst zusammenziehen und wieder ausdehnen.

Die Muskeln des menschlichen Körpers und der Thiere.

Die mikroskopische Untersuchung der Muskeln zeigt, daß die dem Willen unterworfenen Muskeln quer gestreift erscheinen; die Muskeln dagegen, welche die unwillkürlichen Bewegungen in den Därmen, in der Haut und in den Blutgefäßen ausführen, sind glatt und aus blaßrothen Fasern bestehend. — Die Muskeln sind entweder gestreckt (Skeletmuskeln) oder flächenartig (Hautmuskeln) oder ringförmig (Eingeweidemuskeln). Die Muskeln bilden die nächste Umgebung der Knochen; letztere sind mit Ausnahme der Zähne, nirgends sichtbar. Ein Muskel stellt meist einen in der Mitte verdickten und an den Enden in dünne Bänder auslaufenden Körper dar; letztere sind zähe Stränge, meist mit den Knochen verwachsen und heißen Sehnen oder Flechsen. Ein jeder Muskel entspricht einer bestimmten Bewegung. Ist durch die Thätigkeit des einen Muskels ein Körpertheil aus seiner Lage gebracht, so kann dieser Muskel die frühere Lage nicht wieder herstellen, sondern es ist hierzu ein zweiter Muskel vorhanden, dessen Bestimmung gerade die entgegengesetzte ist. Man unterscheidet daher nach der Bewegungsrichtung: 1) Beuger, welche den Winkel zwischen zwei Knochen verkleinern, 2) Strecker, welche den Winkel vergrößern, 3) Dreher, welche einen

Knochen um die eigene Axe oder um die Axe eines andern drehen, 4) Anzieher, welche ein Glied der Mittellinie eines Körpers nähern und 5) Abzieher, welche es von der Mittellinie entfernen.

Die Zahl der Muskeln des menschlichen Körpers beträgt 238 Paare; sie sind fast sämmtlich doppelt vorhanden.

Das Muskelsystem der Säugethiere ist dem des Menschen sehr ähnlich; es ist nur einfacher, weil die Bewegung hier eine einfachere wird.

(§. 280.) B. Die Organe der Empfindung.

Die Organe der Empfindung sind die Empfindungsnerven, welche von einem Mittelstamme ausgehen und sich wie Fäden durch den ganzen Körper verbreiten. Das Nervengewebe, welches Gehirn und Rückenmark, Nerven und Nervenknoten bildet, stellt eine zähe, weiche und meist weiße Masse dar, welche entweder aus Röhren oder Zellen besteht.

Das Nervensystem verknüpft alle Theile des Organismus zu einem Ganzen; es sammelt die lebendige Erregung zu einer Einheit und vermag aus diesem Sammelpunkte der Erregung wieder auf die einzelnen Organe zu wirken. Durch dieses Vermögen (Sensibilität) wird das Nervensystem der Vermittler zwischen Seele und Körper. Da aber nicht jede Thätigkeit im Körper empfunden wird und nicht jede die Folge des Willens ist, so zerfällt das Nervensystem darnach in ein animales und in ein vegetatives System.

(§. 281.) 1. Das animale Nervensystem des Menschen.

Der Centraltheil des animalen Nervensystems ist das Gehirn und Rückenmark. Durch das Gehirn besitzt der Mensch Bewußtsein, kann derselbe fühlen und wollen, die Sinneseindrücke wahrnehmen und willkürliche Bewegungen ausführen.

Das Gehirn (Fig. 362 *a*, *b* und *d*) besteht aus einer Nervenmasse von 1,5 Kilogramm Gewicht; der innere Theil ist weiß gefärbt und wird von einer grauen Rinde eingeschlossen. Es füllt die ganze Schädelhöhle aus und wird durch die Schädelknochen geschützt; auf der Oberfläche zeigen sich schlangenförmig gebogene Hügelstreifen oder Hirnwindungen. Das Gehirn theilt sich in zwei Hauptballen, deren vorderer die Stirn und den mittleren Theil des Kopfes ausfüllt und das große Gehirn (Fig. 363, *d*) genannt wird, während das kleine Gehirn (*b*) nur im Hinterhaupte liegt. Das große Gehirn zerfällt in zwei Hirnhälften oder Hemisphären, welche durch den Balken (*a*) mit einander in Verbindung stehen. Das kleine Gehirn (Fig. 362, *d*) geht in das verlängerte Mark (Fig. 362, *b*) über und tritt durch das Hinterhauptloch aus dem Schädel in die Wirbelsäule, in welcher es sich als Rückenmark fortsetzt.

Das große Gehirn ist das Organ aller mit Bewußtsein vollzogenen Lebensverrichtungen; das kleine Gehirn soll die Ordnung in den Bewegungen vermitteln und das verlängerte Mark scheint der Mittelpunkt für die Athmungs- und Herzbewegungen zu sein.

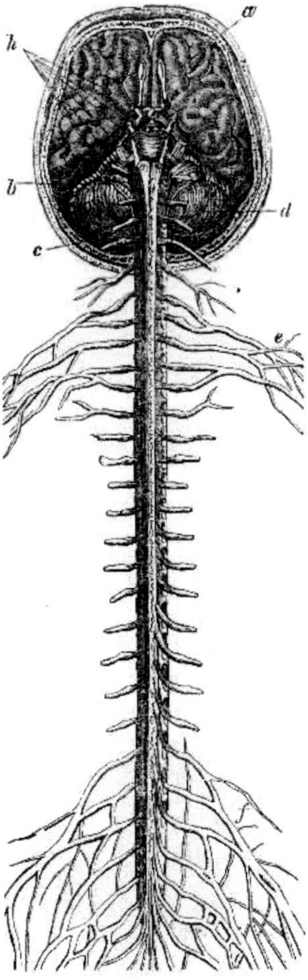

Fig. 362.
Gehirn und Rückenmark.
a. Großes Gehirn; *b.* verlängertes Mark; *c.* Rückenmark; *d.* kleines Gehirn; *e.* Armgeflecht; *f.* Schenkelgeflecht; *g.* großer Hüftnerv; *h.* Ursprung der einzelnen (abgeschnittenen) Hirnnerven.

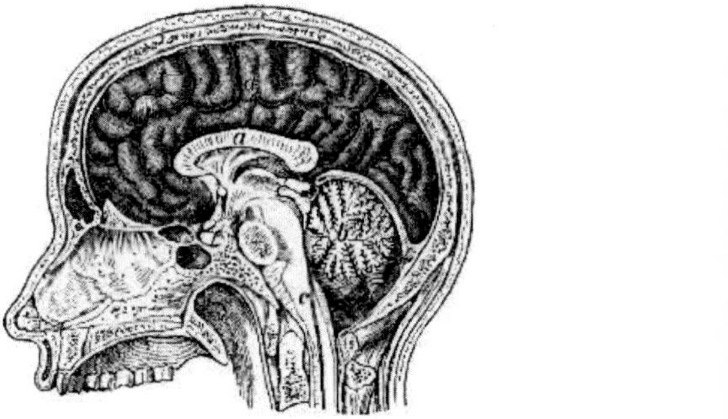

Fig. 363. Vertikalschnitt des Gehirns.
a. Balken; *b.* kleines Gehirn; *c.* Rückenmark; *d.* großes Gehirn.

Von jeder Hälfte des Gehirns gehen zwölf Hirnnerven aus (Fig. 362, *h*), welche am Boden des Schädels hervortreten und sich am Kopfe und Halse verzweigen; sie vermitteln das Riechen, Sehen, Hören und Schmecken; andere dienen nur der Empfindung oder der Bewegung. Die Bewegungsnerven erzeugen die Bewegungen, welche willkürliche genannt werden und die centrifugale Thätigkeit des Nervensystems ausmachen. — Die Empfindungsnerven vermitteln die centripetale Nerventhätigkeit, d. h. sie leiten die Reizung zum Gehirn; durch diese und die übrigen Nerven der Sinneswerkzeuge, werden die Sinneseindrücke dem Gehirne mitgetheilt, aus welchem die Vorstellungen hervorgehen. „Durch der Sinne Pforten zieht der Geist in unsern Körper," d. h. in das Gehirn.

Die centrale Thätigkeit des Nervensystems vollzieht sich im Gehirn und besteht zunächst im Vorstellen, d. h. im Bewußtwerden der Sinneseindrücke. Durch das Vergleichen von Vorstellungen bilden sich Begriffe und aus diesen das Urtheil; aus mehreren Urtheilen werden Schlüsse gezogen. Denken ist das Bilden von Begriffen, Urtheilen und Schlüssen. Vernunft besitzt nur der Mensch und die Fähigkeit, den Grund der Dinge zu erforschen, Gutes und Böses zu erkennen. Der Grad der Schärfe, mit dem dies geschieht, ist Verstand.

Die centrifugale Thätigkeit des Nervensystems, d. h. die Thätigkeit, welche vom Gehirn nach außen geht, giebt sich als Begehren, Wollen und Streben zu erkennen und wird durch die Bewegungsnerven zum Handeln.

Das Rückenmark (Fig. 362, c), ein plattrundlicher Nervenstrang im Kanale der Wirbelsäule, steht durch das verlängerte Mark (*b*) mit dem kleinen und großen Gehirn in Verbindung; von demselben gehen 31 Nervenpaare aus; *e* stellt das Arm-, *f* das Schenkel- und *g* das Kreuzbein- oder Hüftgeflecht dar. Das Rückenmark dient dem Verdauungs-, Athmungsproceß und dem Blutumlauf.

Die Fähigkeit, durch die Nerven äußere Eindrücke zu empfinden, nennt man Sinne, und die Organe, durch welche dies geschieht, die Sinneswerkzeuge oder Sinnesorgane.

(§. 282.) a. Der Gefühlssinn.

Die Haut des Thierkörpers oder die allgemeine Bedeckung dient nicht nur zur Bedeckung, sondern auch als Gefühls- oder Tastsinn und blutreinigendes Organ; ihre wichtigsten Theile sind Ober-, Leder- und Fetthaut.

Die Oberhaut besteht aus der Hornschicht (Fig. 364, *a*), von welcher die oberen Plättchen fortwährend abgestoßen und durch die darunter

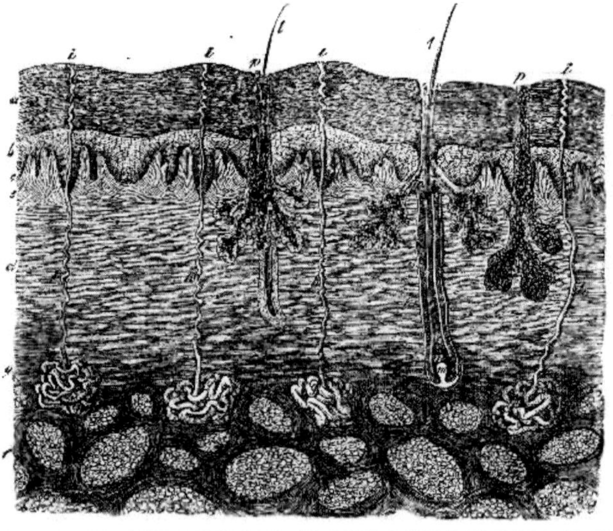

Fig. 364. Die äußere Haut, senkrecht durchschnitten und stark vergrößert. *a.* Hornschicht; *b.* Schleimschicht der Oberhaut; *c.* Farbenschicht in der Schleimschicht; *d.* Lederhaut; *e.* Tastwärzchen; *f.* Fetthaut; *g.* Schweißdrüse; *h.* Schweißkanal; *i.* Schweißporen; *k.* Haarbalg; *l.* Haar; *m.* Haarkeim; *n.* Haarzwiebel; *o.* Haarwurzel; *p.* Talgdrüse.

liegenden ersetzt werden, und der Schleimschicht (*b*). Die Färbung der Haut (oder der Teint) hat ihren Sitz in der Oberhaut und hauptsächlich in der Farbenschicht (*c*). —

Die Lederhaut (*d*) besteht aus sehr festem Bindegewebe und ist außerordentlich nerven- und gefäßreich. Die Nerven verbreiten sich zu den Tastwärzchen (*e*), diese befähigen die Haut zum Tasten. — Im kochenden Wasser löst sich die Lederhaut zu Leim und wird durch Zusatz von Gerbsäure in Leder umgewandelt. —

Die Fetthaut (*f*) bildet eine Art Polster für die Lederhaut und ist als schlechter Wärmeleiter für den Körper von Wichtigkeit. In ihr liegen die größeren oder kleineren Fettzellen und zwischen Fett- und Lederhaut die Schweißdrüsen (*g*); diese stehen mit den Schweißporen (*i*) durch den Schweißkanal (*h*) in Verbindung und sondern den Schweiß, eine wässerige, aus Ameisen-, Essig-, Butter- und Kohlensäure, Harnstoff, Kochsalz etc. bestehende Flüssigkeit ab. Die Absonderung des Schweißes ist der Regulator der Wärme für Menschen, Säugethiere und Vögel; höhere Wärmegrade werden latent, d. h. zur Bildung des Schweißes verwandt.

Die Talgdrüsen (*p*) sondern die Hautschmiere oder den Hauttalg ab, der zum Einsalben der Haut und Haare dient; sie liegen in der Lederhaut in der Nähe der Haarbälge (*k*). Zieht sich in der Kälte die Lederhaut zusammen, so ragen die Talgdrüsen wie Knötchen hervor und bilden die sogenannte Gänsehaut.

Zu den Horngebilden der Haut gehören Nägel, Hufe, Klauen, Hörner, Schuppen, Fischbein, Schildpatt, Federn, Borsten, Wolle und Haare, sie bestehen aus derselben Masse, welche die Hornschicht der Oberhaut bildet.

Durch das Tasten lernt man Gestalt, Größe, Schwere, Härte, Weichheit, Temperatur und Entfernung der Körper von einander kennen. Die richtige Schätzung dieser Eigenschaften ist nur dann möglich, wenn die Eindrücke auf die Haut durch die Nerven zum Gehirne geschafft und dort durch den Verstand gehörig verarbeitet werden.

(§. 283.) b. **Der Gesichtssinn.**

Das Organ des Gesichtssinnes ist das Auge, durch welches nur Lichteindrücke wahrgenommen werden. Man unterscheidet an demselben einen äußeren und inneren Theil.

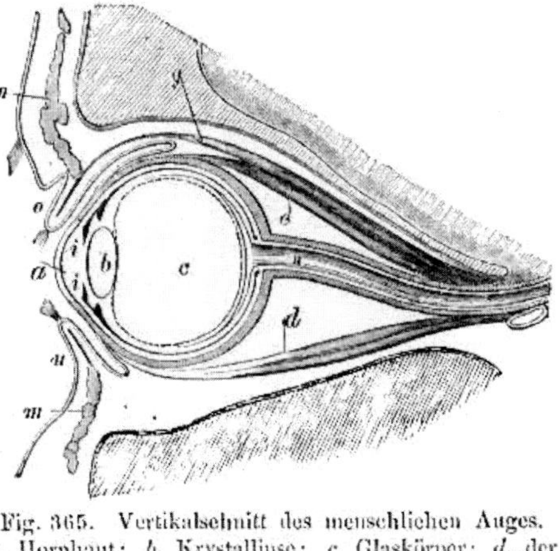

Fig. 365. Vertikalschnitt des menschlichen Auges. *a.* Hornhaut; *b.* Krystalllinse; *c.* Glaskörper; *d.* der untere gerade Augenmuskel; *e.* der obere gerade Augenmuskel; *g.* Hebemuskel des oberen Augenlides; *i.* Iris; *m.* Kreismuskel; *n.* Sehnerv; *o.* oberes Augenlid; *u.* unteres Augenlid.

Zum äußeren Theile gehören das obere und untere Augenlid (Fig. 365, *o* und *u*) und sechs Muskeln, welche das innere Auge oder den Augapfel bewegen. In der Fig. 365 sind der obere und untere gerade Augenmuskel *e* und *d*, der Hebemuskel *g* des oberen Augenlides und der Kreismuskel *m* sichtbar.

Das innere Auge, der Augapfel, liegt gut geschützt in der knöchernen Augenhöhle und wird von einer weißen, harten Haut oder *Sclerotica* umkleidet, welche undurchsichtig ist, nach vorn aber in eine durchsichtige und mehr erhabene Hornhaut oder *Cornea* (*a*) übergeht. Unter der weißen Haut befindet sich die auf der inneren Seite mit einer schwarzen Masse oder Pigment überzogene Aderhaut oder *Chorioidea*; diese verwandelt sich da, wo die weiße Haut in die durchsichtige Hornhaut übergeht, in die Iris oder Regenbogenhaut (*i*), welche bei den verschiedenen Menschen verschieden gefärbt ist und in ihrer Mitte eine schwarz erscheinende Oeffnung, die Pupille oder das Sehloch freiläßt. Die Iris theilt das Auge in die vordere und hintere Kammer. Auf der Innenseite der Aderhaut liegt die aus feinen Nerven bestehende Netzhaut oder *Retina*, welche als eine Ausbreitung des aus dem Gehirne kommenden Sehnerven (*n*) anzusehen ist. Zwischen Iris und der Hornhaut, also in der vorderen Kammer, befindet sich die wässerige Feuchtigkeit, in der hinteren liegt die Krystallinse *b* und der sogenannte Glaskörper *c*. Die Krystallinse bricht das Licht und wirft auf die Netzhaut, den eigentlichen Sitz der Lichtempfindung, verkleinerte und umgekehrte Bilder. Ist die Netzhaut gegen das Licht unempfindlich, so nennt man diesen Zustand den schwarzen Staar. Verdunkelungen der Linse rufen den grauen Staar hervor.

(§. 284.) c. **Der Gehörssinn.**

Das Ohr ist das Organ des Gehörs. Fig. 366 giebt die äußere Ansicht und Fig. 367 den Vertikalschnitt des Ohres; dasselbe besteht aus dem äußeren, mittleren und inneren Ohre. Zu dem äußeren Ohre gehört die Ohrmuschel nebst Ohrläppchen (Fig. 367, *a* und *c*) und der Gehörgang *b*, welcher nach dem Trommelfelle *e* führt; dieses trennt den Gehörgang von der Paukenhöhle *g*, welche das mittlere Ohr darstellt. Die Paukenhöhle ist ein rundlicher Raum des Schläfenbeins *m*, in den die eustachische Röhre *f* führt; letztere mündet in den oberen Theil des Schlundkopfes; ihr

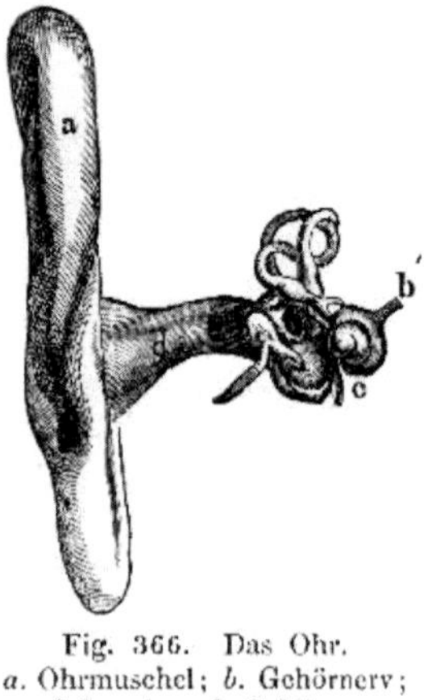

Fig. 366. Das Ohr.
a. Ohrmuschel; *b*. Gehörnerv; *c*. Schnecke; *d*. Gehörgang.

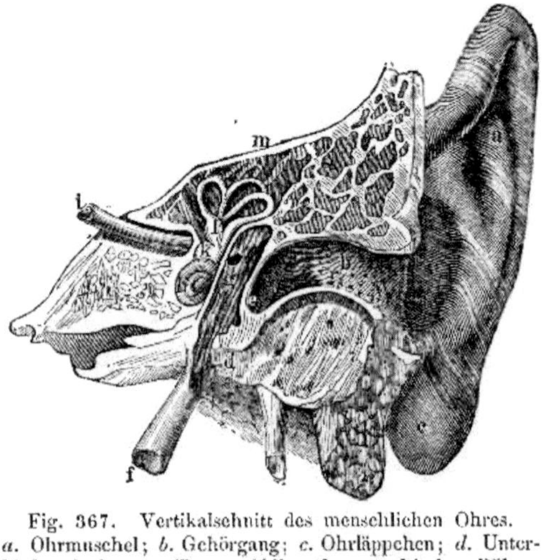

Fig. 367. Vertikalschnitt des menschlichen Ohres.
a. Ohrmuschel; *b*. Gehörgang; *c*. Ohrläppchen; *d*. Unterkiefergelenk; *e*. Trommelfell; *f*. eustachische Röhre; *g*. Paukenhöhle; *h*. Schnecke; *i*. Gehörnerv; *k*. Vorhof; *l*. Labyrinth und die halbzirkelförmigen Kanäle; *m*. Schläfenbein.

Zweck scheint die Zuführung von Luft zur Paukenhöhle zu sein. Die innere Wand der Paukenhöhle zeigt zwei kleine, von sehniger Haut geschlossene Oeffnungen, das runde und das ovale Fenster. Zwischen der inneren und der durch das Trommelfell gebildeten äußeren Wand der Paukenhöhle liegen die vier Gehörknöchelchen: 1) der Hammer, welcher durch seinen Stiel mit dem Trommelfelle verwachsen ist, 2) der Ambos, auf welchem der Kopf des Hammers ruht, 3) das Linsenbein und 4) der Steigbügel; der Fuß des letzteren paßt mit seinem Fußtritt in das ovale Fenster; (letzterer liegt in Fig. 367 über *g*; das runde Fenster ist nicht dargestellt.) Das Labyrinth stellt das innere Ohr dar; zu der oberen Abtheilung desselben führt das ovale Fenster (Fig. 367, über *g*); dieselbe besteht aus dem Vorhofe *k* und den über *l* liegenden halbkreisförmigen Bogengängen. Das häutige Labyrinth ist eine zarte Haut, welche im Labyrinthwasser des Vorhofes und der Bogengänge schwimmt und das innere Labyrinthwasser umschließt. Zu der unteren Abtheilung des Labyrinthes oder zu der Schnecke *h* führt das unter *g* liegende runde Fenster. Die Schnecke gleicht einem zweieinhalbmal gewundenen Schneckenhause. Ihre Höhlung ist durch eine Scheidewand in zwei Kanäle getheilt, von denen der eine, die sogenannte Vorhofstreppe, am Vorhofe und der andere, die sogenannte Paukentreppe am runden Fenster beginnt; in der Mitte sind beide Treppen verbunden. In das Labyrinth tritt der Gehörnerv *i* und theilt sich in vier Aeste; der Hauptast geht in die Schnecke und verbreitet sich in Tausenden von kleinen Plättchen, und die drei anderen Aeste verzweigen sich im häutigen Labyrinthe.

Die Schallwellen werden von der Ohrmuschel aufgefangen und durch den Gehörgang zum Trommelfelle geführt, welches in Schwingungen geräth und diese den vier Knöchelchen mittheilt; letztere pflanzen die Schwingungen bis zum Gehörnerven fort. — Auch die Zähne und die anderen Knochen des Kopfes leiten die Schallwellen nach dem Gehörnerven.

(§. 285.) d. **Der Geruchssinn.**

Das Organ des Geruchs ist die Nase, welche aus der äußeren und inneren Nase zusammengesetzt wird. Die äußere Nase hat an der Spitze und den Nasenlöchern eine knorpelige und an der Wurzel eine knöcherne Grundlage; sie dient zum Ein- und Auslassen der Luft und zum Schutze der inneren Nase oder Nasenhöhle; letztere, durch die Nasenscheidewand in zwei Hälften geschieden, besteht aus drei übereinander liegenden Nasenmuscheln. Die Schleimhaut überzieht die Nasenhöhle und ist im oberen Theile der Sitz des Geruchssinnes; sie ist reich an Geruchs- und Gefühlsnerven, daher leicht entzündlich (Katarrh oder Schnupfen). Den Eingang in die Nasenhöhle bilden die Nasenlöcher; ihre hintere Oeffnung führt in den Schlund und hierdurch ist eine Verbindung mit dem Munde, der Luft- und Speiseröhre hergestellt. — Durch den Geruch können nur solche Gegenstände wahrgenommen werden, welche die luftförmige Gestalt annehmen, wie z. B. Kampfer; legt man denselben auf Wasser, so bemerkt man, wie durch das Ausströmen der Theilchen um den Kampfer eine Grube entsteht, indem dieselben das Wasser zurücktreiben, und wie der rasch an Gewicht und Größe abnehmende Kampfer durch den Rückstoß des Wassers in eine rotirende Bewegung versetzt wird.

(§. 286.) e. Der Geschmackssinn.

Die Zunge ist das Organ des Geschmacks; sie besteht aus Fleisch, dem Zungenmuskel und dient nicht nur zum Schmecken, sondern auch zum Sprechen, Kauen, Schlingen und Tasten. Ihr Ueberzug besteht aus einer Schleimhaut, auf welcher sich eine große Zahl von Hügelchen erheben; diese heißen Geschmackswärzchen und werden aus zahlreichen feinen Nerven zusammengesetzt. Während die Spitze der Zunge der Sitz des feinsten Tastgefühls ist, besitzt der hintere Theil die feinsten Geschmacksempfindungen. Die untere Fläche und die Seitenränder der Zunge haben die Fähigkeit nur in geringem Grade zu schmecken; der mittlere Rücken schmeckt gar nicht.

Nur die Körper schmecken, welche im Wasser oder in dem Speichel des Mundes löslich sind; unlösliche Körper sind geschmacklos.

(§. 287.) 2. Das vegetative Nervensystem des Menschen.

Der Hauptsitz des vegetativen Nervensystems ist die Brust- und Bauchhöhle; es heißt daher auch Rumpfnervensystem und versorgt diejenigen Organe, deren Thätigkeit wir nicht mit unserm Willen beherrschen, ja die wir nicht einmal fühlen. Nur das Gefühl der Gesundheit und des Unwohlseins, je nachdem die Thätigkeit dieses Systems normal oder gestört ist, sind die einzigen Empfindungen, die wir von demselben haben.

Das vegetative Nervensystem besteht aus einer großen Anzahl kleiner Nervenknoten, welche durch Nerven verbunden sind und sich mit den aus dem animalen Nervensystem entspringenden Nerven verflechten; es bildet ein netzartiges Geflecht, dessen Knoten Nervenknoten oder Ganglien genannt werden. Diese Nerven heißen Eingeweidenerven, weil sie die unwillkürlichen Bewegungen des Magens, des Herzens, der Lungen etc., die Verrichtungen der Eingeweide und die Absonderungen des Harns etc. bewirken.

(§. 288.) 3. Das Nervensystem der Wirbel- und Gliederthiere.

Mit der Abnahme der Gehirnmasse von den Säugethieren bis zu den Fischen hält die unvollkommene Entwickelung desselben gleichen Schritt.

Der Gefühlssinn ist an der weichen Schnabelspitze mancher Vögel und den Bartfäden einiger Fische besonders entwickelt. Die Schnurrhaare einiger Säugethiere dienen auch dem Gefühl. — Die Haut der fleischfressenden Säugethiere hat keine Poren; sie schwitzen nicht und bedürfen nur geringerer Mengen von Wasser. — Die Fühler der Insekten und Krustenthiere dienen als Tastorgan; bei ersteren scheinen sie auch die Stelle der Geruchswerkzeuge zu vertreten.

Der Bau des Auges der Wirbelthiere stimmt wesentlich überein mit dem des menschlichen; die meisten Fische haben keine Lider. Die harte, weiße Haut der Frösche und der meisten Fische ist knorpelig und bei einigen Fischen knöchern; die Hornhaut ist bei letzteren sehr groß und flach. Viele Säugethiere, Vögel und Fische haben auf der Aderhaut eine pigmentfreie Stelle, von welcher das Leuchten des Auges im Dunkeln ausgeht. — Die Insekten und Krustenthiere besitzen einen ziemlich entwickelten Sehapparat; den niederen Thierformen fehlt oft das Auge gänzlich. Die Schnecken tragen die Augen auf den Spitzen der Fühler und die Seesterne auf den Spitzen der Körperstrahlen.

Der Bau des Ohres der Säugethiere ist dem des Menschen ähnlich. Kein Thier besitzt ein Ohrläppchen; viele Flossensäugethiere, das Schnabelthier und die Vögel haben keine Ohrmuscheln. Statt der Ohrmuschel ist bei den Eulen eine Hautfalte vorhanden. Bei den Reptilien ist das Ohr mit einer Haut verschlossen und bei den Fischen liegt es ganz oder zum Theil in der Schädelhöhle. — Bei den niederen Thieren ist das Ohr selten erkennbar. Die Krebse haben am Grunde der Fußpaare eine trommelfellartige Haut.

Das Geruchsorgan bei Säugethieren, Vögeln und Reptilien hat dieselbe Einrichtung, wie bei dem Menschen; bei den Fischen dagegen fehlt die hintere Oeffnung nach dem Schlunde. Die Wasserthiere besitzen oft verschließbare Nasenlöcher.

Der Geschmackssinn ist in absteigender Linie immer weniger entwickelt; oft fehlen die Geschmackswärzchen gänzlich. Selbst den niederen Thieren, welchen die Zunge fehlt, ist dieser Sinn nicht ganz abzusprechen. Raupen nähren sich nur von den Blättern einer Pflanze, während sie jede andere Nahrung verschmähen.

(§. 289.) C. Organe der Ernährung.

Die Organe der Ernährung befinden sich im Rumpfe. Nahrung empfängt der Körper 1) aus den von Zeit zu Zeit durch den Mund aufgenommenen Stoffen durch die Verdauung und 2) aus der Luft durch die Athmung; letztere findet ununterbrochen statt. Der durch Verdauung und Athmung erzeugte und zur Umbildung in die ganze Masse des Körpers geeignete Stoff ist das Blut, welches in den sogenannten Gefäßen den ganzen Körper durchläuft. — Hiernach zerfällt das ganze Ernährungssystem in Verdauungs-, Athmungs- und Gefäß-System. Die Ausdünstung und Ausscheidung des Unbrauchbaren oder Verbrauchten gehört ebenfalls zu den Funktionen des Ernährungssystems.

(§. 290.) 1. Das Verdauungssystem.

Die Organe der Verdauung haben die Aufgabe, aus der Nahrung die Stoffe zu ziehen, welche geeignet sind, das Leben zu unterhalten.

(§. 291.) a. Die Verdauungsorgane des menschlichen Körpers.

Die Verdauungsorgane bestehen aus Mundhöhle (nebst Zähnen, Zunge, Gaumen und Speicheldrüsen), Schlundkopf, Speiseröhre, Magen, Darmkanal, Leber und Bauchspeicheldrüse.

Die Verdauung beginnt mit der Vorverdauung, welche im Munde stattfindet. Die aufgenommenen Stoffe werden mit dem Speichel, welcher aus der Speicheldrüse fließt, vermischt, durch die Zähne zerkaut, mit Hülfe der Zunge, indem sich diese gegen das Gaumengewölbe drückt, nach hinten geschoben und gelangen so in den Schlundkopf und in die fleischige Speiseröhre; durch Zusammenziehung der letzteren, welche hinter der knorpeligen Luftröhre und dem Herzen liegt, kommen die Speisen durch die Brusthöhle und durch die Oeffnung des Zwergfelles in den Magen, welcher in der Bauchhöhle liegt.

Die Magenverdauung findet im Magen (Fig. 368) statt; derselbe hat eine dudelsackförmige Gestalt und liegt wagerecht mehr im linken Theile der Oberbauchgegend. Durch die Speiseröhre *d* (Fig. 368) tritt die Speise in den Magenmund *a* und gelangt durch den Pförtner *c* in den Dünndarm *e*. Das Innere des 25—30 Zm. langen Magens wird von der Schleimhaut ausgekleidet, welche den Magensaft absondert; dieser dient zur Auflösung der eiweißartigen Nahrungsstoffe oder zur Verwandlung in Speisebrei oder Chymus. Wasser, gelöste Salze und Zucker werden sofort von den Blutgefäßen des Magens aufgesogen; die übrigen Stoffe verweilen je nach ihrer Löslichkeit zwei bis sechs Stunden im Magen. Die fetten Stoffe erleiden keine Verwandlung, während ein Theil der Stärke vom Mundspeichel in Zucker verwandelt wird. — Beim erwachsenen Menschen ist der Magen bei *b* (Fig. 368)

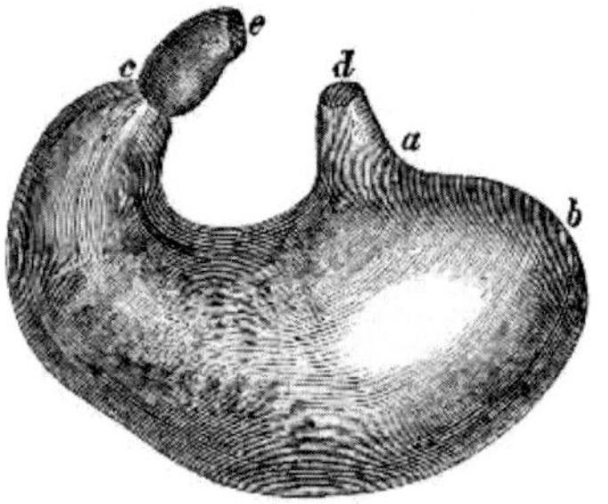

Fig. 368. Magen eines Erwachsenen.
a. Magenmund; *b.* Magengrund; *c.* Pförtner; *d.* Speiseröhre; *e.* Zwölffingerdarm.

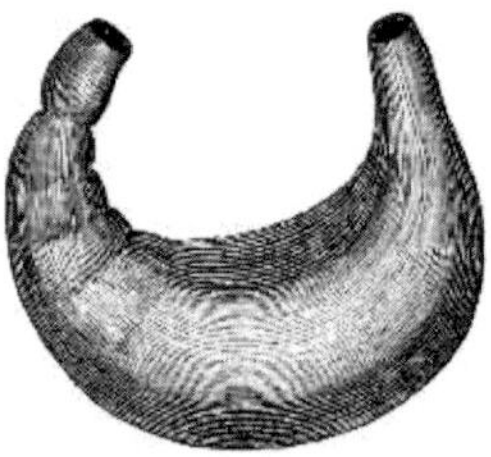

Fig. 369.
Magen eines Kindes.

etwas ausgeweitet; diese Stelle heißt Magengrund, welcher bei Kindern (Fig. 369) noch nicht entwickelt ist. Aus diesem Grunde erbrechen kleine Kinder leichter als Erwachsene, weil bei ihnen der Mageninhalt leichter zum Magenmund hinausgedrängt werden kann.

Die Dünndarmverdauung erfolgt im Zwölffingerdarm (Fig. 370, links von der Bauchspeicheldrüse *c*) — seine Länge ist gleich der Breite von zwölf Fingern, — und im Dünndarm *i*.

Am rechten Ende des Magens *b* (Fig. 370) beginnt beim Pförtner *e* der eigentliche Darm, dessen Länge etwa 9 M. beträgt. In den oberen Theil

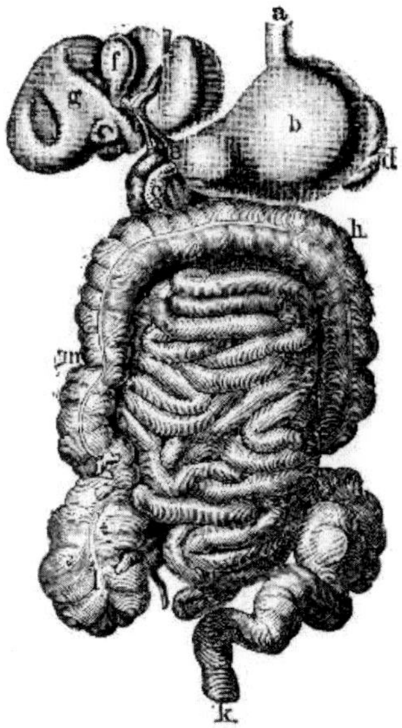

Fig. 370.
Verdauungsorgan des Menschen.
a. Speiseröhre; *b.* Magen; *c.* Bauchspeicheldrüse; *d.* Milz; *e.* Pförtner; *f.* Gallenblase; *g.* Leber; *h.* Quergrimmdarm; *i.* Dünndarm; *k.* Mastdarm; *l.* Blinddarm; *m.* aufsteigender Grimmdarm.

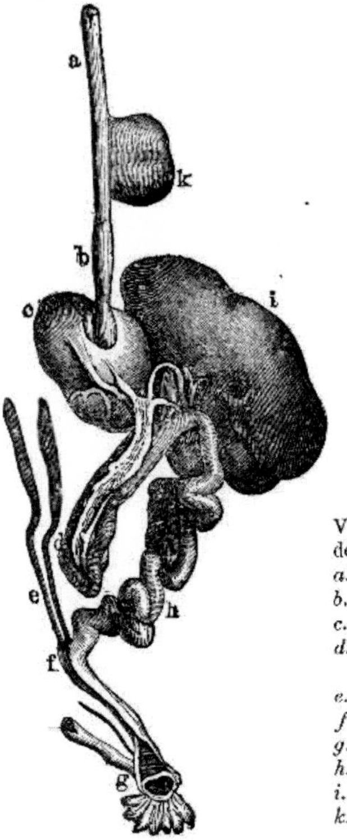

Fig. 371.
Verdauungsorgan des Haushuhnes.
a. Speiseröhre;
b. Vormagen;
c. Magen;
d. Zwölffingerdarm;
e. Blinddärme;
f. Dickdarm;
g. Kloake;
h. Dünndarm;
i. Leber;
k. Kropf.

des Darmes, den Zwölffingerdarm, ergießen sich die Galle und der Bauchspeichel; erstere kommt aus der Gallenblase *f*, welche in der Leber *g* bereitet wird. Der Bauchspeichel ergießt sich aus der Bauchspeicheldrüse *c*; diese liegt hinter dem Magen zwischen dem Zwölffingerdarm und der Milz *d*. — Durch die wurmförmigen Bewegungen des Dünndarmes wird der Speisebrei mit Hülfe der Galle und des Bauchspeichels weiter bewegt. Die Reste der eiweißartigen Stoffe werden hier flüssig gemacht, die noch vorhandene Stärke wird in Zucker verwandelt und die Fette werden mit Hülfe der Galle flüssig. Der so entstandene Speisesaft (Chylus) kann nun von den Saugadern des Dünndarms aufgesogen und ins Blut geschafft werden. Im untern Theile des Dünndarmes befinden sich demnach meist feste und untaugliche Stoffe, so daß nur Reste des Speisebreies in den Dickdarm übergeben.

Die Dickdarm- oder Nachverdauung beginnt im Blinddarm *l* (Fig. 370), an welchem sich ein regenwurmförmiger Anhang (rechts von *l*) befindet. Der Blinddarm geht auf der rechten Körperseite in den aufsteigenden Grimmdarm *m* über, welcher als Quergrimmdarm *h* unter dem Magen seine Lage hat, und als absteigender Grimmdarm (auf der linken Körperseite) in den Mastdarm *k* übergeht. Blind-, Grimm- und Mastdarm bilden den Dickdarm, aus welchem die Reste des Speisebreies in fester Form als Kothmassen durch den Mastdarm entfernt werden.

(§. 292.) b. Die Verdauungsorgane der Thiere.

Die Mundhöhle einiger Säugethiere (Hamster) ist durch die Backentaschen erweitert. Die Zunge nimmt von den Säugethieren zu den Fischen an Entwickelung ab. Die Speicheldrüsen sind bei den Pflanzenfressern am stärksten ausgebildet. — Bei den Wiederkäuern besteht der Magen aus vier Abtheilungen (§. 103 und Fig. 148). Die Pferde besitzen am Magenmunde eine Klappe. Die Insektenfresser haben die geringste, die Fleischfresser die größte Darmlänge.

Den Vögeln fehlen die Lippen und die Geschmackswärzchen auf der Zunge. Der Schlund erweitert sich zum Kropfe (Fig. 371, *k*), in welchem eine vorbereitende Verdauung stattfindet; der Magen besteht aus dem drüsenreichen Vormagen *b* und dem eigentlichen Magen *c*, welcher bei Pflanzenfressern einen hornartigen Ueberzug zeigt. Der Dickdarm *f* ist kurz und mündet in die Kloake *g*. Die Leber ist stets groß.

Die Zunge der Reptilien ist weich oder fehlt bei einigen Fröschen; ihr Darm ist kurz.

Die Fische besitzen keine bewegliche Zunge.

(§. 293.) 2. Das Athmungssystem.

Die Organe der Athmung haben die Aufgabe, den Sauerstoff aus der Luft aufzunehmen, in das Blut überzuführen und die hierdurch entwickelte Kohlensäure und den nicht verwendbaren Stickstoff auszuscheiden.

(§. 294.) a. Die Athmungsorgane des menschlichen Körpers.

Die Athmungsorgane bestehen aus den Luftwegen (Mund- und Nasenhöhle, Kehlkopf (Fig. 372) und Luftröhre) und den Luftbehältern oder den Lungen (Fig. 373); letztere liegen in der Brusthöhle, welche von der Bauchhöhle durch das Zwerchfell abgeschlossen ist. Das Einathmen erfolgt durch Erweiterung der Brusthöhle, das Ausathmen durch Verengerung derselben.

Der Kehlkopf (Fig. 372), das eigentliche Stimmorgan, ist der Anfang der Luftröhre, welcher aus den Kehlkopfsknorpeln, einem festen Gerüste, besteht. Der oberste Ring der Luftröhre ist der Ringknorpel *a* (Fig. 372) des Kehlkopfes, auf welchem sich, um die Achse *ee* drehbar, die zwei Schildknorpel *b* erheben; diese vereinigen sich vorn (auf der Abbildung oben) zu einer Kante, welche oft stark hervortritt und den Adamsapfel bildet. An der hinteren Kehlkopfswand sitzen auf dem Ringknorpel *a* die beiden Gießkannenknorpel *cc*;

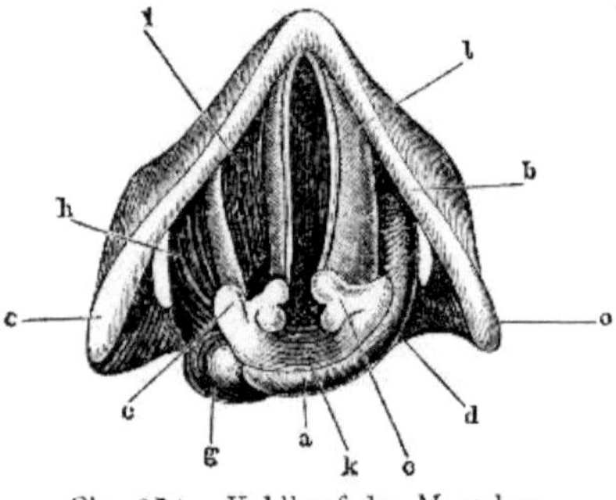

Fig. 372 Kehlkopf des Menschen. *a.* Ringknorpel; *b.* Schildknorpel; *c.* Gießkannenknorpel; *g, h, i* und *k.* Muskeln; *l.* Stimmbänder.

diese können sich einander und den Schildknorpeln nähern, was durch die Muskeln *i, h, g* und *k* ausgeführt wird. Die Schleimhaut der Luftröhre geht zwischen diesen Knorpeln in die Stimmbänder *l* über, welche die Stimmritze (in der Fig. durch die schwarze Anlage erkennbar) frei lassen. Um fremden Körpern den Eintritt in die Stimmritze zu verwehren, wird dieselbe durch den mit dem Schildknorpel verwachsenen Kehldeckel geschlossen.

Das menschliche Stimmorgan ist eine Zungenpfeife. Der Blasbalg wird durch die Lunge, das Windrohr durch die Luftröhre, der Fuß durch den Kehlkopf und die Zunge durch die Stimmbänder ersetzt. Indem nun die Luft aus den Lungen durch die Stimmritze getrieben wird, gerathen die Stimmbänder in tönende Schwingungen, welche sich zugleich der Luft im Kehlkopfe mittheilen und auch die Luft oberhalb des Kehlkopfes zum Mitschwingen veranlassen. Reinheit und Metallgehalt hängen von der Beschaffenheit der Schleimhäute im Kehlkopfe, Höhe und Tiefe dagegen von dem Grade der Spannung der Stimmbänder und der Weite der Stimmritze ab. Je schneller die Bänder schwingen, d. h. je straffer sie gespannt sind und je enger die Ritze ist, um so höher wird der Ton; tritt das Gegentheil ein, so werden tiefere Töne hervorgebracht. Frauen sprechen in einer höheren Tonlage, als die Männer, weil bei ihnen die Stimmbänder etwa 12, bei den Männern dagegen etwa 18 Mm. lang sind.

Die Sprache kommt mit Hülfe der Stimmorgane und der Mund- und Nasenhöhle zu Stande. Die Bildung der Vocale oder Selbstlaute erfolgt in der Mundhöhle und die der Consonanten oder Mitlaute dadurch, daß der Mundkanal an einer Stelle verengt oder geschlossen wird und der Ausathmungsstrom diesen Verschluß an einer Stelle hebt.

Die Fortsetzung des Kehlkopfes nach unten ist die aus siebenzehn bis

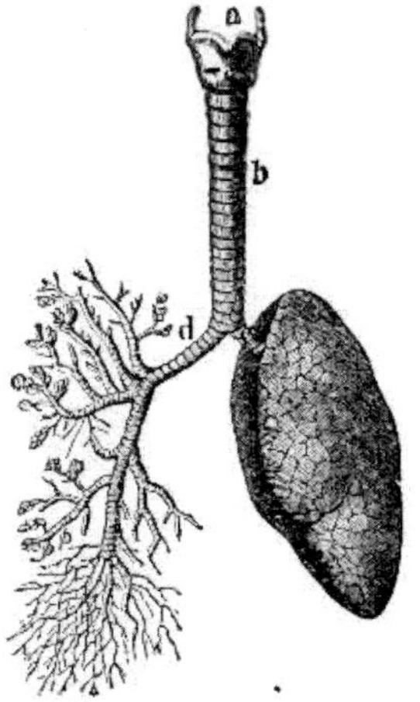

Fig. 373. Luftröhre und Lunge. (Die rechte Lunge zeigt die Verästelung der Luftröhrenäste.) *a.* Kehlkopf; *b.* Luftröhre; *c.* linker Luftröhrenast; *d.* rechter Luftröhrenast.

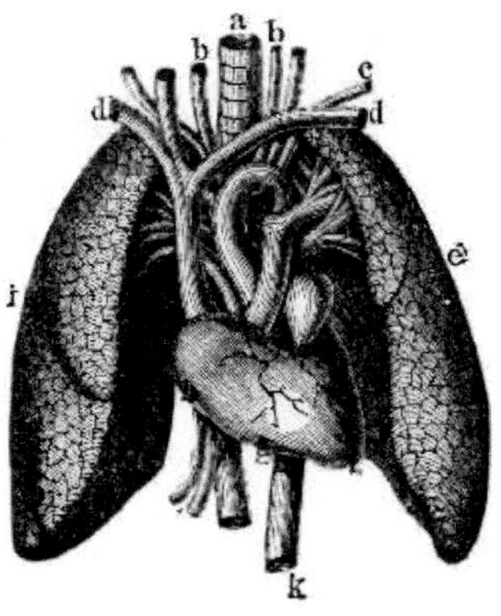

Fig. 374.
Lungen, Herz und Hauptaderstämme. *a.* Luftröhre; *b.* Kopfpulsader; *c.* Armpulsader; *d.* Armvenen; *e.* linke Lunge; *f.* linke Herzkammer; *g.* rechte Herzkammer; *h.* rechte Vorkammer; *i.* rechte Lunge; *k.* Aorta.

zwanzig C-förmigen Knorpelringen zusammengesetzte Luftröhre (Fig. 373, *b*); sie läuft dicht vor der Speiseröhre in die Brusthöhle und theilt sich vor dem dritten Brustwirbel in die beiden Luftröhrenäste *d* und *c*, deren Verästelung Fig 373, *d* zeigt.

Die Lungen (Fig. 374), von welchen die rechte (*i*) in der rechten und die linke (*e*) in der linken Brusthälfte liegt, umschließen das Herz *f g h*, die Speiseröhre und die Aorta *k*. Die rechte Lunge (oder Lungenflügel) wird durch zwei Einschnitte in drei, die linke Lunge durch einen Einschnitt in zwei Lappen getheilt. Das weiche, lockere und schwammige Gewebe der Lungen besteht aus länglichrunden Bläschen, den Lungen- oder Luftzellen, deren Zahl bis auf 1800 Millionen geschätzt wird. Diese Zellen werden von dem Haargefäßnetze der Lungenpulsader umsponnen; hierdurch kommt das Blut in diesem Netze auf einer sehr ausgedehnten Fläche in möglichst dünner Schicht mit der Luft in Berührung. Die Luft erhält die Lungenzellen fortwährend ausgepannt und giebt den Sauerstoff an das dunkle Blut in den Haargefäßen der Lungenpulsadern ab, wodurch es hellroth gefärbt wird, während dieses dagegen Kohlensäure in die Luft der Lungenzellen schickt. Das hellrothe Blut gelangt aus den Haargefäßen in die Lungenblutadern und in die linke Vorkammer des Herzens. — Das Athmen oder die Respiration versorgt nur die Lungen mit neuer sauerstoffhaltiger Luft und entfernt die kohlensäurehaltige Luft aus der Lunge; die erstere Thätigkeit, also das Einathmen heißt Inspiration und die letztere das Ausathmen oder Exspiration. — Die Zahl der Athemzüge ist nach Alter, Geschlecht und Körperbeschaffenheit verschieden. Neugeborene athmen in der Minute 44 mal, Erwachsene 12 bis 20 und Greise 20 bis 22 mal.

Sauerstoff, Stickstoff, Kohlensäure und Wasserdampf setzen die ein- und ausgeathmete Luft zusammen; den Unterschied zwischen beiden ergiebt folgende Tabelle:

In 10000 Raumtheilen sind enthalten:	Sauerstoff.	Stickstoff.	Kohlensäure.
a. in der atmosphärischen Luft	2081	7915	4
b. in der ausgeathmeten Luft	1603	7915	438

Während also der Sauerstoff durch die Athmung um ⅕ seines Volumens abnimmt, nimmt die Kohlensäure um das Hundertfache zu; der Stickstoff bleibt unverändert; mit Wasserdampf ist die ausgeathmete Luft fast gesättigt.

Das Gähnen, Seufzen, Schluchzen, Keuchen, Schnüffeln, Saugen und Schlürfen sind eigenthümliche Abänderungen des Einathmens und das Husten, Niesen, Räuspern, Hauchen, Schnäuzen, Lachen und Weinen Abänderungen des Ausathmens.

Die Hautathmung findet durch die Haut statt, welche in der Aufnahme von Sauerstoff und Ausscheidung von Kohlensäure und Wasserdampf besteht.

(§. 295.) b. **Die Athmungsorgane der Thiere.**

Die Säugethiere weichen in Bezug auf die Organe der Athmung wenig von den Menschen ab. Das Kameel hat in seiner Luftröhre 110 Knorpelringe.

Den Vögeln fehlt der Kehldeckel; die Singvögel haben im unteren Kehlkopfe, welcher da liegt, wo sich die Luftröhre in die zu den Lungen gehenden

Aeste theilt, einen Singmuskelapparat, der aus fünf Muskelpaaren besteht. Der obere Kehlkopf trägt wenig zur Stimmbildung bei; er liegt am Anfange der Luftröhre. Die Lungen sind großzelliger, am Rücken befestigt und enthalten sogenannte Luftsäcke, welche sich zwischen die einzelnen Körpertheile und in die pneumatischen Knochen verlängern; hierdurch kann sich der Vogel aufblähen, seine Größe bei gleichbleibender Schwere vermehren und so sein Flugvermögen erhöhen. Die Athmung erfolgt jedoch nur durch die Lungen.

Auch den Reptilien fehlt der Kehldeckel. Die Athmung erfolgt durch Lungen und nur bei wenigen durch die Kiemen in der Jugendzeit oder zeitlebens. Bei den Schlangen ist die linke Lunge oft ganz verkümmert. Bei den nackten Reptilien findet während des Winterschlafes eine lebhafte Hautathmung statt.

Die Athmung der Fische erfolgt durch Kiemen, bei wenigen durch Kiemen und Lungen. Die Kiemen sind äußerst gefäßreich und erscheinen bei den Grätenfischen als lanzettförmige Blättchen auf Kiemenbogen; bei den Knorpelfischen stellen die Kiemenspalten sackförmige Räume dar, in welchen die Kiemenblättchen nicht nur am Grunde, sondern auch an den Seiten befestigt sind. Bei einigen Rundmäulern führen die Kiemenspalten nicht in den Schlund, sondern durch einen besonderen Gang in den Rachen. Die Athmung geschieht in der Weise, daß das durch die Mundöffnung aufgenommene lufthaltige Wasser die Blättchen umspült, den Gefäßen den Sauerstoff abgiebt und die ausgeschiedene Kohlensäure aufnimmt; diese gelangt mit dem Wasser durch die Kiemenspalten wieder ins Freie. Nur die Rundmäuler nehmen das Wasser, wenn sie sich festgesogen haben, durch die Kiemenöffnungen auf.

Die Insekten athmen durch Tracheen oder Luftröhren. An jedem Körperringel ist jederseits ein äußerlich sichtbares, rundes, durch eine Klappe verschließbares Luftloch sichtbar; dasselbe führt nach innen zu einem Kanale (Luftröhre oder Trachee), welche sich im ganzen Körper verbreitet und auch die Flügel durchzieht. Das Athmen vollzieht sich in der Weise, daß die Luft durch Zusammenziehung des Körpers ausgetrieben wird und daß sich die Tracheen durch eine in ihrer doppelten Wand enthaltene elastische Spiralfeder erweitern und so den Eintritt der Luft herbeiführen. Die Wasserthiere athmen durch Kiemen.

Die Athmung der Spinnen erfolgt durch Tracheen, die der Krebse durch Kiemen und die der Würmer durch die ganze Körperoberfläche. Die Eingeweidewürmer besitzen keine Athmungsorgane. Die Weichthiere haben Kiemen oder Lungensäcke (Lungenschnecken).

(§. 296.) 3. Das Gefäßsystem.

Die Organe dieses Systems haben die Aufgabe die Zufuhr des verarbeiteten Nahrungsstoffes und die Ausscheidung der unbrauchbar gewordenen Bestandtheile zu besorgen.

(§. 297.) a. Die Gefäßorgane des menschlichen Körpers.

Das Gefäßsystem besteht aus dem Herzen, den Puls- und den Blutadern, in welchen sich zwei Flüssigkeiten, die Lymphe und das Blut, bewegen.

Die Lymphe ist eine dem Blute und dem Speisesafte ähnliche, weiße, milchige Flüssigkeit, in welcher sich rundliche, ungefärbte Lymphkörperchen (Fig. 375, *c*) vorfinden. Durch die Farbe und den größeren Wassergehalt unterscheidet sich die Lymphe vom Blute. Man betrachtet die Lymphe als den Ueberschuß der aus dem Blutstrome in die Gewebe durch die Haargefäßwände hindurchgeschwitzten Ernährungsflüssigkeit. Sie findet sich in allen Theilen des Körpers und wird durch die Lymphgefäße oder Saugadern in das Blut zurückgeschafft und dient zu seiner Neubildung. In den Lymphdrüsen wird die Lymphe dem Blute ähnlicher.

Das Blut besteht aus einer fast farblosen Blutflüssigkeit (Plasma), den Blutkörperchen (Fig. 375, *a* und *b*), welche dem Blute die rothe Farbe geben, und den farblosen Lymphkörperchen (*c*); letztere verwandeln sich höchst wahrscheinlich allmählich zu den rothen Blutkörperchen.

Das Blut ist der flüssige Mensch, denn in der Blutflüssigkeit finden sich Faserstoff, Eiweiß, Fette, Harnstoff, Harnsäure, Milchsäure und Salze, überhaupt alle die Stoffe, welche den menschlichen Körper bilden. Die Blutkörperchen des Menschen (Fig. 375, *a* und *b*), — ein Kubikmillimeter Menschenblut enthält 5 Millionen dieser Körper, — bilden abgeglättete, kreisförmig begrenzte und an den beiden größeren Flächen vertiefte Scheiben, welche sich oft beim Gerinnen des Blutes geldrollenartig (Fig. 375, *b*) zusammenlegen. Sie erhalten ihre rothe Farbe von dem Blutfarbstoff (Hämatin), welcher viel Eisen enthält. Die Größe und Gestalt der Blutkörperchen ist sehr verschieden, so daß man nicht nur Menschen- von Thierblut, sondern auch das Blut verschiedener Thiere unter dem Mikroskop an den Blutkörperchen unterscheiden kann. Unter den Säugethieren haben nur die Kameele (Fig. 375, *e*) längliche und gewölbte Blutkörperchen; alle übrigen Thiere besitzen, wie der Mensch und die Ziege (Fig. 375, *f*) scheibenförmige und vertiefte Blutkörperchen; diese sind beim Elephanten (*d*) größer, als bei dem Menschen. Schlangen (Fig. 376, *h*), Fische (*i*) und Frösche (*k*) haben größere, ovale Blutkörperchen in der Form von Kürbiskernen. Bei den Vögeln (*g*, Taubenblutkörperchen) finden sich länglich ovale, in der Mitte erhabene und am Rande scharf zulaufende Blutkörperchen.

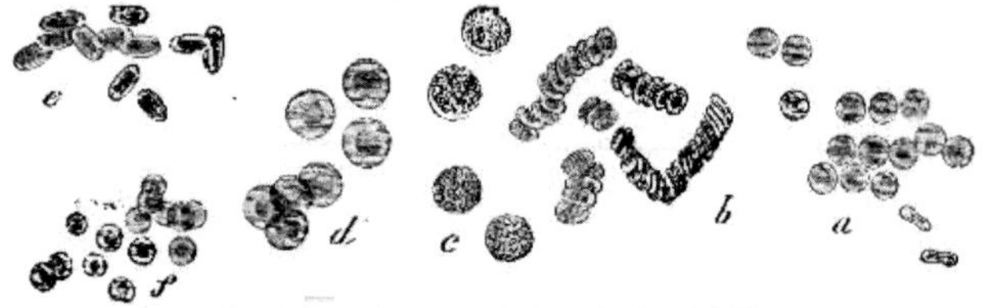

Fig. 375. Blut- und Lymphkörperchen.
a. b. Farbige Blutkörperchen des Menschen; *c.* Lymphkörperchen des Menschen; *d.* farbige Blutkörperchen des Elephanten, *e.* des Kameels, *f.* der Ziege. — (500 mal vergrößert.)

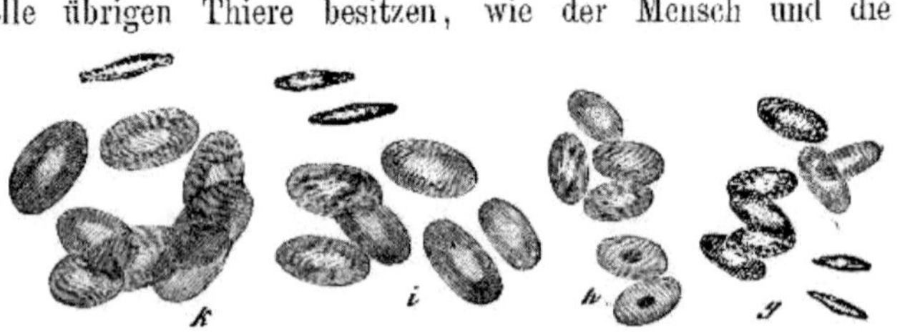

Fig. 376. Blutkörperchen. *g.* Farbige Blutkörperchen einer Taube, *h.* einer Schlange, *i.* eines Fisches und *k.* eines Frosches. (500 mal vergrößert.)

Das Blut des Menschen und der Säugethiere ist eine etwas zähe, klebrige Flüssigkeit von größerer Schwere als das Wasser; seine Temperatur wechselt zwischen 34—40 ° C.; es hat einen eigenthümlichen Geruch und einen salzig-süßlichen Geschmack. Die Menge des Blutes ist nach Alter, Geschlecht, Körperbau und Lebensweise verschieden; sie beträgt etwa 6—10 Kilogramm oder den sechsten bis achten Theil des Körpergewichtes.

Das Herz, der Vereinigungspunkt sämmtlicher Blutgefäße, von welchem alle wie Zweige und Aeste eines Baumes nach allen Theilen des Körpers ausgehen, ist ein länglich runder Muskel, dessen Lage aus Fig. 374 hervorgeht. Es erreicht die Größe einer Faust und wird von einem häutigen Sacke, dem Herzbeutel eingeschlossen; es zerfällt durch die Längsscheidewand *l* (Fig. 377) in eine rechte und linke Hälfte. Jede Hälfte wird durch eine

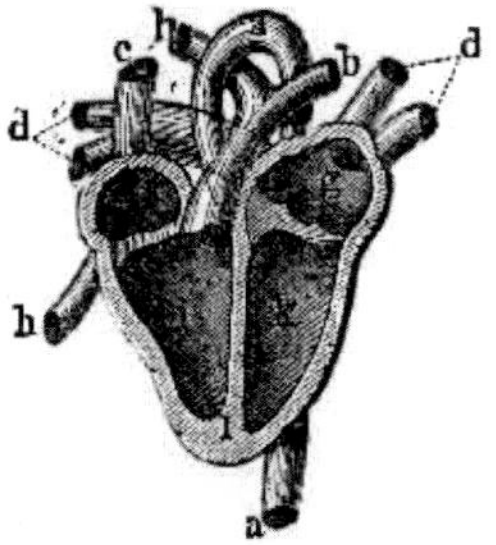

Fig. 377. Durchschnitt des Herzens mit den Aderstämmen.
a. Aorta; *b.* Lungenarterie; *c.* obere Hohlvene; *d.* Lungenvenen; *f.* rechte Vorkammer; *g.* linke Vorkammer; *h.* untere Hohlvene; *i.* rechte Herzkammer; *k.* linke Herzkammer; *l.* Scheidewand.

Querscheidewand in zwei Kammern getheilt. Die beiden unteren Kammern heißen linke (*k*) und rechte (*i*) Herzkammer. Diese Kammern stehen durch eine Oeffnung, — sie wird durch die Pfeile in Fig. 379 angedeutet, — mit der linken (*g*) und rechten (*f*) Vorkammer in Verbindung.

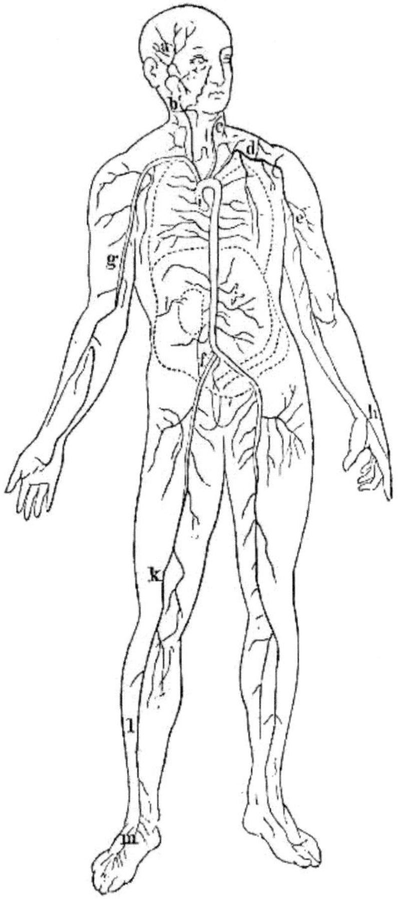

Fig. 378. Verlauf der bedeutendsten Arterien.
a. Schläfenpulsader; *b.* rechte Kopfpulsader; *c.* Wirbelpulsader; *d.* Schlüsselbeinpulsader; *e.* linke Achselpulsader; *f.* Hüftpulsader; *g.* Armpulsader; *h.* Speichenpulsader; *i.* Aorta (über dem Herzen abgeschnitten); *k.* Oberschenkelpulsader; *l.* Schienbeinpulsader; *m.* Fußpulsader.

Die Pulsadern oder Arterien sind dickhäutige Röhren, welche sich in sehr feine Haar- oder Capillargefäße verzweigen, diese gehen dann allmählich in die Blutadern oder Venen über. In der rechten Herzkammer entspringt die Lungenpulsader (Fig. 377, *b*), welche sich in zwei Aeste *bb* theilt; diese gehen nach der rechten und linken Lunge, verzweigen sich in ein zartes Netz von Haarröhrchen und gehen in die Lungenblutadern (*d*) über. Die Lungenpulsader führt dunkelrothes Blut zur Lunge, wo es gereinigt und in hellrothes verwandelt wird. Die große Körperpulsader oder Aorta (*a*) hat ihren Ursprung in der linken Herzkammer, steigt empor, läuft hinter dem Herzen weiter und verzweigt sich, wie dies in Fig. 378 dargestellt wird.

Die Blutadern oder Venen sind dünnhäutige Röhren, welche in ihrem Innern Klappen haben, damit das Blut in ihnen nicht zurücklaufe. Sie entspringen aus den Haargefäßen der Pulsadern und führen das Blut zum Herzen zurück. Man unterscheidet Lungenblutadern und Hohladern; die ersteren bringen das hellroth gewordene Blut aus den Haargefäßnetzen der Lungen in vier Stämmen (Fig. 377, *d*) in die linke Vorkammer (*g*). Die obere Hohlader (*c*) leitet das dunkle Blut aus der oberen Körperhälfte und die untere (*h*) aus der unteren Körperhälfte in die rechte Vorkammer (*f*).

Die Ernährung des Körpers wird durch das Blut bewirkt; dasselbe nimmt in den Saugadern den Speisesaft oder Chylus auf und verarbeitet denselben mit Hülfe des in den Lungen aufgenommenen Sauerstoffes, welcher sich mit den rothen Blutkörperchen verbindet und dieselben auf ihrer Bahn durch den ganzen Körper begleitet. Das so gewonnene Ernährungsmaterial wird als hellrothes Blut durch Herz und Pulsadern durch den ganzen Körper getrieben und gelangt in die feinsten Haargefäße, wo aus dem Blute die Ernährungsflüssigkeit durch die zarten Wände tritt und alle Gewebe durchdringt und tränkt, d. h. den Geweben den Stoff zu ihrer Verjüngung darbietet. Gleichzeitig dringen aber auch hier die unbrauchbar gewordenen, abgestorbenen Stoffe der Gewebe in das Blut ein und färben es dunkel; dieses Blut wird durch die Blutadern zum Herzen zurückgeführt. Der Ueberschuß des Ernährungsstoffes ist die Lymphe. Die abgestorbenen Stoffe werden durch Aussonderungen, welche in Lungen, Nieren und Leber erfolgen, aus dem Körper entfernt.

Indem nun das Herz 1) das zur Ernährung bestimmte hellrothe Blut nach allen Theilen des Körpers treibt und von diesen dunkelrothes empfängt und 2) das dunkelrothe Blut den Lungen zuführt und hellrothes von ihnen zurückerhält, besorgt dasselbe in dem ersten Falle den großen und in dem zweiten den kleinen Kreislauf des Blutes.

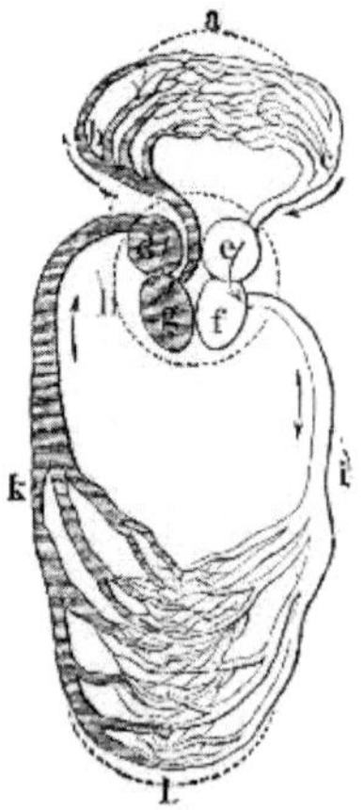

Fig. 379. Ideale Darstellung des Kreislaufes. *a.* kleiner Kreislauf; *b.* Lungenarterien; *c.* Lungenvenen; *d.* rechte Vorkammer; *e.* linke Vorkammer; *f.* linke Herzkammer; *g.* rechte Herzkammer; *h.* Herz; *i.* Aorta; *k.* Hohlvenen; *l.* großer Kreislauf.

Fig. 379 giebt eine schematische Darstellung des kleinen und großen Kreislaufs. Aus der rechten Herzkammer *g* wird das dunkle Blut durch Zusammenziehung des Herzens in die Lungenarterien *b* und durch diese in die Lungen getrieben; hier verwandelt es sich in hellrothes und kehrt bei Ausdehnung des Herzens durch die Lungenblutadern in die linke Vorkammer *e* zurück, aus welcher es durch eine Oeffnung in die linke Herzkammer *f* fließt. Zwischen Herz und Lunge findet demnach der kleine Kreislauf (*a*) statt.

Der große Kreislauf (Fig. 379, *l*) nimmt seinen Ausgang beim Zusammenziehen des Herzens von der linken Herzkammer *f*; aus dieser tritt hellrothes Blut in die Aorta *i*, welches in alle Theile des Körpers getrieben wird und dann in die Venen oder Blutadern übergeht; letztere führen das dunkelroth gewordene Blut durch die Hohladern *k* beim Ausdehnen des Herzens in die rechte Vorkammer *d*, aus welcher es durch eine Oeffnung in die rechte Herzkammer *g* gelangt.

In der Querscheidewand des Herzens befinden sich demnach vier Mündungen, von denen zwei in die Vorkammern führen, die beiden andern in die Lungenpulsader und in die Aorta. Diese Mündungen sind durch Klappen verschlossen. Zwei zipfelförmige, in die Herzkammern hineinragende Klappen verhindern das Zurücktreten des Blutes aus den Herzkammern in die Vorkammern und zwei halbmondförmige Klappen den Rücktritt aus den Pulsadern in die Herzkammern.

Die Kraft, mit welcher das sich zusammenziehende Herz das Blut in die Arterien treibt, ist gleich dem Drucke einer Quecksilbersäule von 150—160 Mm. Die tägliche Arbeit des Herzens berechnet man auf 60,000 Kilogrammometer, d. h. das Herz entwickelt in vierundzwanzig Stunden so viel Kraft, als erforderlich ist, um 60,000 Kilogramm 1 Meter hoch zu heben.

Die Blutbewegung ist eine so lebhafte, daß in einer Stunde das Blut mehr als zwanzig mal den ganzen Kreislauf durcheilt. In Folge der Zusammenziehung und Ausdehnung des Herzens entsteht der Herzschlag, welcher noch als stoßweise Fortpflanzung der Blutwellen in den Arterien als Pulsschlag beobachtet werden kann. Die Zahl der Pulsschläge beträgt bei Erwachsenen 60—80 in der Minute und bei Säuglingen 120—140. Auf einen Athemzug kommen vier Pulsschläge.

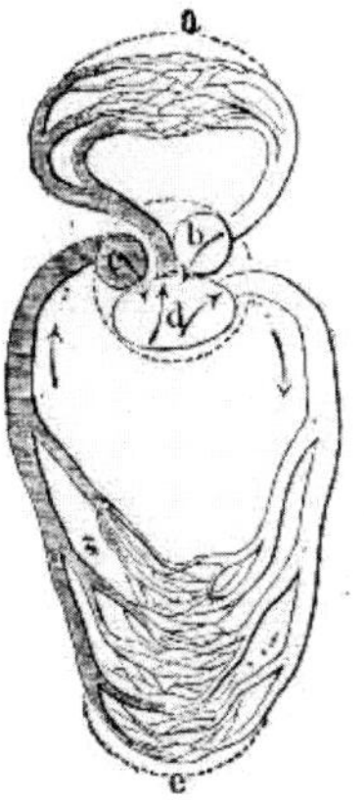

Fig. 380. Ideale Darstellung des Kreislaufes der Reptilien.
a. kleiner Kreislauf;
b. linke Vorkammer;
c. rechte Vorkammer;
d. einzige Herzkammer;
e. großer Kreislauf.

(§. 298.) b. Die Gefäßorgane des thierischen Körpers.

Das Gefäßsystem der Säugethiere stimmt mit dem des Menschen fast überein; nur die Dickhäuter und Wiederkäuer haben Verknöcherungen in der Scheidewand des Herzens. Dasselbe gilt von den Vögeln; jedoch steigt ihre Blutwärme bis auf 40—43 ° C.

Die Reptilien haben zwei Vorkammern (Fig. 380, *b* und *c*) und nur eine Herzkammer *d*; in letztere ergießt sich das dunkle Blut der Venen (aus dem großen Kreislaufe *e*) und das in den Lungen gereinigte Blut (des kleinen Kreislaufes *a*), mithin gelangt nur ein Theil des venösen Blutes in die

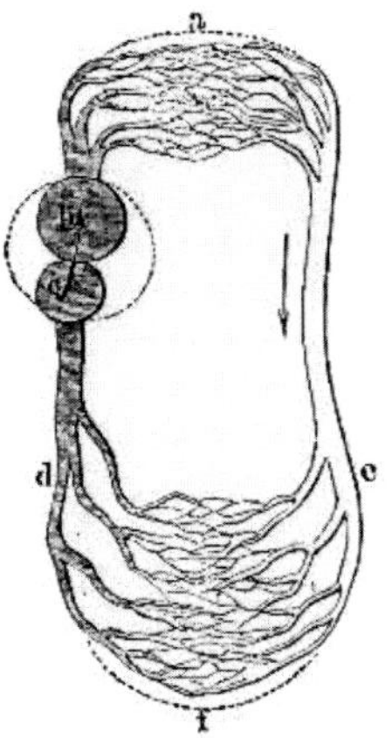

Fig. 381. Ideale Darstellung des Kreislaufes der Fische.
a. kleiner Kreislauf;
b. Herzkammer;
c. Vorkammer;
d. Venen; *e.* Arterien;
f. großer Kreislauf.

Lungen, während der andere Theil, ohne durch den Athmungsprozeß gereinigt worden zu sein, sogleich wieder den großen Kreislauf beginnt. Die Folge davon ist die geringe, von der äußeren Temperatur wenig verschiedene Wärme des Blutes, welche 4—5 ° C. beträgt, und eine gewisse Trägheit im Allgemeinen.

Das Herz der Fische liegt an der Kehle hinten zwischen den Kiemen und besteht aus einer Vorkammer (Fig. 381, *c*) und einer Herzkammer *b*; es enthält nur venöses oder dunkles Blut; dasselbe gelangt durch den kleinen Kreislauf in die Kiemen, wird dort gereinigt und durch die Arterien *e* in den Körper getrieben, aus welchem es durch die Venen *d* wieder in die Vorkammer *c* fließt. Die Blutwärme beträgt 4—5 ° C.

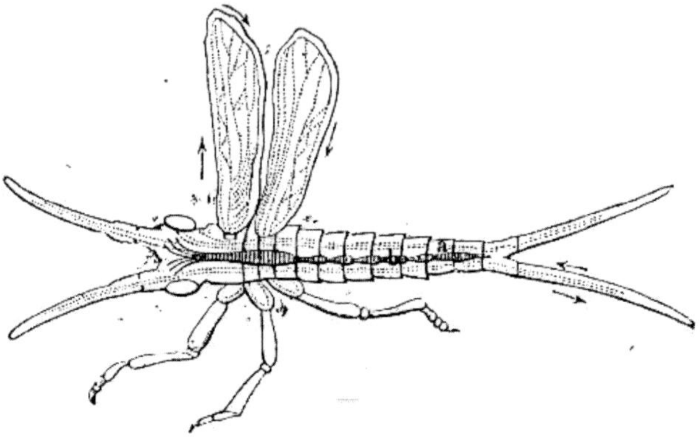

Fig. 382. Ideale Darstellung des Kreislaufs der Insekten.
a. Hauptsächlichste Seitenströmung; *b*. Rückengefäß (Herz).

Bei den Insekten und Spinnenthieren findet sich statt des Herzens ein sogenanntes Rückengefäß (Fig. 382, *b*); dieses durchzieht längs des Rückens den ganzen Körper und läßt ein deutliches Pulsiren wahrnehmen. Die punktirten Linien in Fig. 382 zeigen die Seitenströmungen. Die Bewegung des nicht rothen Blutes geschieht durch Zusammenziehung des Rückengefäßes.

Alphabetisches Register.

(Die Umlaute ä, ö und ü folgen immer nach a, o und u.)

Berichtigungen.

Seite 10; lies: *Cúculus canórus.*
Seite 24; lies: *Formíca.*
Seite 218; lies: *Theraphósa.*

Druck von E. Buchbinder in Neu-Ruppin.